国家出版基金项目
NATIONAL PUBLICATION FOUNDATION

安徽省圖書館 編

安徽省圖書館藏桐城派作家稿本鈔本叢刊

姚濬昌 卷 1

北京师范大学出版集团
BEIJING NORMAL UNIVERSITY PUBLISHING GROUP
安徽大学出版社

圖書在版編目(CIP)數據

安徽省圖書館藏桐城派作家稿本鈔本叢刊. 姚濬昌卷/安徽省圖書館編. —合肥:安徽大學出版社,2020. 12

ISBN 978-7-5664-2195-1

Ⅰ. ①安… Ⅱ. ①安… Ⅲ. ①中國文學—古典文學—作品綜合集—清代 Ⅳ. ①I214. 91

中國版本圖書館 CIP 數據核字(2020)第 272391 號

安徽省圖書館藏桐城派作家稿本鈔本叢刊·姚濬昌卷

ANHUISHENG TUSHUGUAN CANG TONGCHENGPAI ZUOJIA GAOBEN CHAOBEN CONGKAN YAOJUNCHANG JUAN

安徽省圖書館　編

出版發行:北京師範大學出版集團
安 徽 大 學 出 版 社
(安徽省合肥市肥西路 3 號 郵編 230039)
www. bnupg. com. cn
www. ahupress. com. cn

印　　刷:安徽新華印刷股份有限公司
經　　銷:全國新華書店
開　　本:184mm×260mm
印　　張:67. 25
字　　數:215 千字
版　　次:2020 年 12 月第 1 版
印　　次:2020 年 12 月第 1 次印刷
定　　價:1100. 00 圓(全 3 冊)
ISBN 978-7-5664-2195-1

總　策　劃:陳　來　齊宏亮　李　君
執行策劃編輯:馬曉波　李海妹　劉金鳳　李　雪　李　晴　錢翠翠
責任編輯:馬曉波　李海妹　劉金鳳　李　雪　李　晴　錢翠翠
責任校對:龔婧瑤　李　健
裝幀設計:李　軍　孟獻輝
美術編輯:李　軍
責任印製:陳　如　孟獻輝

《安徽省圖書館藏桐城派作家稿本鈔本叢刊》

編纂委員會

序言

關愛和

桐城歷史悠久，人傑地靈。立功有張英、張廷玉父子，位極人臣；立言則有方苞、劉大櫆、姚鼐，號令文壇。桐城之名，遂大享於天下。

方苞於一六九一年入京師，以文謁理學名臣李光地，與人論行身祈向，有『學行繼程朱之後，文章介韓歐之間』之語；一七〇六年成進士；一七一一年因《南山集》案入獄，後以能古文而獲救，入值南書房，官至禮部侍郎；一七三三年編《古文約選》，爲選於成均的八旗弟子作爲學文範本；後兩年，又編《四書文選》，詔令頒布天下，以爲舉業準的。方苞論古文寫作，有『義法説』。義者言有物，法者言有序。其爲文之理，旁通於制藝之文，因此影響廣大。姚鼐於一七六三年成進士，一七七三年入《四庫全書》館，兩年後因館中大老，皆以考博爲事，憤而離開，在南京等地教授古文四十餘年，其弟子劉開稱姚鼐『存一綫於紛紜之中』。姚鼐到揚州梅花書院的第二年，作《劉海峰先生八十壽序》，編織了劉大櫆學之於方苞，姚鼐學之於劉大櫆的古文師承關係，引友人『天下文章，其出於桐城』的贊語，使得『桐城派』呼之欲出。一七七九年，姚鼐編《古文辭類纂》，以『神理氣味格律聲色』論文。編選古文選本，唐宋八家後，明僅録歸有光，清録方苞、劉大櫆，爲桐城派張目。姚鼐之後，遂有桐城派之名。

桐城派自姚鼐後規模漸成，名聲噪起。桐城派作爲一個散文流派，綿延二百餘年。其自身的發展大致經歷了初創、承守、中興、復歸四個時期。康、雍、乾年間，是桐城派的初創期。桐城派三祖——方苞以義法説，劉大櫆以神氣説，姚鼐以陽剛陰柔、神理氣味格律聲色説，奠定了桐城派散文理論的基礎；方、劉、姚又以其言簡有序、清淡樸素的散文創作名噪文壇，贏得『天下文章，其在桐城乎』的贊譽。嘉、道年間，是桐城派的承守期。姚鼐晚年，講學於江南各地，門生弟子廣布海内，桐城之學，掩映一時文壇。其中著名者如梅曾亮、管同、劉開、方東樹、姚瑩等人，承繼師説，標榜聲氣，守望門户，各擅其勝。咸、同年間，是桐城派的中興期。曾國藩私淑姚鼐，雅好古文，於戎馬倥偬之中，尋求經濟、義理、考據、辭章的重新組合，試圖以博深雄奇、氣象光明之方藥救桐城派文規模狹小、文氣拘謹之病，并以『早具行遠之堅車』矚望於門生弟子，别創湘鄉派。光、宣年間，是桐城派的復歸期。曾氏四弟子中，惟吴汝綸爲桐城人。吴氏於甲午之後，重提方、姚傳統，抑閎肆而張醇厚，黜雄奇而求雅潔，倡導恢復以氣清、體潔、語雅爲特色的桐城派文，并得到了馬其昶、姚永樸、姚永概等桐城籍作家的積極響應，桐城之學，再顯一時之盛。

安徽省圖書館一九一三年始建於安慶，與桐城派在同一地發祥并成長。安徽省圖書館在一百多年的發展歷史中，以珍貴古籍文獻收藏豐富，特别是本省古籍文獻收藏豐富而爲學術界所矚目。此次安徽省圖書館將館藏桐城派作家稿本、鈔本，以叢刊方式，編輯出版，一定會大有惠澤於學林。我們期望海内外桐城派研究者能早日共享出版成果。

前言

隨著對優秀傳統文化價值的重新認識，近年來，對在我國有極大影響的桐城派的研究也不斷升温。桐城派作家文集的整理出版，爲研究者提供了方便，推動著相關研究的展開。如由嚴雲綬、施立業、江小角主編，被列入國家清史纂修工程的《桐城派名家文集》，收入姚範等十七位作家的詩文集和戴名世等十一位作家的文章選集，總計十五册，一千多萬字。此書的出版有助於改變以往桐城派研究資料零散不足的狀況，也爲學術界開展清代文學史、文化史、思想史、教育史、政治史、社會史等研究工作提供了寶貴資料。

在充分肯定新世紀以來桐城派作家文集整理出版與研究取得豐碩成果的同時，我們不難發現，當前桐城派作家文集整理與研究的工作，與學界的要求和期盼還不相適應，仍然有拓展與提升的空間。桐城派是一個擁有一千多人的精英創作集團，即使如方苞、劉大櫆、姚鼐這樣的大家，仍有不少基礎文獻資料尚待發掘，一些有影響、有建樹的作家，更是鮮爲人知。可以説，基礎文獻整理出版工作的滯後，會影響和制約桐城派研究的進一步發展。

爲了滿足學界對於桐城派資料建設的需要，在人力、物力有限，又想最大限度地保留原書的真實面貌的情況下，我們推出了《安徽省圖書館藏桐城派作家稿本鈔本叢刊》（以下簡稱《叢刊》）。

安徽省圖書館一直十分重視桐城派作家稿本、鈔本的收集，積累了大量的原始文獻。《叢刊》所收集的對象，有方苞、劉大櫆、姚範、姚鼐、光聰諧、姚瑩、戴鈞衡、方守彝、方宗誠、吴汝綸、姚濬昌、馬其昶、姚永楷、姚永樸、姚永概等。桐城派的重要作家幾乎都包括在内。《叢刊》并非泛濫收録，良莠不辨，而是頗爲看重文獻本身的價值，可以説『價值』和『稀見』是本《叢刊》收録文獻的兩大原則。

安徽省圖書館此次將珍貴的稿本、鈔本資料公之於衆，順應了習近平總書記讓『書寫在古籍裡的文字都活起來』的號召，滿足了讀者的閲讀需求。《叢刊》的出版，既有利於古籍的保護，也有利於古籍的傳播，希望對推動桐城派研究有所裨益。

編　者

二〇二〇年三月

凡例

一、《叢刊》采取『以人系書』的原則，每位桐城派作家的作品一般單獨成卷，因入選作品數量太少不足成卷者，則以數人合并成卷。共收稿本、鈔本三十六種，分爲九卷二十五册。

二、《叢刊》遵循稀見原則，一般僅收録此前未經整理出版的稿本和鈔本。

三、《叢刊》大體按照作家生年先後爲序，卷内各書則依成稿時間爲序，或因作品性質而略有調整。

四、各卷卷首有作家簡介，每種作品前有該書簡介。

五、《叢刊》均照底本影印，遇有圖像殘缺、模糊、扭曲等情形亦不作任何修飾。

六、底本中空白葉不拍；超版心葉先縮印，再截半後放大分别影印放置；某些底本内夾有飛簽，則先拍攝夾葉原貌，然後將飛簽掀起拍攝被遮蓋處。

目録

姚濬昌

幸餘詩稿

清寐軒詩稿

石甫府君行述

幸餘軒詩稿

姚濬昌

簡介

姚濬昌（一八三三——一九〇〇），字孟成，號慕庭、寒皋，晚號幸餘，安徽桐城人。姚瑩之子，監生，居曾國藩幕，先後官安福、竹山、南漳知縣。於經邃於《易》；於史好《通鑒》；古文謹守家法，詞雅氣淵；工詩，治之甚勤，氣格沖澹要眇，風韵邈遠，善寄托。《晚晴簃詩匯》引張裕釗言，姚濬昌之詩「創意造言，蠲滌澳濁，工力之深，殆爲罕儷。其七律義法全宗惜抱，而選詞儷事，實與姜塢同工。古體尤縱横跌宕，有獨往獨來之概」。

幸餘詩稿

不分卷

幸餘詩稿

《幸餘詩稿》不分卷，清鈔本。四册，毛裝。半葉八行，行二十一字，小字雙行同，無框格。開本高二十四點三厘米，寬十三厘米。行間偶有朱墨筆校點。

本書各册封面題書名及序號，據詩體不同分元、亨、利、貞四册，元册收五律，亨册收七律，利册收五七言絶句，貞册收五七言古體詩。貞册卷端題『幸餘詩稿卷第一』，然此後再未分卷。與刻本《幸餘求定稿》對比，二書所收内容基本相同，唯刻本分年編排，與此書不同。

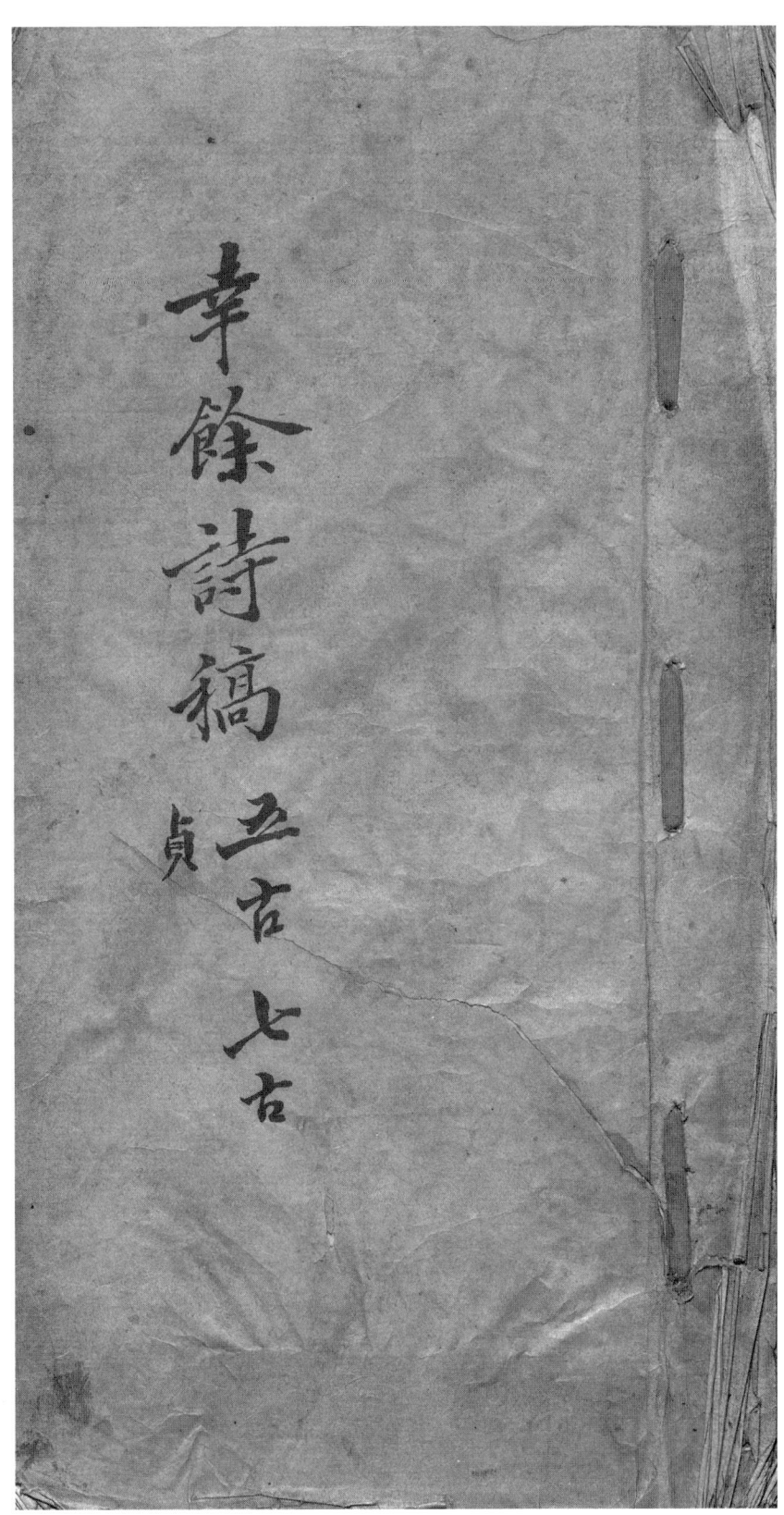

幸餘詩稿

五古 七古

貞

幸餘詩稿卷第一

偶感示吳守備家榜

元雲彌六合君子當何之振纓希往古濯足入斯時人生非朝露何懼朝陽晞季常頌第老鴻漸毀茶進智士喪所懷屈伸皆致訾所以魯仲連長揖謝田齊

新城道中

石田隨山開人聲出木末良苗亦已種牽牛軛方脱拔帷月滿户種芋雲生褐眷彼在山泉羨戀不可割

晨發近山邑巍然見高峯峯前竹樹多黄鸝鳴其中烟霏東淡白雲豁生微紅居人各閉户行子何匆匆山僧破曉出欲問驚晨鐘

大孤

一點湖上青西風吹欲落白雨瞑秋濤寒雲終日閣

石鐘山題坡仙樓

昔余承嘉會行近長公宅江海渺廿年更踐名山迹涉江冒風雨振袖聽水石去帆掠潮脣敗葦見洲脊峨嵋

與僧耳夷險幾何隔涉境亦偶然後人乃重惜遺構昔已非高文猶在壁坡仙樓有翁覃溪書石鐘山記古賢自有真鴻爪聽攸適再拜薦江蘋斯人儻可格

九月七日奉陪邵亭夫子周志甫丈登迎江寺塔

秋水下巴渝東連滄海碧殿閣付蒼茫客與渺何適一柱獨撐秋萬怪不敢摘欄顏手捻檐蹬轉梁挂幘班坐雲壓頭舉手山在腋悲風抱空來壯懷不可釋絕頂拾餘灰斷趾見題石詩擬慈恩新箭未南八射慷慨度層

梯願言乘下澤

黎蓴齋以詩送別既就道却寄酬三首

與君生殊方宦遊亦異地浮雲一聚散後會那可致出門望大江悲來不成寐蒼茫客子心六月動寒吹時平緩客心身強壯人志如何藥石間欲話意憔悴問疾我違遠贈言君意至古有今運期今宜古循吏百誦入感深翻倒不能醉離別且勿道願守平生意

束髮上巴蜀逾冠入甌閩縱横八千里求友心常殷今

人秦視越古有龍與雲壯年歷交遊一見得子真古人
重志節意氣何足云隆中主未遇但以抱膝聞同甫苟
欽才待軼朱陸倫此意匪論篤俯仰今誰陳君有久要
言況與龍門親
楚水接沅江迢迢更西上青鳥久不來高望煩結想頗
聞餘冦掠連邑絕輪鞅萬家聊自保充膓到櫟橡又聞
阿兄賢布署安耕紡男兒身許國家事如塵坱況君有
賢婦應足供俯仰善保七尺軀詩書可自廣秋風從此

來為君一慨慷

舟中遣懷

開歲日及五行李出邑門宵舟宿村語懽夢栖歸魂曉榜發川未晨光被山樊樹烟淡在杪潭石清見根始春艷陽薄積雨微寒屯我生飽徒旅夷險常覆翻豈謂征晷暫兹別凄朝昏宿心累簪紱終孤招隱言

還縣道中作

草芽變原色潦徑起晴堁風噫曳餘寒田梳待始播方

勞首塗處夜膽風浪破披拂元龍牀顛倒王恭座平生
惜喜怒虞緣一擲挫剟乃棄天親懸瑟斬孤和攢心逝
發駕落日臨水大廣笑侏儒飽默省翳桑餓

早發

月地光欲微雲影凝不變促駕即泥塗履滑驚偶援吾
生久行役甘苦倍經鍊追昔馬爭逐感今鳥知倦宵興
殘夢續屢呵不能欠野棠絓憾過飛雨時著面老樹合
重陰天光讓一綫情來興送將境往悲同餞行行眩朝

瞰攖世敢安晏

會真觀

梵院建何年門壁半塵土經樓拆梯板佛殿懸破鼓巖梘滴昏朝井桐葉三五坐久見衲僧搘針向日補

開歲三日宿雪未消往泰郡守逢中復雪舍輿而舟示同人

曳雪出郭門積素平如掌碧縈溪一綫白眩光萬丈村巖閉人跡禽寂絕籟響乾坤潔白塲振策獨來往雲際

忽寒開風中旋翳朗天榆散新莢鬬鶴落餘氅鷺屑壓
頭過廻磴緣冰上陟圯理違今東帯情感曩將母謝役
夫遵渚理舟槳

秋懷東湛士

萬籟日有聲馳陽欲無色歲與古人遠坐為來者惻掩
卷出前堂雜樹招疲翼老蕉間芙蓉風韻天然得自習
衆化中即事欣在默推懷樂難同測世情易匿方將謝
輕裘安問顏與稷

雜詩

秋來駈暑退一雨覺凉深復此悠悠夜滅燭倚孤衾殘燈耿旁舍流光照素琴欲起彈哀曲弦絕不成音之子去何鄉韶華更（未）消沈徘徊徧房櫳曉風開我襟愁深多好夢夢斷愁愈亟壁焔黯猶明殘照空牀得宵鷃發遠響檐溜續餘滴霽風送流雲窓月時一白固知達莊理未易遣宗戚我躬亦委化將為逝者晰

乙亥開歲六日雨雪不得出用陶公遊斜川詩韻

東容甫

首春氣猶塞雨雪無時休岧岧大觀亭咫尺不得遊霧
宇飛畫屑風櫓寫宵流澹此室中侶曠彼江上鷗塵網
罥將紀長歌懷故邱出處勝今戰人鬼半曩儔陳杯展
書卷獨與古人酬但懷去者意遥契兹情不檢素問良
朋同解平生憂江山曠如此慎作亡羊求

窓前梅花盛開

春風江上來綻我窓前卉微和散清寒自得讀書味掩

卷一俯仰暗香時到鼻孤芳不可尋還復悠然至有如澹蕩人幽意與古暨草木得本心不借山水寄奇興發晴朝淡忘松柏貴

喜晤馬莪園鎮軍即送之天津

修德不位稱天與人事殊平生聚散處亦復異斯須親情憶阿翁風義師友俱反馬附騏驥相期騁長途妖星起西極流芒照里閭欲持活國手坐使家難紓豈謂詩書力未當建旄旟天狼不能落奮身當威弧道申志已

屈壯士空嗟吁西風凋萬葉見子祁門初生犢赤手縛
忼慨一世無青冥失縱靶我西子南趨擇木棄甌越暴
鬐碣石隅相知有李相亦曾我沫濡榆枋安蜩鷽北溟
返鯤魚揚烟散鱷族舉帆拾驪珠鼉磯與鹿島曉箭傳
飛艫春禽蒲江樹花柳縱横舒久别忽相親斗酒焉足
娱高談謝河漢小語鳴璜琚鈞游忽廊廟亂雜無徑塗
却憶青燈下竊間陳杯盂猛志在稷契相顧輕陳徐風
雲失其會掉首同驚呼乾坤新日月舉室依皇都至孝

在善繼何用較行居孤注得其會焉辨梟與盧攸攸天際雲澹澹海上皂斂翼我鳥倦振翮子鵬圖枯揚各蕭髮存者白髮踈十年一相見能復幾相於男兒棄蓬萊自得非世模裲襠何必惡絕勝毛錐麤邂逅遠茍得貴賤皆天衢何況心神間炎朔同比廬出處念努力所望存素書

送族弟曉吾之江甯

飢士習江海得失道常半聲交偶相市十游九受謾官

籍日在胸幕楦時垂腕世路厭求頻親跡易水炭吾弟有疆志世網絓憂患平時杯酒間悔語發深歎貧驅贅妻子活計重親串囁嚅燕學語倔強駒受絆在昔齊容卿傳食六國桀慎辨道直枉善會情真贋豈必咽井李蓬蒿没門閉金陵游俠地得意可遥斷念世未平理放手觸也難苟得即須已毋令勞久盼

連日苦雨偕湛士兄登江樓還賦一篇

積雨奪陽暄衣裳生夏冷櫩庭劇蕭颯耳目不可靜蝸

涎交扉迹苔色動壁影流漿滿房闥階竈栖蛙黽飲水
腹漬疾開戶步吝騁讀書苦窓暗黙廢三日景坐思江
上樓縱眼接色郢胸懷一蕩滌似吸波萬頃雨溼牛馬
迷百怪蛟龍踶岸遠山若浮渚没樹如荇危舟下中流
定失千里永想見踈鑿前滔天方割猛詰兄有奇興曳
踵出閭井眼明軒檻外果洽意中境相顧豁沉憂頓割
膏肓青回首濕雲際微賴不成寐暮飯臨前除更祝霄
星耿

九日偕秦吉帆方俊民家寒人兄攜兒輩游大觀亭

紫桑斂陶襟龍山萃楚選幽想涉古游千載卧（不可）若踐積雨秋同深遥情慮空遣晨風開宿懷覞色奏檐扁霽暉耀澄流餘陰沉疊巘磴阜抗高館墉址拓脩畝江漢壓城來湖水側邀轉紳帛光南垂幞翅黛西展柳舍識漁村風篁踈澗筧莾麴安同塵童冠緬異撰樂知吹帽讓情睽九華愐興來與古并境往倏今餞登臺抱甫病尊

足臏兀蹇即理足吾欣欣依辰俗媿遣方將解雉樊明且共遊衍

題馬慎菴危坐獨立二圖

我生如山徑擁懷塞茅藟冥默盲說象流宕淮變枳偶從宴生中鎔若喻拳理隻手拓天開洗臟照明水灑然火宅離丹霞木佛燬乃知無我相在識真吾裏頗思結茅居共證素心子得歸披君圖何殊車就軌至法本無說饒舌非要旨因業偶相遺圖身何彼此行見斷文字冥

通一脈耳請看天邊月詎為秋張弛苦剖無隱心得月
已忘指
奉送孫勤西擢藩湖北奉　命入朝
國病重鴻儒時危思忠靖去作天下公留為一方幸淮
南久凋敝鋒鏑免俄頃民氣瘦南疆獷俗倔北境綱紀
念誰操實計賴久永古以人事君公如符契併剪除豪
奪吏直視不回頸仰窺飛鵬翮俯見衷鴻影情為斯人
深挾私交迸茫茫望大江不斷憂心怲

滔滔長江水高浪拂艘烟鳥語通卉服鬼面布金錢淫
巧干王度詭思毒中天如何活國手翻避衛律賢位卑
慮空高無由貢至言江漢會南紀二別開晴妍巨鎮折
其衝勢瓶亦處咽懸知高殿上奮舌動龍顏入獻有長
告出身奉　國艱顧念旌旆發或遲繞朝鞭
先人障海波夙抱和戎痛藩徹長城隳豈知事愈閧藐
然末小子漫添忝巖疆俸文書賦獻納詭教煽隣衆脩
然起鱸思敢竊〔折〕腰頌奇遇喜歸人屢進煩僕從異書勝

壺觴時許白衣送秋風發好懷移陽開楚霽借寇固知
私徵黃佇待用所望迴節旋連圻楮厦棟

卜居

流形四大合妙筏道旁舍矧乃物外區藏易如晝夜何
異圖名山復此從人借緬昔先人居代與時相藉德榮
安處常道衰菀枯乍翳余丁季世接淅況未暇九州半
榛蕪千里尠桑柘幸獲汶上辭聊許江陵假攬轡媿陽
春我屋敢求夏撫事更觀空踟躕息吾駕

西山何繚邃谿水杳廻沿踈峯挂初日石氣流蒼烟先公緬邱隴曾此眷流連館思層崖首户面飛雲巔灌園疏春澗鋤藥借秋田風晨兼雨夕農叟笑語便志深事未集微尚遂兹年經始望磐阿述德聊自鐫

初至山中夜起見月

濁夢謝城喧野守發山響泉懸識谷幽室明知月上搴扉螢亂流坐樹蟲獨紡篁徑散微陰林光宿餘朗竅籟觸遥思山韻生秋想秉燭無止行竊藥有解往宇宙亦

何寬寂寥胡獨賞心遠榆枋高物輕襟袍廣即景各脩然欣樂忘皋壤

入西山謁方植之先生墓

靈巖宮嵤崱連岡鬱楸櫝深稼媚廣隴縈澗委秋瀉既見愜猿鶴亦允藏輪馬水涉石犖确磴井泉飛灑洞岫既城羅林塲亦桐把誠薦闕芷蘩神期遝礫瓦平生跂先疇思傳欲曾假郢逭質徒存火在薪何捨口珠世好同商歌表靈寡成佛我膛後生天公乃音仍且雲翼起遥

岑遠色蒼然下撫墳獨遲廻怒馬懷大雅先生晚年精修至行詮釋金剛經八種極精深猶記咸豐辛亥先君奉命贊廣西軍事先生往主祁門東山書院先生賦詩為別有云人天我歸佛事業爾封候不朽憑三立都爭第一流于今人不信後世看傳頭今行何人所列先生集凡語近佛理悉去之殊非先生意先生素論以集須自定恐後世無知者妄為更改以為恨事屢見文字中故聊坿此詩以存先生生平之真云爾

至舊宅

竹徑交新陰踈花發舊壤連雨過芳庭秋草似春長鄰館慼山醉童嬉類袁往倏忽營方思彌襆但俯仰霞宇

絢晚空風竅觸宵響露深薄海同披煞跋厦廣拙疾事
安今華志遇乖曩慨念人已間撫景息夜養

秋日偕湛士兄攜楷樸概三兒山中散步

含秋散晨衿遵澗繚修嶺林稀山氣疎水落石梁盤遠
跡人易親寡用晝知永既聯渤涉興亦遂宣舒請懸梯
掇晚果瀹茗汲秋井翠巘當户深雲竇觸村泠平生愜
幽期靜緣覬天幸浮游茍不迷彌祀同俄頃曠覽日謝
暄發瞶燭思秉疇偕采藥人長此畢形影

江岸晚眺

雲峯極天長霽霞與江既秋重易為陰川陸皆蒙氣落
日暫流光一線耀萬彙昭曠物中賞淡泊人外味

雨中東秦吉帆

久晴絕泉脉一雨響衆瀑流交奪崖徑逕轉漾隄木屏
居罕人事隨地理可燭物通受地平氣達得天鷺潤色
入菱深生意當冬復鄰牆送竹青園牖上蔬綠雲巖色
化空風林聲遞續澤吟惜楚芳籬采感陶菊瞻彼雙老

柏滄熱自如宿

十一月初雪用陶公癸卯十二月中作與從弟敬
遠詩韻寄吉帆通伯寒人

立身無長途貴與俗殊絕時隨冥會淪道共荆扉閉愚
生丁三季如立風中雪詎不思兼善聊得一身潔天地
布彤雲壺觴獨屢設語默苟適情風雪亦可悅春和豈
不美未勝勁氣烈古人非固窮何以安素節披冊仰芳
踪忻然堅我拙託意竟誰知相思惜小別

冬曉入城于馬慎甫齋中得梅花臘梅數枝

微霞動峯東曉月挂樹杪遠際色籠寒孤往人荷篠雪消白若增夜來霜被草懸知微茫外碧湖紅日好官橋開水竹落梅應未掃銖衣出寒門明璫下瑶島扶姝馨口黄淩波帛帶縞園翁附書來林生被花惱懽心瞪喜踶篗與首塗早度石起雪漲穿樊讓水滌懷新野豔遥思往林香槁櫟高嚶翥禽谷開豁晴昊職落散榛蕪過市嚾秫稻向來把酒處逐歲成叢篠城西忽眼明冷豔

恣傾倒有如張與范久別逢遠道心遠境易輕情深物自寶俯仰橐籥閒聊冀畢吾抱

開歲二日山行有述

恒暘燒大塊山氣蒸成垢斜日射游氛流光赤諸有空色雲上元野夕陰生黝喜心企滂沱準擬屈指數瓦聲雜雞鳴萬里潤枯朽憶從秋雨斷五見杓移斗觀化人事顯逢辰我生負虎狼交抗夏狐鼠躋座右海舸敉遠養人食肥彘狗冠裳滅等威黃鐘讓鳴缶顧野訟上錫

贍位解三醜滓穢鬱太清陰陽雜亂走狐濟陽失三龍
戰文遇九僣感近百年庶徵遂卜咎　王言溯熙雍人
感[illegible]天受乾坤品彙定秋月春花柳正月物天地寬表位
羣生阜曠望邈黃農栖遲惜豐蔀

目疾初愈雪晴散步

雲光湛霽朝野色深春秀衆籟各懷新吾廬亦清奏素
志四海營證病一葉覆晨窗閉景風夕戶眯遥岫但聞
雪折枝空愁屋喧霤懸瞰入雲扉走月窺風賨困懟化

天和重閬抱清晝陽景焙村徑陰潮推澗溜日耀萬本
華雪消千峯瘦山氣易生寒花發常過候亮志乏東平
妙懷緬句漏夙心既云申寫憂聊自右長抱巖電光散
懷嶽雲靚

雜詩

春風何冷冷桃李芳亦絕韶序已平分端為山間雪樹
煙東雨帶峯日挂雲纈幽人不可逢長憶江湖別
我本泥塗人因風胃雲表天路偶垂光照我衣裳倒視

下海山蒼矚高星日杳觸景起倦懷一隋若飛鳥閱澤
無故玩薄霄有新皦知涯閒中遠生事物外小
襜帷涉荒澗顧我入蒿萊雖非車馬喧眉宇何偕來平
生同門親一握顏為開剖符尹赤邑修具返江隈逶迤
成都田峻耀午橋臺趣金樂心廣製展救齡頹豈信黔
婁竈曾貯萊蕪埃
昔予入京華載贍諫草堂古牆銜連牘人重物為芳牛
斗耀劍氣山川含寶光誠深達物願理感生精芒揮資

贈墨本僧意亦何長宏血永民稱邕經安足方門前足
車馬瞻拜徒相將
鼇駕出皇都休輪湯陰郭側聞精忠人神宇于此託蒼
蒼喬本陰莽莽燕雲薄至今風雨時戈甲聲間作精魂
盪乾坤流氣振河嶽展禮睇前輝撫時慭六鑿
勞塵邯鄲道息踵望神仙精光久蟬化榱桷胡巍然岳
陽醉樓客毘陵賣墨丸閱世抱深心高識象帝先夢枕
直金鍼璚宇亦空筌橫目千萬人歸墟在其間吾道契

崆峒窈冥軼長年
樂餌閑心宮雲山消神舍自為孫寶詘屢輟張扶假湖
西崖厂秀政緩屬多暇掐邀曦露初暘遂風篁下巖軒
納月深洞邃懸光作觸石紛奇繪裂泉走幽鎛踈峯瞰
廣原修籐蔭晴架當年薜蘿中想像塵埃謝性効山水
深事阻冠裳卸清懽破世網銜協不可罷安福石屋洞邑人彭簪讀書處
如何安居時悲心入夢寐况當春氣深芳雨灑晴媚孤
獸感麟迹窮烏思鵬翅聳身顧八荒日月亦胡易東皇

理輜軿為我駕天駟東臨若木枝西騁虞淵轡十洲入我懷氷海如乙栖俯首天網張塵務昏如醉驅車旋馬首欲下不可次徘徊展禽心行吟三閭淚

遣興

遇窮道在固賢節以守通況有桑麻田服先可安農季長惜不貲伯嚐阻奔東豈不宏六藝止險良未工結廬西山址苗亘依時豐灌園除隴蔓散步得長松夏雨不歸山竹氣侵房櫳鑑彼失路子還得葆吾宗

始秋雲閒月流光耀玉堂華筵麗明燭清謳間笙簧不知誰家子良夜樂何長東鄰蓬廬士幽響發清商徘徊望孤曜遠思在羲皇持杯忽復醉舉世澹相忘浮沉有定命相需徒未央

阮公貴保生陶令固窮節任真不肯醒同為至慎傑出門望四野黯黯元雲結王程漸欲蕪岐路紛車轍幽人精白懷介然與世絕大分不可干深心有時熱何用酒為徒自與醽糟別

辭家遊四海忽復萬里餘俯仰耀金碧逐役迷所居晨
鐘來雲表憬然懷舊廬長山兼遠水故道反崎嶇至和
處大同老氏遊物初豈謂迷途復即遠見歸墟迢迢天
外霞灼灼難可迺栖心苟得所終老不相踈
孤松散嶺蓊芙蓉發皐芳稱心樂得所榮謝永相忘至
讓税荆蠻求仁餓首陽歌薇適履坦採藥亦同行德義
且不知矧計千載長亮彼蕩蕩懷何用令名彰
聖訓貴躬行蒙莊賤糟粕大道日星懸識小徒為博況

等先民懷蘇冀仍呷嚄鼎彝豈不陳揖讓意何澗摛文
龍躍津申筆虎卧閣同憐火用光詎憶耕能穫抗懷宇
宙間洙泗猶可作

元雲日夜蔽一綫天無青氣澄雲漸薄微錞見圓靈容
飈敓眴眼萬里忽復冥我生戚瞧地野馬紛無停推懷
坐光景觀象感心形重陽不敝照孤耀永天經遐哉天
遊徒揵彼内外扃

茅容樹下恭孟敏不顧甑古人貴為學寗非以行勝文

藻能行遠從嫡如送滕矧乃製美錦無物恥瓶罄水木
有根源桃李暫成徑封禪與美新末路悲心孕
忠臣不避難烈士不逃刑榮辱及身止毋乃非臣經惟
漢有楷模望古思前型夷險安可億懷抱存正靈造次
苟不違生死皆仁亨嗟嗟當塗士委蛇以為明
范滂澹宕人搴禍異元節攬轡志澄清對薄何烈烈至
今誠子言讀之五情熱懦世想高風吾道經三折
時隆多窮途會汚徑易捷科目能困人造材亦踵接煒

煒枝上花微臭亂蠭蝶眷懷未放時含意耐深哀天道自乘除君子重所愜

灌園有作

伏雨東熇威秋炎噴暑勢廣望山流焦積晨川斷逝雲峯喜漸高雨路倏遥替委瀉仰鄰壑稍欣稻陂濟貧農望歲心祝雨入夢寐唱唄雜鼓鉦永夜驪龍睡廬西有元圃菘薤料秋藝日夕百抱甕未覺生意遂譬如沉冥士千喚不一睨惡歲憶龍蛇荒疇殖人龢饑腸冐鋒刃

千里回悲睇不擬家室存豈辨田園計蒼茫二十年聊得風雨蔽懽心親摘秋果侑讀采春蕙時風午榻夢情月山楹醉對茲性藹繰懷彼心兵曳營巳師苟完感世冀嘉穗大有可書年一任南山翳

贈方存之

昔親儀衛翁生晚未從游文章蒲遺笥稍足供冥搜君家五世交淵源異凡儔兩家沐餘韻跬步遵其郵鸑鷟棲高梧鸞鳳出丹邱至今數翁門見子出一頭通經致

世用敷政徽學優獲上元宰信強項羣司羞風聲所漸
被流頌盈道周我生如朽本日夜滄溟浮風濤張性呂
鮫鱷羅心鈎時窺島嶼近絓止豈自由嘗抱萬里心高
步百尺樓銅章為親屈一去十年留地僻天水遠鬼俗
山風偷達長惜短羽爪鈍慚下鞲耆舊久波逝文采還
風流翻然厭形役遇子亦歸休握手一大笑坦道停雙
輈鄉里羣兒愚如農失先疇燕越晉南北炎冷傎春秋
君當援圓嶠西注峙吾州吾居近翁隴神期肸蠁酬刊

落華文縟冥契精微幽瞠眎不可追趨蹶難為收階梯
取君導要紗助吾修

寄莫仲武

磵戶納流雲山雨沒潭石一葉動清空正憶楊州容

予閒居六載人事多違奉養疎缺接世寡儔將申吳越之遊以寫久居之鬱親懷既欣諸兒悵然迺為短章歌以慰之

歲盛富遠志老至畏時艱饑溺事不展霰雪空盈巔牛

刀屈雖用抗心感聖言矧世多才傑審分慙貞堅遂卷
吾素抱安就彼寒泉聳楹納衆秀敞扉駐餘妍洞空挂
秋晴傾響瀉神淵雲讓一峯出日散萬木寒即此意良
已悵然望亦胡然

古人貴時義出處詎一徹道違接淅行際可無磨涅舊
聞憶過庭微義陋身潔舟楫力不任稼穡豈自絕鴻歌
吳會游穉耕逆旅說行止雖除分精意同世則蠶眠萬
戶煖龍行天下悅淄磷謝先民建善懷古烈

風急霜波寒浩然江上秋羣動思潛蟄征雁胡所求陟山有藏穴逝水想安流尋仙事多阻養志理無優雲月無際寒江湖有深愁坐思彌繒繳嘅慕冥冥遊郭田成都澤谷館下淏留憶親母我勞修業安爾疇布帆詎經歲終逐歸鴻休

舟中五十生日

頭顱不駐春身心易為泰征居兩未卜瞿然乃及艾春風吹歸舟江波淼涵靄茆檐窈窕花芳渚青熒菜雞豚

勞舊僕僕人高貞具食物相饟風水樹今倏童嬉十九忘姻族一二在為樂當及親繕性寗時背回首檢平生白日照圖畫二十椿蔭深萌芽漸聞戒三十戎馬閒拜母小稱快辛勤四十時迹進心蓄退山林吾素敦塵網胥時會謂當亟舍去庶以養吾大蕭條八年居牧馬未去害諸兒看長成讀書絆計會田園日朘削敝廬輟苫蓋衰親强儉口恤兒酒肉債常日散金錢縮手時自耐安貧固士常儉養亦何賴蹉跎五十年私省慚門內古人重守節

有恨祿不逮恝哉介隱心獨出毛公外皤然覺昨非倒起淵明喟抱兹行庭理肇入扁舟再二月水未深山川供清邁天門摇前青采石却後黛波日鋪廣錦岸峯引修帶白水揉天光一綫緑芳界晴雁遠没雲寒禽鳴依瀨辣柳閙杏花孤村漁網挂目盡意有餘心曠神無礙坐貪清輝長不知歲月廢詩篇異寫憂聊得吾親愛

曉發三山夾乘風泊銅陵

春暄釀微雨長風來海門曉挂三華帆夕宿銅陵烟篙

呼喧枕夢篷牽雲水昏注晴山却走凝聽濤微奔低昂岸村樹前却鄰蓬船水市俄數過山樓渺已連不知道近遠但覺天蒼然人身如虛舟通維不可言主翁淡空明行庭何險艱冥坐默想忘忻戚滅其間錯落燈火來徐入華胥眠

江行

淡淡波中峯依依天上飄薄日明積水虛光無際涵樅陽望欲至九華猶蔚藍誰歟亞山居毋乃仙人庵

新泰

我行新泰道不知行旅艱新泰多磥砢時忽坦且寬峻
坂削犖确直髮騁闌干坻開太古石橋駕千里川巡工
來邑宰冠蓋雜笞鞭百夫無完衣鵠立赤日間後吏揚
揚至喜謂吾官嚴捉人無羸老幼婦餉盤飡雇錢日十
五不足供一餐低頭鑿堅石袒背當曦炎良苗穢未治
路側朝及昏今旦多捶楚痛骨不敢言所以民子來王
道得平平疲馬輕百里勞客車上眠古來興百利難免

一病存停車畢此說瞪目難為安征者樂行歌居者坐長歎

雄縣曉發

薄霧散宵雨清氣與風奏雲光縱野姸樹色生山秀懷欣秋舒苗風化蟲驚候邨童摘夏果老圃耘秋豆豈無客途感精魄爽茲覯山味晴熱梅盆香風入袖緬彼千里家永此他鄉晝終當脫青衫栟盌高堂侑

月夜道中書事

刈黍東田限汙邪載蒲車四牛曳不前推挽以婦孺既獲忘苦辛邪許亦歡娛日落柴門昏淡月照鐮鋤停棲偶長望轔轔車滿途伸指笑吾曹入夜猶馳驅

八月十三日早發即事書懷

深心殷國事夜起望秋天斗杓正西指羣宿依其躔初日出東海雲霞麗其先妖星吐光芒遥指西南偏天子明聖姿國柄夔龍專如何患貧寡萬方同一歎金錢耀外強債張益中乾泄沓亂生忽饑渴戎伏原訏謨

自公者無乃衣裳顛露晞嶺頭草日照踈林根天道自古
遠攬巒揺吾鞭

李家莊

園場秋色深梨柿霜前綺行人稍稍稀遠鐘悠悠起落
日照青山踈林見行李人馬散沙墟遥遥三五里

飲馬

發鞍燕趙疆飲馬淮沂道井枯泉不生甕底渾亦好甕
渾綆可汲泉枯甕空抱江介裹亂來百種迭旱潦王税

盡脂膏天意迫路天田廬日以蕪誓欲他鄉老他鄉詎
可老薄海同浩浩投錢驅馬去吾行亦草草

鳥語

竹櫺生微明夢枕得鳥語山氣未逢春啁哳來何許潛
風亂天經流化奪秋緒荷鋤東闉下牛喘卧平楚丙魏
不在朝何人肯問汝雨鳴潭上林鐘動前山杵物象時
警人獨對雲峯佇

暮行東郊

日黃猶未落衆山生夕霏不知城郭遠漸覺烟樹微老牸時一鳴漁樵三五歸即事感桔槔概焉思息機

雪晴

重衾入勁氣凍瓶時有聲雪光奪曙色忽覺虛窗晴萬凍射朝日木石皆晶明冰殘漏壑碧松暖滴餘清遥知前山下白屋開柴荆天公有至愛伸蟄皆生成

棗孫晬盤取高足酒杯或以為寓意俎豆或以為酒徒也戲詠一篇解之

束髮讀書史慨然念唐虞歷世不我偶翻憶醉鄉居醉鄉不千里斗室有通逵恩怨胥井寂動植寥天虛揖讓不知貴于何辨征誅卧形無何里棲神太古初光天霽和景萬化春風舒懷此長子孫頗慕愚公愚嗣宗倡慎術無功解形拘繫女眇嬰孩胎意弄杯盂高韻養生主風味逃禪俱將毋契予理與世為隆污

久雨初晴新月出嶺徘徊門外得二十字

空山積雨斷清月吐東嶺時有獨歸人隔溪踏林影

急雨示槪

西峯飛急雨南澗斂秋熱灑苗色懷新沃樹光生潔澄潭起澎湃涸谷瀉清冽稍稍雷轉空隱隱電遙掣陰陽自屈信豈關農愠悅小人計其功君子安素節晚來山氣涼溪韻綠可挹意深遭淺樂逢時聊自竊斜照亦何心生與雲生滅

雨中讀書

遥雲忽濤起飛雨入空山流風掩卷過舉首一欣然午

光晦林麓生意變當門竹陰壓几案雲絮穿牕軒雨坐不知晚雲月耀孤天聲光所震蕩倏匪意所存無象用誰後有迹體誰先冥默觀化理會心俛仰間乃知陶公琴深趣不在絃糟粕邈矣夫千載梯不傳

麥飯

南風開曙色微雨來峯頭農家率婦子刈麥清溪陬黄雲捲地起茅屋須臾秋悠悠檐際烟沸沸釜中𩛸新炊雜舊粟贈我雙盈甌先人昔貧居麥飯發清謳根深枝

葉茂今服猶前疇舉手謝農人柴門閉餘幽縱橫案上書子母壠上牛深嘅無端來對此慙鋤耰

老嫗

南風吹細雨茅屋生微寒刈麥溪水頭老嫗衣裳單四隣盡燒畬秧水或漫漫回首望諸孫拾薪千仞山中婦出柴門瓦缶炊野菅借問大男兒負米方未還

次韻慎齋見贈

誰謂青天高將以長繩量誰謂天路遠將以雙足上邑

邑二十年每飯不忘君常疑笙鶴處只在月與雲雲月殊惝怳君言意無竭豈惟猶在耳我心久蘊結武功山徒高挂車水空奇十二萬年間那得如我思

雨後偶成

晴林洼新雨山氣成清輝坐聞百鳥聲時一開荆扉落日倒山影綠我身上衣茅屋無人過閒敘白雲飛明月破烟出樹杪猶微微傳聞剪刀峯髣髴此清機

讀書倦就枕空谷忘更籌滅燈室自白孤月破羣幽山

田足新雨宵畊發遠謳呼兒挂南窗秧水何波波萬物
各勤生吾心復何求

讀書

讀書在深谷心與山雲長春花復秋葉開落成文章花
葉雨不知人意亦相忘水田遇新霽倒景生微光褭褭
溪水源日夜聲琅琅且還讀吾書餘妍蒲空堂

寂光庵

我有寂光庵築趾幽巖裏澄靜塵不飛炯然見萬里百

千生滅象遥遥蜃樓耳譬如風中燈燄定閃不起紛來
固有人偶應若非已但覺月常滿大地白於水老死此
庵中萬古常如此

為通伯題蕪穀庵所贈先藏陸稼書先生與人小
柬冊子

春陰晻藹柳微日下西崗背山行入郭曖曖生新秧入
門視所親展卷映燈光夜深懷古昔秉與出琳瑯肅然
作起立久對味彌長鼎彝不必貴恍見周與商圖史雖

零拾緣以想前芳吾道苟未歧糟粕亦梯航古人良已
矣四顧心蒼茫
我友田間來剪韭淹信宿默對寡笑言時一展簡牘袖
中出元珠署欵平湖陸錢塘八月潮歸裝惟卷軸鞾鼓
動西風檢十失五六遺子吾所欣厥契在坦腹鼘然儀
宋堂白髮頎身矗至今把卷看猶得見前淑珍重古今
人共勉先疇服
千蹊載行人各言長安道一程苟未達牽牛猶入草登

山眼易明日中思建表如公月當天萬翳同一埽我昔過三江悵望當湖好八荒塞烟塵空失寶山寶俯仰二十年未免鄉人老五十已無聞誰爲夕死保惛惛夜雨深喔喔晨雞早摩挲百珠璣欲罷動懷抱

夜起有懷

入秋無新凉夜暑猶在户幽人起爽哀絡緯亂瓜莽微雲淡斜月知有前山雨風露不覺深遥遥動街鼓滔滔世運窮寂寂慙小補流風不可存終見柴門杜

敝廬

先人有敝廬地近東城闉前瞻聖人居當門四塊新廳事可旋馬高樓望嶙峋鼙鼓一朝起棟木各為薪卅年長孫子得歸慰老親遺構間草舍蔬圃帯果珍雖有車馬客不為勞心神人生如飄蓬所寄即為真形役豈必非内足外自伸眷彼擇木鳥翔後亦何馴舊巢非幕上乳哺聊逡廵俯仰萬化遷循分古所敦

雪後同人小集

晴竹散清輝茅屋出奇語相逢江海人偶此共雞黍高
言唳鶴鳴清理抽繭緒琢詩吐舌氷閱世銷心暑會有
萬古悲寧知一室處驚鳥散殘雪鄰鐘休午忤斜日照
片雲積石可延佇山梅動微微晴意若相與近朋得所
欣遠友念方旅萬白見孤紅欲折寄何許

梦中作

開簾月未光眾星明歷歷所思何方來就我新涼覰牕
燈耿夜雨秋氣在四壁頗念山澤遊共君聽收笛簡書

忽復至煩襟何由滌

不寐

深夜不能寐獨坐聞遠鐘起視月在樹雲色淡蒙籠中庭瀉修影柳條間芙蓉萬籟寂無聲清氣生遠空悠然見物表四顧杳無窮人生波汩驚舉翮願凌風回望天地間有如彈在弓遐思方未已忽復塵網封塵網不可破還夢華胥宮

雜興

南方有奇鶴結巢喬松顛天風斷塵壒雲氣隔人間哺成二三子和鳴達九天一朝匠石顧斧斤入其山斧斤不足處托根計所先振翼風雲表欲去仍廻旋回首故山側社櫟方連踡

東鄰窈窕女絕世桃李姿抱質守媒妁安悲忘慾期一旦遇蕩子歆羨不自持姑蘇買鉛黛邯鄲買胭脂明珠頭上裝麒麟身上衣美睞流巧盼玉齒發清詞但知媚所歡果得畫蛾眉蛾眉雖無妬故步良已移故步何足

惜只恐桃李非不如織布素抱質待空閨天地鼓大氣如水在江海偶然一相觸涓滴入坎滙坎止與流行水氣何心待人生天地間去來誰自宰當冬木晦根感春花綻蕾冬春天難權花木心馬在浩浩江海間貧富更何數

有客懷寶鏡光洞燭九皋俛地魑魅遠對人見髮毛謂我久藏此胡為不自操默感揆敝篋果與青銅遭握此一寸明頓免千鈞勞乃知古聖賢萬燈一勺膏出門謝

來客一笑忘天高楊墨與吾儒何歸復何逃

野寺依寒塘落日照踈柳閑村下孤鳥深林見沉婦內

慮澹欲無外物何礙有悠悠暮鐘初落落鴉歸後借問

荷擔人何如放下走

黄河天上來患與地始終禹貢一篇書過半導河功我

朝閔黎庶歲以百萬供蹇蹇張與靳黎粟繼其庸屢聞

道路言堯年天降洚城郭皆沙墟千里無髫童深宮選

重臣薄海杼柚空隄上鐃歌舞隄下人如蟲金錢入私

室橐鼓徒逢逢經營三時久所以未合龍吾聞列聖澤
未有也膏風詔書況赫怒仁築瓠子宮悠悠草野談可
以掩其聰
坡公工諷刺致成烏臺案自詮期悟主忠悃何旦旦大
作豈非宜褊執反始亂公厨不生烟朔乃道路歎偉哉
李文靖談讖只河四漢四方水旱疏日進經筵看後來治
國手韓范詎非冠開濟自有真徒法焉足算我生值聖
明朝章唐虞煥近來令甲新輾轉不能判

昔我游岷峨萬里天風送挂席上青天六月人鮓甕再
上無諸臺三作幽都夢垂老泛滄溟蒼茫目一縱有如
不羈馬平原失磐控臣壯不如人髮短心何用胙來戀
薄祿聊欲高堂供舉火三十家煦沫分餘俸圖南不化鯤
從政聞歌鳳庭鳥咏春花清朝徒一唏坦道亦窮途何
必嗣宗慟老梅置牆隅生意十年蓄當冬枝葉舒三花
忽警目的皪白雪間芳香沁茅屋從此歲增榮坐待不
須卜乃知消息理久大在深畜我觀无望卦遠會灾興

福大畜有亨衢天心見在復證此戶中花愁然思已熟
肯堂来安福出與至父諸人唱和詩册貺予且徵
和予不工詩且吏事縈懷無以答其意乃率意口
號真朴之詞不復檢韻古人發聲宣志厥維天籟
後世區部音均蓋非本矣肯堂喜寫册子吾但書
紙付之或當見和又聞至父引退他日千里贈言
亦未可知耳

千里結婚姻擇士在器識横目宇宙間所得百不一大

江出岷峨浩浩接溟渤蒼茫海山際萬寶藏其窟咄哉
吳冀州珊瑚密綱得殷勤投贈我兩札細如織譬彼天
風生有翅不容捩明月海上來隨我清宵腋始見冀州
心妄懷乃非率

孤城枕山谷豁水寒逈清臘雨廻嫩歲春至不可晴閣
前胡牀容不絕吟哦聲詎知庭中雪已與階砌平朝來出
琳瑯副綴皆連城眼底纇西水蒲紙歐蘇情皚皚萬峯
白熒熒一燈青文章與雪色放眼皆光精少壯不如人

垂老復何成吾衰久矣夫媿此淚緣纓

肯堂集録試院酬唱詩成感題一首

風煖山散寒日高花有輝南方盛春靄容燕猶未歸既從千里宦復此三春微鏡鬢感華志階戲驩彩衣方將薄書暇韻事壺觴飛湖海多風波雲谷足清機廻翔惜珍木窈窕思故扉一卷自我貴千古當誰依眷言俄頃用所得願無違

次韻答研齋兼示陳蒲仙及肯堂

南中二月時，山水生春輝。如何一室人，匡坐澹忘歸。結交在四海，相賞契以微。顧我五彩服，同君遊子衣。陳公彈哀琴，目送歸鴻飛。坐中范石湖，舉手張天機。錯落入我懷，明珠投暗扉。緑楊藏鳥語，桃李相因依。何必眷江湖，即此莫相違。

清歌引

今朝風日好，芳苑發清歌。清歌雖可娛，曼響感人多。在昔少年日，田竇相經過。雕輦珠勒馬，琥珀金巨羅。俛仰一醒醉白日倏已謪道遥泉石間清音足山阿清絕不能久舉櫂還滄波華志感歧路詭境紛平頗慈烏哺未極顧瞻髮已皤杳杳天邊日沸沸水上渦抱兹曲終意三歎將如何

和康平西郊春眺

南方春欲歸嘅然念川麓松色秀群峯花氣泛晴木鷺下破烟黄日落變波緑輟想讀來章欣然愜心曲質言一篇送肯堂

高樹不藏暑火雲蒸午暉游子戒巾裝何以避炎威迢
迢望經歲始來雪霏霏鳲鳩咏桑椹駕言千里違貧贅
難久留此情吾已知揮手在數日舉室同愕貽汝歸堂
上樂汝去吾親悲悲樂境良殊那復能挽回嫁女不遠
行如何慰尊慈報劉苦日短且復聊相依滔滔大江水
日夕無停機南風發庾嶺著意更相催海門何沆洊狼
山何崔嵬大澤萬怪多出門慎所之常言六合表壯遊
豈非宜但恐明發懷一日腸九迴讀書愛玉體勿逐輕

薄兒天衢軼蕩蕩虎豹無蹲雎木落江上寒秋高鷹隼
飛望汝時登閣念予或開扉予懷江湖深汝器海山奇
荆州有豚犬亦逐龍象馳聳身入闔閭聯步思杜韋逝
將從汝翁一笑滄海湄

幸餘詩稿

小孤

玻璃萬頃青一點塔影中流春浪閃舟人背指大孤山
五姥雲來常半掩宮亭水合大江東帆底又見蓬萊峯
低昂語心珠玕樹眩轉入眼化人宮推蓬坐近驚峭聳
朝日暉暉榜在栱曾聞謝客吟孤嶼緬邈崑崙那可踵
江山無情自娉婷定有騷人共醉醒回頭似與大孤語
莫向塵寰惜表靈

臘八粥歌示澂士

前年臘日窮海頭，孽龍不釣空登樓（時在閩登越王無諸釣龍臺）。去年臘日祁門道，雪花晨壓大旂倒。飛灰踐血到今年，朅來小次楚江邊。皖公山下三更鼓，鳥獸駭竄走江滸。將軍後距亦摧鋒，遂令吾鄉同解苦。老母朝來顏色開，作糜爭笑兒女騃。東鄰賒杭西市果，碗散未普續以杯。風俗年年忘臘八，小得自在真可哀。頗聞閭里多凍餒，惡風一過骸成堆。吾儕果腹各安在，廩餼雖薄非嗟來。安

得空中香飦周窮崖

旦赴幕飲茶戲作示椒岑敬甫澂士

朝暾藏水霜似雪禿樹有聲鴉脚折老兵縮頸時一逢令鼓催人忘飲歠甕底水渾昨日餘強澆舌本讀書簿書坐思茗味憐好友滌罈屢空今何如頴士風流亦清迴抱經守緒望匡鼎夜當為君呼釋奴令從龍子共湯餅

變徵四謡

晨霜被草山連白枯楊不見風威烈游子淚盡裳霑血

吁嗟賊騎漫亢斥舉聲一號石為裂嗟乎一歌兮歌聲悲巫咸不下天無知　右晨霜痛旅殯也

赤山之水何滔滔玉鞭白馬徒游遨為言堂上瑟初調時難日短不可招有地何不營蓬蒿嗟乎再歌兮歌聲苦慈烏繞樹能返哺　右赤山之水念老母也

日黯黯雲茫茫弩絃聲急雁聲長夢中有路寥我裳間闌干里來何方嗟乎三歌兮歌聲短側身南望甌閩遠

右日黯黯思女兄也

君不見江水之深深莫測黿鼉鼓浪翻龍宅五老排空邀太白我呼不應聲愈惻罡風吹折垂天翼嗟乎四歌兮歌聲長茫茫者地天蒼蒼右江水自咨也

南郊吟

南郊稻粱登場早黃雲垂野霜色飽蓋藏已了吏心安政拙不求租賦好可人楓葉染寒山眼明官裏撫餘閒扶持運會渠有命偪仄世議吾思寬君不見漢廷計吏盈朝會課租惟有倪公最

山如容甫各有乞茶詩贈湛士大兄因戲為一篇

老兄臨窗試火黯能識野鶩與家雞舉頭罷筆睡魔古
花甕點注煩鬚奚故山老樵擔頭摘小囊捲口浮春碧
披雪寒瀑不論錢惜抱軒前澄墮石廿年渴夢椒園遠
谷簾雙井同愁損是誰遣此一窗晴溪水濺濺車出阪
藏神蔬圃牧猪羊可憐亦與澆肥膓請兄愛茶如愛壁
出山之泉渾莫汲好友二三慰良夕

邑人趙存之招飲席上賦贈

趙公四壁不徒立揷架萬卷多兒孫偶肰留客出飣餖
纖鱗飛雪梨棗繁法曹供帳非步兵想見襆被開酒樽
十年厭嘗大官味谷口晚聽漁樵喧劇談狂飲江河翻
奇氣能令室生温况釀寒霜不成雪東皇歸去留春痕
官下奉職慙水渾抱兒拔薤君當言握盞縱横放大快
可能赤子皆安敦脫帽停筋三歎息公應齒冷腐儒論
星斗壓簷光入座酣醉一笑忘出門

八月十五夜與同人西郭泛舟至一覽亭遲方任菴庸菴不至歸東同人並二方

依辰秋魄渾無事怪底人間競遊戲老子明清興亦不淺
絕江一櫂琉璃碎朦朧樹色隱微峯雲波片片青芙蓉
夜深不作小海唱恐便驚起龍宮龍
橋欄東人如半暈千頭萬手相摩進長年亦解愛蕭瑟
投篙疾過秋鷹迅石寒水落魚阻梁輕舸忽瀉溪流觴
息肩息足雨何利媿此滿船明月光

大樹交柯如闘虬小樹列岸人對愁清空無繩繫孤鏡
湛湛欲隋騙魚舟蒼山數轉生超忽谿光沙色望不歇
但添葭葦綴菰蒲便祇吾鄉練潭月
微風織波纖鱗輕吹船著岸沙頭橫良朋隔船望不到
燈火徐散蒼烟生廻船陳迹已如夢酒香未絕茶香送
十二萬年同刹那請君行樂莫教空

廬陵行

廬陵城西山陂陁村舍落落人不多老翁揚肘語鄰媼

今年官吏追呼早豚子在圈雞在塒詰朝坐看跡如埽
我聞駐足問老翁老翁欲語雙睫紅前年縣尹逢李公
催科雖急民情通豈知命薄事難料昔日狐狸今虎豹
東鄰翁媪哭呼天豪家昨日奪民田欲將一紙公門去
先費寒機數日錢數日錢誠辛苦天意亦有厚薄時南
村苗枯北村雨公家有程敢怨嗟但令無觸班頭怒我
聞未畢不忍聽穿林避日還入城城中犒鼓聲彭彭堂
前敲朴後吹笙匡廬仙人黃白侶夜來不報當關堅大

者千金小銖黍要津有路通爾汝日暮傳呼新樂舞明
日令君壽小女

金陵返棹走筆呈容甫沉士

腐儒食籍虀貽黃百不得一繫千羊人生飲啄亦命耳
豈得藉口遺羨湯我生殉祿慙項強日抱治譜空長望
得歸幸喜驚俗眼攘臂甯復登虎場黃金用盡酒肉薄
脫畧清節翩然翔烟輪砰訇風琅琅但辭皖水夜建康
雲山萬疊隨襟袂花柳千村入隱囊弓刀肅肅列兩行

偕前賓客備四方貴人高踞虎帳坐一擊不中千里颺
涉世但如網在綱魴鱮鯿鯉隨所當入市不知會逢適
大叫得價驚聾盲君不見津頭風浪萬艉張行人載盡
無宿糧

容甫出示和人詠雪詩漫贈一篇

萬山隔水沉江霧天風漸與雲俱凝高下一抹眩遠近
但見萬木皆生稜廻看碧水杳無際天地自洹江自瀫
獨坐人間景清絕欲賦才難禁寸鐵訪君發篋見元珠

不晴已覺生眼纈廓然堂前碧鸛居持杯不飲索雲腴
九霄頸氣穿重壁斗室微温起坐隅祇今紙上落咳吐
髣髴舊事來須臾顥湖故實君能說禁體千年誰與埒
官衙寒具亦多情何似聚星堂上雪廓然堂安福廨中高齋君居其側

除夕示湛士

萬竹參差列城墅一火入雲起無所兒時爆戲水留痕
又向燈前鬧兒女歲人兩暮心不知後堂絲竹前堂詩
十年肉食不闌夜每祝明年勝此時而今江郭驚春雪

封斷袁安門早閉對床笑語歲聲遥閒味初回夙腸熱
關心民氣卅年中萬室蕭條南北同爆竹聲稀燈火少
可憐老丐不呼窮

送蕭敬孚

皖江秋浪洗血箭商芝秦桃蒲下縣不緣鄭驛廣招賢
世有蕭郎何由見卣彝出土鼎傳周元珠湄川璞不鏤
胸辨淄澠口唯諾品藻時出日懸秋江城一别三千里
流星掣電十年矣忽然名字落吾手狂叫不及復倒屣

韻士風流未逐貧布帆春水度江津西州華屋仍花鳥
回首龍門更幾人

冷水鋪望殘雪

立春未旬雪初釋野色含意欲變碧小山天馬旋五花
大山腐儒頭半白身閒心逸發興奇耳目有得人不知
忽思蜀道三十載冰雪天外相撑持

桃符

貴家桃符紅柱楣白屋力貧亦續扉豈為羣兒作意鬧

欲避鬼難登皡熙憶昔仁皇全盛日童叟夜行不嫌獨
猛鷙遠藏蛟蟶徙妖王魔女亦臣僕百年塵埃忽四溟
有弧不張鬼蒲輪神荼鬱壘長繩絕刳越萬事空具形
君不見九鼎沈淪求不得當晝魍魎爭人食

二月十一日夜大雨雷電

四十三年掣電過較雷豈若餘聲多薇花榭前一樽酒
風縱疾雨珠翻荷赤螭銜尾繞屋角天鼓下逐如鳴鼉
横空忽震天地破落日一綫生雲窠仰睎鱗本盡照耀

俯睇庭水如秋河眼中光景變臺樹旁風上雨空摩抄
指數花石失欄楯意象髣髴交庭柯夜窗坐覺風動紙
雨脚所到沙投莎初聽車輪輾山谷懸崖萬手碑爭磨
近城漸繞摘山鼓忽扶雲漢追羲娥天姥應嫌世界暗
連引雙鏡驅么麽流光逐聲破櫺入斜雨浸卷甌生波
明光宮中埋銅駝人民城郭非舊科先人五十有此屋
顧我雨立理豈譌何時築室聲隱空樓起平地臺生俄
電光斜掣不入戶廊深壁挂笠與簑窮鬼不敢旁笑呵

雷起電滅非吾痾百壺春酒看滂沱

贈徐椒岑即送之楊州

起為蒼生居捫鼻揣摩之工歲月異北山誰使枉移文
卿相由來在布被風聲一律天所驕卅年南朔生同條
豈知城北徐公美家火亦借丸鉛燒憶昔秋堂看過飯
先公意氣傾人遠笑談與世殊凶科一念坐覺神猶宛
黃州鼓角催夢空壯懷怨斷天門風至今大策饜人意
天留驥子才追公邦水東環烟月數黃金力厚輪蹄走

衣冠各趁爪步風鞾鼓誰憐武昌柳舉世無由俗君身
雄心驅使泊風塵奇書十上劒三尺始信蘭陵有替人

庭中西府垂絲海棠盛開

容庭春色巧鬥妝就中艷發惟海棠十年南土飽風雨
一日入眼雙明鐺憶昔尋春故山郭名園相倚不可韁
花摇碧水波成綺樹颭晩風山吐芳出紅入紫如蛺蝶
枕茵藉草疑鴛鴦鼓鞾一聲殷江表飛花舞絮同飄揚
人生稱意難自量邂逅往往非所望荔枝龍眼斷春露

亦有芙蓉拒秋霜簿書戎馬雜夢寐雖有清興誰能狂
豈知王粲歸吾土江介還堪共舉觴飛仙天艷薄脂粉
貴姬出檻垂琳瑯曉風朝日動光彩竟欲長臥名姝旁
四海禾麻猶半荒華清宮裏長山桑百壺倒盡翻惆悵
豈獨興亡感舊鄉

偕吳摯甫方俊民家子椿姪攜楷樸概三兒子彜

披雪瀑即送吳方二君北行

堆案簿書麻縷縛偷閑不肯忘邱壑勸農催賦亦有情

走馬看山欣出郭而今身閑得婆娑青鞋踏遍蒼山阿
名山咫尺藏奇瀑有約不到理則那朝來好友發清興
賈勇同尋披雪徑丹青神鬼舉國狂幽溪獨向樵夫問
誰夢鈞天在帝鄉攜壺逃醉人間藏至今山鬼不敢取
側立破甕流天漿深州故守腰腳好方子奇情蒲懷抱
相攜絕頂謝時人颯颯天風動襟縞源深境絕亦何窮
豈必前規勝軼踪君看崖上題名字水穿石泐難為功
由來適意莫放手那得更計百年後藉莎据石茶烟中

走馬撑船亦何有須臾暮色起遥山雲木相望各渺然
歸鴻正北君方出官裏良時莫教失

漢皐泛舟登黄鶴樓作歌示廉甫葆常

我昔西登黄鶴樓高浪駕天天為浮風馳濤聲走神鬼
倒入窟穴搜蛟蚪扁舟度江值風雨落花一片波中採
偶從雲鎛見塘角萬桅束筍不可抽我翁攜客八九人
笑談舊事東濱漚登樓驚定欲豁眼霧重如著碧紗幬
須臾一綫放斜日樹色歷歷雲悠悠二水源長望不盡

疑從天上銀河流未秋河伯已自樂南北誰辨馬與牛
爾來三食武昌魚每況樂事覺愈憂樓臺遠近幾興廢
舊容十難一二留但喜沿流壁壘靜清江漸見黿鼉游
雲山寂寞紛在眼人世蒼茫誰掉頭磯頭鐵笛來何由
胡為笙鶴不再游飛仙下視隘九州巾履偶墮遂千秋
正平玉簫鸚鵡洲委骨豈計誰當收乃知古人已與不
傳去競指糟粕為毫茵何不肆志青崖放白鹿廣成臥
處訪清修他年一笑更過此笛聲鶴唳知誰優回頭船試

問鄭交甫漢女當時會此不

喜晤方符穀即別

往時師門共聞戒寂對烟雲嶺頭挂池裏銀鱗帶雨烹
籬邊玉版沿村賣今來人地兩淒凉入眼山邱華屋壞
空餘雙桂認前廳相對難為出情話不羈如子慰吾師
橐筆艱難養母時周南春樹三年滯汝海寒雲千里遲
朝來罷食聞君返倒屣相看慰我思差欣有地埋詩骨
正復無田奉母慈西江病窜近差勝百戰不肥空自聖

有囊但貯函谷書拂衣羞顧孟敏甑諸生會葬竟何期為憶門前桃李徑路旁揖我意惓惓後會三年更十年輪邊又碾淮淝月襟上猶留嵩少烟時危去住無長策試問當年河上仙

馬貞女辭

瀟湘之水嗚何悲君無言兮妾心知妾知君心君不辭欲挽湘水待何時　一解

婺女光寒動衡嶽下照黃泉上碧落天廚黯淡酒漿空一夜罡風斷煜爚髧彼兩髦出

吾宗未謀君始遘君終石爛海枯心安窮二解　玳瑁之簪明月珠昔何窈窕今何臞塵委膏沐奩生蛛母心斷兮兒意紓意深若恐隨雲散九嶷山頹湘水斷三解

題秦吉帆九思圖　圖作蓮花九鷺鷥

漠漠蓮叢飛白鷺壁上誰通菱湖路梵香坐久水風生
清景由來起縑素鳶飛魚躍會者稀拈花說法聊相師
眼明心折此深意為憶香巖上樹時

敬題莫先生影山草堂圖仲武世兄屬

先生昔同居皖城對我常稱草堂好四圍修竹礙山光一角時來青不埽先生以此樂貧居經義朝摩夜在抱子姪壺觴兄弟筆那知人世成茂草烟塵一别各天涯十載遷流到䃾抱花柳江湖紛入眼草堂不見吾今老只餘好友贈丹青他時更念誰相保聽終詞說共凄然敝廬亦有桑麻田自知世亂難歸隱不向邱墟更問天憶昨扁舟共風雪波濤三日篙櫓折罷酒猶自約前期題詩尚待先生說豈意朝回未三年往還細札纔一徹

種瓜我已服先疇收骨公翻歸舊穴竭來拜母到昇州
淒涼圖畫空長留蚌胎自有昇霏氣雁陣横當鷹隼秋
盤江之水東去休獨山山色不可收竹梧風檻藏新月
蒲稗春池没野鷗楓林杳杳魂歸不筆端縑末相思處
留與兒孫作菟裘

寄黎蓴齋

皖上二夜雪擁樹如脱青衫披擘素北風吹白海上來
為念故人寒斷渡憶昔同隨丞相軍旌旗捲凍凝生屨

教減饑人雪裏糧嗟來譸去那容訢君言作官要節鉞
車薪可決銀河注手摩管樂口諸葛坐儲萬古匡時具
河嶽春消磎鼠氷乾坤夏潤神龍澍自知才力非君儔
望塵如隔千里路十年攜容上青雲一日思君煩百顧
謂當屏去聽風聲冬日春花蒲郊路何期一紙渡江來
自說清寒如野鷺斷却平生湖海心稻粱爭食隨雞鶩
騏驎坂上自還延龍鳳老死無攀附旌節紛紛走山海
皂蓋朝回車夜度但將紅杏日邊栽那問人間須雨露

同學由來裘帶多貂蟬何定儒冠誤一邱之貉不論今
虎步且當從我故水底銀鱗且將毋花時村酒行堪酤
一行征雁海山青萬頃晴波花鳥暮況餘鍲算一分寬
君時權稅通州終應綵粟能濟鮒卧閣無嫌風雪深春還自解
乾坤沍皖江重到轉憐人東閣無因覥故步歲月從來
物外多勸君且傍江關住

秦吉帆宅大風震地

二月八夜大風起拔木掀廬二百里始從西北一綫來

萬馬騰空山谷裏須臾吸破土囊口鳥獸伏號人意死
雲雨決天天若傾金鼓撼地地欲圮有聲不辨雷與風
動几搖窓人相掎但覺虛舟駕海濤那復鄰人問何似
或云叔季之世揉臧否天維不張地維弛雷震不懼富
媼驚怒拔鰲足理或是憶昔東到無諸城惡風怪雨蛟
龍爭海氣黑蒸白日隋天鬼下瞰青燐驚壁磚檐瓦委
街衖溝泥滃水盈坳阬晚踏殘霞問嫻友曝衣拭几書
縱橫東西南北曰歸好訪戴佳處開酒鎗豈知樂極憂

思集擁衾到曙猶伏聽整駕催歸慰毋意入眼破碎皆茅衡停車坐店問父老巖牆昨壓東鄰生鳴呼少陵屋破思廣廈八百孤寒何足訝太平經國古有書當使五風十雨成康衢人人安坐廬吾廬

夏日喜雨簡阮仲勉沉士兄兼示通伯及三兒子

雨勢西來忽北走雷公鞭龍龍回首黑翻太陰沐日車白倒銀漢洗山垢瓶滴無私馬振鬃龍行有路螺旋紐雲驅風止意本閒澤徧人寰亦何有疎林讓日一綫明

山自還青石自黝，人生稱意但可偶。策十誰能常發九，君不見老農十日望青天，舉眼朝朝寅至酉。

戲為長句責蛙

雨歇渠田流𣿅𣿅，萬籟蕭槮聽寂寞。雲月深涵水意華，谽䜪清音自然作。何來老蛙敗人意，落霞未盡已閣閣。初維一二蚓在渚，什伯漸起雅投柞。我昨城中三十日，市井殣腥罵動郭。敢云阜櫪同驥牛，無乃室家爭鼠雀。拂衣掩耳歸山來，謂當聊絕跫然腳。豈知車止又逐窮

人世蟲魚同一壑西鄰村童縱横坐與爾晝夜互前卻
兔園驢券尚有以爾獨胡為不自度水深苗長夜無人
排窗臨風舒吻臄清興斷絶不成詩夢魂擾亂何曾著
昔人胸未淨荆棘鼓吹猶當兩部樂我歸豈復問官私
持較鳴蟬猶倍虐直應讒罰擬青蠅那得清聲比猿鶴
或云天地生物物用博螟蜂能除亦不惡吾儕耳目圖
清空何如萬吹自已一聽芸生樂東方欲白斗横斜手
罷爰書一大噱

大孤塘酬贈周蓮叔大令

我昔扁舟上巴蜀峨嵋六月掃空緑迴船歷刼經武夷畫角聲中山過目靜緣待我只匡廬尚得身閒入蠡湖湖濵忽來五色珠清光墮懷明月如得毋匡俗排空相招呼不然太白雲中獨欷歔君詩清如氷使我胸中霜雪凝更有筆如鐵使我撫事游興絕（周贈六合紀事）俠氣猶呑紙上雲逸情獨攬天邊月五老連肩瞰湖光七賢遁迹廬山陽高人遭世亦如此百展君書淚數行君不見供

奉清謡天寶時陶公甲子義熙後不具登山觀海心空
孤製屐支笻手人生清境況須臾峨嵋武夷亦何有鼓
澤魚樂平酒相期龍井乞瀑水洗眼與君論然否

宿大悲閣

老僧導我登佛閣松根礙磴石磊珞四望不知巖谷深
萬竹高低相倚薄罷茶移席臨前除入耳風泉如有約
初宵竹杪摇清光月午清光纔入幕我生塵勞牛繫鐸
偶逢勝地羨僧樂炊甑乍脱竈上蠅美蔭喜踏林間雀

了知清境總須臾邂逅便應百年託莫訝久坐戀桑下
正恐朝眠待鈴索佳處紛來賞不窮穿雲準擬騎飛鶴

過歸宗寺

曉鐘一聲驚月墮竹輿軋亞行人過匡廬峯盡道場開
湖上青山相右左老木障天夏日寒巖風飛雨客衣單
钁頭谷底不易得踈磬冷冷雙瀑閒

秀峰寺觀瀑布龍潭作歌

山忽飛行水忽止誰為大塊主張弛神斤鬼斧削不成

走石流砂皆可喜破舟側卧藏大壑古盂偃仰沈潭底
銀漢年年仰面看祇今知在深山裏白龍噴沫怒幽阻
觸斷崩崖拔地起若教變酒澆磊塊想注腹中亦如此
妙境從來不可求扁舟十過今游始忽思瞿唐三百里
五月懸濤瀑相似坐疑天公厭世濁倒翻海水洗塵滓
飛雪奔雷又入眼一瞥驚魂廿年矣頭顱與水爭潔白
世路崔嵬生尺咫何似仙人緑雲中俯視五嶽邱垤爾
大巧無心奚足怪奇處紛拏如黍象歸來尋磴望瀑源

佛閣僧堂半荆杞增減誰知千刼過古今聚貉一邱比
請看石上蘚題名十九詢之骨同死相期信手掬神泉
共向人間伐毛髓

三峽橋

峽能怒激淵能平夷險不礙西流水至人知涯不自用
功智無心亦如是截潭炎雪裂石飛排壑晴雷平地起
莫援三峽叫驚奇還思百瀆歸東紀

雪後獨遊平山堂示僧兼柬仲武

平山堂前風有色道上冰花堅似石老僧深居謝車馬
怪我衝冷來荒澤拂床開戶出羹飯十語九贊剥果碩
人生緣遇安可宅落手稱心端在適乾坤何處不清寒
去住虛空同逼窄況開堂宇明遠雪別有蹤韻生遥磧
竹梧零亂來殘青鳧雁參差下寒碧日墮平蕪橘墜枰
鴉藏衰柳癭挂腋吾鄉浮渡公所經說法當時驚黑白
八百年來好事絕把似茲堂有疆畫江山表靈待人物不
爾蘊真甘遠斥標實須名太古然賢流賸勝地想鎮相借

歐公已死不再生池亭何異菅榛積僧乎僧乎爾但試數門前客莫向炎涼分寸尺道高避逅成故事譽寡當塲巳掃迹遠鐘稍稍動歸輿暝色蒼然深可摘寒廳談笑對良朋燈火揚州又一夕

望泰山作歌

三過泰山棄不登山靈笑我如癡蠅朝來青氣壓馬似相名口商目往心自麐忽然一夕大風雨清輿斷絕張車燈天明悔起亟回首蒼黯千里雲萬層倏忽風雨鬼

神會遼邈陰陽向背乘有如將軍威重天轡緩玉帛輻輳帝德凝自緣體峻支麓遠氣勢直壓嵩華恆惜我濟勝空有具盪胸決背揮雙肱撫軫冥想天下小九點豈祇齊州稱若使置身絕頂望日月定是老仙對奕一局兩子手中承南轅三日坐太息正如凡士欲言聖門嗟難能吾聞膚寸作霖雨偶此真見膚雲蒸方今薄海旱澇屢偏降神功毋乃職未勝何當茲山盡為主發歛萬國萬岳奉令如孫曾吾即老死不登四觀亦何憎

枕上憶蘇毅庵光子芬及寒人皆固窮君子也吾
鄉今時不可多得頗思擇佳處對飲痛談以詩先
之

横山碧沁松湖水一棹漁歌入牕裏幽人十日哭無烟
儀宋堂前卧不起（毅庵所居）君家昔枕龍眠耆舊追隨見
典型眼中刲火意中事流風曙色銜晨星龍眠有人與
時背迹濶心親通謦欬峨嵋孤鶴横江來傲骨饑腸一
笑在醉鄉有土豈真窮樽酒不與黄金空安成舊尹餘

頭白請開大甕為莫逆

苦雨行

祝融夙駕催春去風雨橫空日失馭神鼇擺碨海波翻
群龍四走歸無處計從寒食著屐遊未得一句看晴絜
偶然風急斗插簷倏忽晦冥雷驚箸倚山苔蘚屋壁昏
近水蟲蛇脉下踞穿林簑笠牛背晩浮空沙石魚梁曙
時開蓬戶趁小霽老農仰天愁相語四月清槐打麥場
草深滑滑成沮洳二麥生芽鐮挂壁狼籍木棉與薯蕷

亦知天意不憐人聊謂生涯一綫覘方今聖人重機巧
鬼工電氣同磨鑢諸公何不乘日車制器撥雲草章疏
坐令六合盡揚光不遣咨嗟動黎庶嗚呼安得不遣咨
嗟動黎庶

題風雨歸舟圖十年前畫士戴雲為予作

我昔讀騷愛漁父張燈高詠聲動戶有心忘世各稱才
豈必胼胝似神禹三閭久沉楚水空簑笠何人在江滸
江月春飛薜荔風湖雲秋送瀟湘雨少年壯志箭在弩

蕩蕩扁舟去鄉土紅蓼江南黃葉村碧雞錦水清霜樹
祇今憔悴江潭路深淺無人詠匏苦皖山畫士文水陰
作圖贈我開我心偶然對此一回首始覺當時君意深
崖高樹古氣橚槮柴門靜掩無車音老翁一棹歸何處
風雨彌天不可尋

寄懷徐芣存

桂林山水天下奇雲起斗落非常規有如俠士抱壯骨
崛突不受凡塵鞿材大世罕無用處一麾乃以投荒陲

誰言楚南但多石此境顧與君相宜我昔灘江聽鼓鼙泣望蒼梧淚長揮散亡奔走三十載歸守馬鬣東岡陂與君望衡如隔籬主人遠出巢燕飛稻粱菰米饑驅去迴雁峯南更不回近聞交州鼓角悲詔開大帳珠江湄崑崙不待元夜奪疏勒那許車師欺自古明王四夷守大創以後方羈縻淩煙閣上無衛霍蒼鵝豈到太康時鬱林江風響銅鼓駱潭山雨濕珠旗兩家老輩辛苦地撫今感事驚心脾舊時幕府兩男子意氣挫盡餘鬚眉

君不歸來我欲去，久判冷落山頭芝。燕游可能歐在洛，論兵或類韓依裴。莫惜在遠見輕疑，重華猶得近陳詞。昨來烹鯉君家池，邕管又伏當年危。布帆約俟秋風吹，正開山桂黄雞肥。溪堂痛飲談西垂。

癸未午日

去年午日過獻縣，白日驚風塵蒲面。土屋榴花隔樹紅，望門人馬同疲倦。光景流連冬歷春，故山蒲艾復驚人。雲邊細雨山銜霽，扇底微風水縐鱗。行止在天誰可料

方朔侏儒同一笑瓜菽滿園米在囊籍年況是有常調
君不見滄江千里競蛟龍憔悴當年無地容子容雲迂腐
不解事欲返反離騷徒為工吾行不歸將安從

雨中閱耕

烟峯歛晴田水起奩鏡乍開鋪地綺踈踈細雨淡淡山
歌聲互曼溪聲裏老嫗呼飯秧漸匀扶犁叱犢三五人
清景動興立自久妙手圖畫無此真鷺下無心亦相對
人言更上羲皇代久居心與境偕忘那復仙凡動憎愛

妙境從來不可能維摩飯色隨減增江南不少此中語何必扶舟向武陵

垂柳

倚窗垂柳手自栽婆娑偶待山鶯來日長無人風影碎好友乍到清尊開人生樂事邂逅耳十二萬年只如是君不見平泉詩石自春風秦望陂田起秋水

通伯自都中歸視予山中旣去却寄長句

勁草拒飄風孤松秀峻麓男兒非女蘿何能附喬木時

來受詔紫極宫天地澄清獨立中一身已作苞桑繫百
世猶師盡瘁風不然養拙千谷底蒼狗白雲無慍喜絪
緼野馬還太虛萬古無生亦無死世間孔道惟兩途内
斷當如爪在齒安能往來俯仰如桔槔輪角蹄方猶不
止君不見晉時秀孝到即除事定一斥空天衢又不見
將軍告身賤如草鑪頭换酒纔一飽漢廷國是那可倫
孔光張禹皆能臣況今科目澄流品雉集麏興總國楨
汝從天上來清風暫扢翮且承堂上歡又得理書籍春

來幾次到江魚知我身肥屋常瘠祇今相問寒巖三十
里深意吾能感精魄澗松青洞雲白空山倒影半溪碧
舍南舍北起田謌阿母生聽忘日夕殺雞為黍三日留
知爾無言心已繹

大雨

層雲黯黮起千嶂八月濤頭無其壯雷聲猶似百里外
風定人如鮓在盎石根一髮雲當門四合滂沱坑谷漲
風吹雨打不可開縷縷曾無一綫讓但覺眼前足底盡

蓊合莫辨人間與天上正恐六鰲不肯戴三山尾閭上下隨波浪又疑茅龍迎我拔宅升雞犬天邊互酬唱妄念紛乘未刹那一雷喝破神明障須臾雲散碧天高金鏡穿林斜日亮去年蛟龍橫灊霍溪流勢與江河抗遂沉城郭及人廬巴鄣皖越悲同況　深宮脂粉罷貢錢經制封椿轉官舫猶聞人烟千里決成河生者不返死者沙中葬吾廬今日喜安然手扶白髮凭窗望門前穲稏十頃田東雨西晴頻較量世事天心那可知只應

火裏蓮花放況今獨荷皇天慈水木星河森妙狀黃昏
又送遠山雷雲罅青天見角亢

雨霽

空山日午急雨退飛電遥遥挂峯背餘陰將日照溪雲
綠暈籠山生野態雲光倒映入軒窗室中忽有青天在
移牀曠望動高興古木殘暉蒸晚焙如逢佳士人意消
鎮日無言喜相對烟霞非疾若固有人事何常裘葛代
不教霖雨惱幽人清景寧嫌日一再

山齋夜起

人語四絕憁含光夜起開户山蒼凉星河捲盡碧無際
只有孤月懸中央興來獨往坐潭石過清之境宜仙藏
樹影在地如刻畫微風不起溪烟長細泉轉石響琴筑
定水浮魚唼落香誰言過眼但須臾鯤鬐蚊睫齊彭殤
祇虞邂逅不知惜交臂一失無由償砉然一笑(嘯)風琅琅
半斜樓影月在梁是歸是寄澹相忘金翅擘海白東方

甲申午日火發以救免作詩紀之

熚熚炥炥響墻東隔窗一綫光熊熊烈風南來烟旋轉
火勢上燭天雲紅抛書出户正四顧茅簷距火一尺容
諸兒捽冠復大叫手舉烈燄投田中盆漿盎水雜亂灑
摧拉婦孺及保傭沿~~頓~~鄰閉户賞佳節頓足呼佛鄰家翁
須臾風反火亦滅延檐繞屋無焦桐朝來雙鶴横長空
清唳似與人意通更看案酒灑窗壁遠噀無乃煩欒公
生思淵明歸火遇火歲申正夏偶與同黙抱孤懷叩天意
知求道足須更窮我今林室得幸免翻教受賀慙書筒

嗚呼高堂且喜無驚恐艾葉榴花自在供焦頭曲突同為雄火速添酒洗前功

子明先生觀披雪瀑命同賦之

有容清晨來叩門告我昨觀披雪瀑山本深深冷卧雲溪流窈窈陰生谷未窮眼底坡石奇已覺耳畔風雷熱當頭忽下白玉龍毋乃山中之所妝作如夭矯出峯巔瞬若蜿蜒穿澗腹游人目眩正心驚足底忽然噴珠玉念龍豈欲赴江海怒此潭小難伸縮退坐大石定心魄

乃知一溪之水所洄洑我聞此言驚起昔年事張口不
闔如敗櫝誰言眼識有仙凡妙境獨得正非獨前游廬
山瀑萬仞曾無一寸伏又讀天台賦界道飛流真在目
若使秋涇北北海此瀑何敢免慚恧若論東海是蹄涔
廬台正似仙人葛巾之餘漉但恨人生多慼慼縛置處
女牢閉屋安得筋斗破天網朝窮一水暮一麓盡此八
萬餘里十萬年一一羅胸如數菽回頭却望此故鄉海
粟鰲山同昱昱

曉凉

清風徐動竹光白蒲苑排珠圓可摘暑退林鳩盡意鳴
雨過庭草無心碧百年老屋車馬稀日長讀罷看雲飛
衰年堂上新凉宜捲簾釃酒勸加衣

中秋夜訪沈士通伯康平明日走詩索和

萬籟明如日在天樹少盡見城頭山走歷城西轉城北
如魚出泳清泠淵叩門呼起二三子眼帶殘夢添愁顔
捨之渡橋問馬子人聲四絕蟲語繁一燈照讀者舊傳

雙桂樓前看正妍語罷清光不可捨高喚倦叟驚酣眠
為予呼兒汲澗水茶熟進以棗栗蓮談深人事到山鬼
坐起言笑復長歎是時雲靜月中懸讌遊却憶十年前
清溪繞郭山蒼巔一棹爭出鳧鷖先又憶弱冠城西偏
石莊松桂影蜿蜷三更明月出東嶺濯足溪流笑語諠
祇今散亡陳迹遠窣木或拱南岡阡須臾千載在三立
秉燭尚未知誰賢天雞一聲來無端山風泠泠衣裳單
去者迹埽住無痕明朝又見月團圓

酬倫叔送之上海之作

君不見漢毛義奉檄對母懽心遂又不見介之推與母偕隱抱不回但知出處非一致雲雨翻復衆所唉人生富貴等閒耳辭受要須有深旨當時只解此心安事後傳聞天下喜我生逢多難城破家隨之先人歷戎馬報國終輿尸深山春盡哭因母聞道東走窮海湄烽烟滿目無佳處微祿逮養聊相宜鼙鼓一朝歇四海春風吹座上鄉里兒折腰復何為成都有田一百頃胡不歸守

東岡陂東岡之陂烟舍好兒女有家孫在抱十年婚嫁
阮囊空甘旨無資親更老平昔貪矜殖節高傷貧翻悔
抽身早武功山崩業文字水清泠雖無齊楚五鼎養差
勝戔戔（傷心）束帛（[illegible]水）情爾來五度秋風生衰顏坐看江雲橫山
上蘼蕪閣中素但向東[redacted]西南北行楚帆開江流遠送
盡行人不知返萬里乘風各有時橫舟待渡終何損請
看世議薄太真豈知母教遣行人子雲死後難（無）真賞何
望當時定品論即如毛公介子心所安處即通津異同

各自依其倫去矣君勿更傷神一任絕裾真賞紛紛炙
口如車輪

朱御史行

夜半烏啼御史府志士不眠聽署鼓　國家多事殷憂
深明日封章天可補海舶如山萬里來　宮中聖母顏
不開海軍新立未部勒名王一出方受裁是時黃屋承
恩制前有羽林後騎衛臨行更請魚朝恩半典軍容半
私計旆旆旌旂返海東內臣亦到未央宮簾前數奏天

顏喜道路傳聞有異同君不見趙談親倖延年寵臥房
奏請日相踵求珠三保下海西洪武鐵牌猶挂栱豈知
胎禍在萌芽殷鑒由來夏后家刳肝瀝血心難盡左降
官曹詎足嗟田間小臣心活國三讀詔書長太息朱游
罷去檻空旌北望愁思此何極

食粥

老夫晨起衣裘薄開戶霜風吹帽落隔窓指[乞]火指欲凍
枯腸轉響如丸藥雙弓飯熱[熟]喜高堂青虀薦席盤紛錯

不惟捫腹各便便暖自頂背舒到脚讀易嘗疑賁六爻白素不惜陳言數今朝腹果體生温禦寒不待覛狐貉乃知外者内之賓篤實自有光輝爍試觀萬木凋枯水歸壑生氣潛藏如槖籥春風一吹春雨足萬紫千紅更灼灼波濤亦見連天泊褱裒絮語對兒曹閉户勿嫌常落寞不見楚國騷人頌橘情藐姑處子膚綽約

登閣呈同人並示楷樸

東風駘蕩萬物生寒山亦借草木榮鎖門竟日如處女

吟哦之外無人聲興來登閣亦騁目紅霞剛受落日蒸
老柏欲死尚巢鳥柳色正好何無鶯人家落落孤塔廻
水遥天遠交相清是時同來七八輩張眼舉手皆詩情
渴驥力奔追舌箭汗馬排立勒心兵閨中女兒亦解趣
夜停鍼線朝詩成娟娟濯秀春江柳朗朗照月玉山冰
銀鉤寫借何買字合口一開春堂燈却憶少年鼓篋行
春風桃李空營營可憐戎馬近十載媿殺心秤為文衡
新甥老友各助我佐以兒子原與齡人世紛拏多天幸

一物自笑辜生平大鵬乘風雀荆榛鴻雁欲歸鷦蒲林
胡梯扶下更洗觥覓句莫嫌到五更

庭樹生赤芝六莖兒壻見之以為祥也走筆示之

芙蓉樹上赤芝生范甥勸作赤芝行我謂氣感亦偶爾
故事毋乃傅會成商山當日避世英採芝採蕨同無情
古人長吟聊托意豎儒淺識相傳稱漢武芝房霍光柱
或休或咎空相驚方書藥鼎豈必是恐遇毒死乃仙名
世物紛綸德所蒸機出機入何愛憎即今庭芝正如此

思我素積憇仙莖腐言未盡眾大笑考祥亦可聊稱觥
吾家有樓號來鼎國初吾家於除夕有鼎甑飛來甑中飯猶熱宰木婆遷屋
老荊先八世祖遺屋老荊榛為四柱圍幾二尺墓上一樹如繖罩之俗名之婆遷云未能免
俗望長發繼以此芝為徵朝霞入夜猶散綺落日在樹
如繫繩何人倒插珊瑚根坿枝著幹如聯星魯相庭前
六七璧梵王塔上三五鈴老人端為兒孫喜移榻指點
時一興生人愉戚風約萍有遇即樂斯為經他時會適
天奚憑何必區辨渭涇何必區區辨渭涇

幸餘詩稿

五七絕句

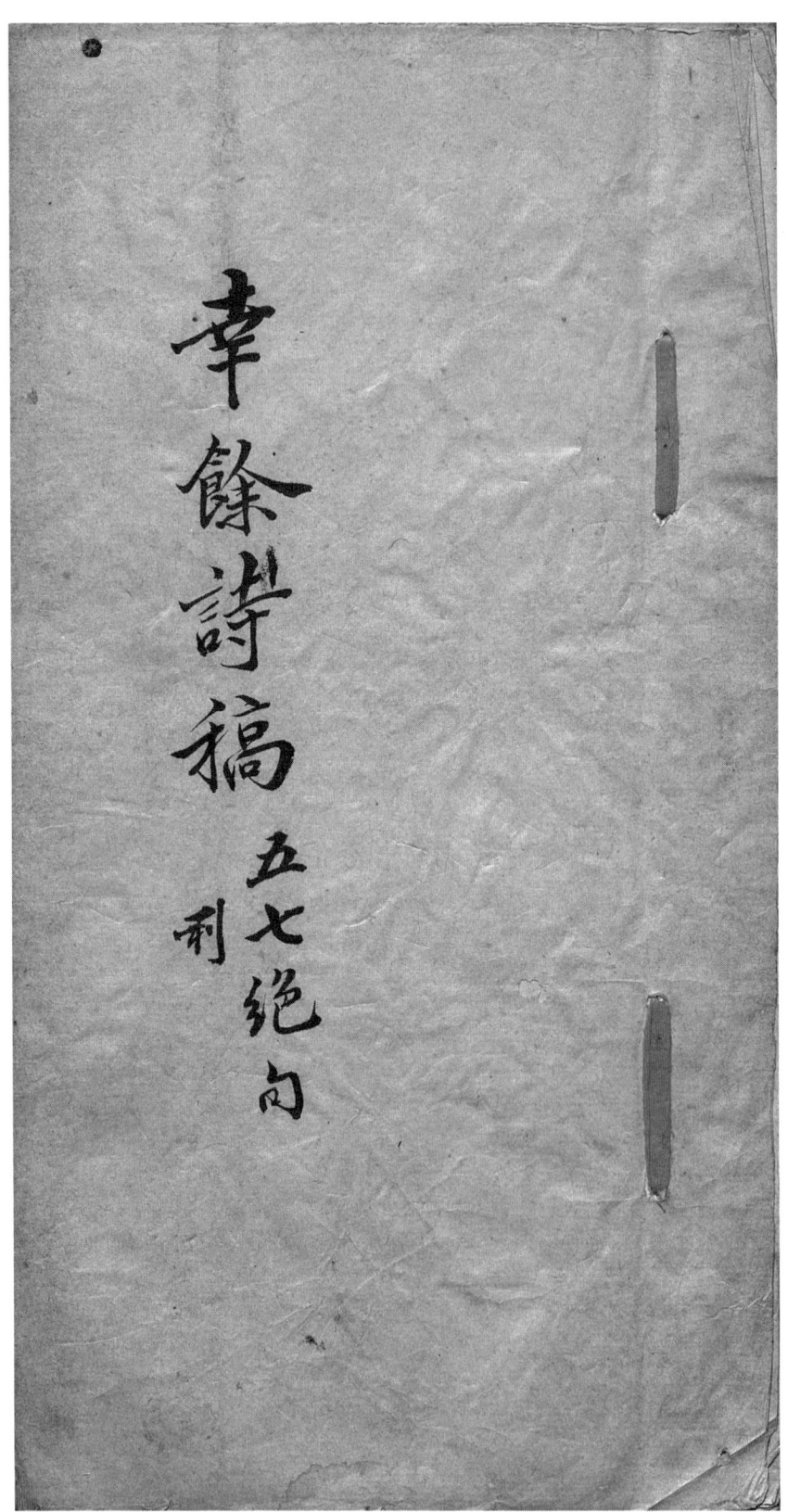

利

送人之湖南

君去衡湘間花逐馬蹄落莫更望江南春光猶寂寞

斑竹臨江岸桃花夾舊津如經武陵路為問避秦人

歸山

懸裝别江潭振策陟崖磡山翠近晚深日氣當秋淡

午日贈寒人

深谷榴花少溪塘蒲葉肥為驅夔魖盡不用掩柴扉

記得西游日楓林屈子祠山村似今日寂寞祇君知

嶺雲飛不盡林雨釀難成高卧空山裏翛然又此生
我喜終南士能驅鬼物還為防戍捷徑擔負入西山

山行口號

近午衣添暖尋山日漸長節纔過穀雨處處炒茶香
壤斷渠流合林開路轉斜隔溪聞伐木知有野人家

衝雪

芳院生垂柳茅亭放杏花為防春色老衝雪到山家
碧雲起春澗半沒谿邊樹微雨上西峯山梅落無數

臺城有觸

宮禁金輿斷蕨薶，鐵鎖垂似聞新有恨不許世人知

雞鳴寺大風

湖色前朝水山雲亂後城春風二十日猶帶歲寒聲

臙脂井

人言道旁井麗華曾此入三五小女兒年年事朝汲

曉起

綴露花蒲朵斷雲猶在天不知夜來雨潤得幾家田

曉起

月午忽斂光孤雲淡如染高樹動風枝淺深看冉冉

中秋夜坐

碧漢秋雲散空山桂影斜不知今夜月寒照爲誰家
宵來潭上雨今向峰頭散飛鏡出微茫宛然天下旦
醉逐清光去秉舟訪故人天風忽吹醒賀老已成塵
誰道愁如月寒光掃不開醉鄉有天地良夜與裵裒

即事

一夜眠無夢微涼上枕多曉來雲樹樹知有雨曾過

深烟出人語樵子峯頭下初日忽穿林乃知采藥者

漲消溪水清潭石見分明時有珍禽下窺魚相和鳴

櫻桃一樹紅山禽鳴下上開户了不驚時聞啄果響

送王剛叔之山陰任

蛙吹千峯雨鶯聲四月春憑將三楚澤寄與若耶人

山陰路二千日日停雲起後會果有時應似溪頭水

酬人游浮山

聽説君携屐狂游湖上山逕知發興處每在夕陽間
選勝四時好雲峯入夏奇崖廓如避暑石壁定題詩

次人即事韻

山深芒種近初動麥場耞罷響看歸擔頳肩帶落霞
溪山賞不窮月照更如畫時有幽人來柴扉正當夏

木樨新栗示同人

瓶中木樨香久矣君無隱不斷聞見根覿面那知近
綴樹松針碧盈柈橘色黃山齋清供好只為故人香

過蕭敬孚家

小築分菱浪陂湖宛轉通地幽名字缺但記水當中
主人出門去蔬酒勞深閨他日論交際知曾拜母歸

絕句

野明未落日江泠欲生風來往車塵裏好山時一逢
冬來未雨雪菜麥半枯黃投袂陳詞去天高不可量
水枯湖出石葉盡樹無烟落雁晚鳴際平沙寒閣船

啄木

老樹心已空抱皮枝葉長野鳥來何由窓前啄木響

潞河雜詠寄至交

落月光已微海日蒸霞舉帆重櫓開遲知有夜雨來
藹藹津門樹依依潞河帆曠望無遠近杳與清空涵
之子初來時牡丹始發芽牡丹開已落蹋蹋吾還家
花飛通州城潮落津門水月照海山蒼遙遙二百里
頓落散禾黍車騎蒲道旁無知荷鋤叟猶自說僧王

舟夜

櫂歌發中流，驚起酒眠客。長空秋水間，月照蒼山白。

小詩贈研齋及蒲仙

慷慨悲歌日，相看不忍醒。勸君一杯酒，莫作道旁聽。進酒

小餅吳江銙，紋司顧渚筠。須知陸高士，曾是毀茶人。煮茶

興發雷生地，情忘雨散空。有來無異曲，豈必計窮通。哦詩

衆禽鬧曉風，雜花炫晴露。清機一片來，心與天同素。早起

種柳

豈為成陰早，逢春足嘯歌。官中易送客，不礙柳條多。

和馬爲勤十三歲女史

巫峽瑶姬雨瀟湘帝子雲似憐春易去爲我日紛紛

到湖口縣視事題壁

祁山栗里事如何異代流風欲共科我到柴桑思種秫一湖秋水月明多

廬陵道中

墟烟帶雨斜封屋喬木連村遠過山閒煞溪邊老農圃鷓鴣聲裏閉柴關

江行口占

五老香爐杳靄間晴湖百里水灣環曉來江上東風熟

又看匡廬側面山
曉日烘江似棄脂長空窈窈挂帆遲無多乞與天公便
祇借南風半月吹
廣甯門外別稷甫景卿
水抹輕烟木貯陰新蟬初放別離聲無情更有西山色
直渡桑乾送客行
柔條折盡柳無枝駐馬何須問後期深意不嫌情話少
離亭相對又移時

無題

小時閬閣識雲仙，珠箔初垂未暑天。剩得酒衫餘涴在，祇今未敢信當年。

墻花欲暝掩重門，蘼徑依稀認印痕。二十年來春夢過，碧窗燈火又黃昏。

浣花溪畔錦城東，百尺朱樓欲倚空。十道湘簾隱簫管，夜深和月動天風。

南去南台路更西，礙門蘿華與檐齊。相逢記在東風日

無數飛花滿碧溪

周引之為余作拈花圖成乃簪花也戲為口號

飄笠偏肰任挂單出山猶記在山寒只緣未受荷香戒
誤把拈花當色看

周引之齋前其孫插柳一株今來成樹矣而引之

亡感悼成詠

坐見柔條碧漸濃小齋無日酒杯空風流不獲逢張緒
憔悴人間一禿翁

舟發有感

平生心事百分違欲話私恩意總非曉放扁舟更西望
空枉逐驛桃梳玉弓今日玉笥山畔望
瀟湘莽莽水流東
洞庭湖上亂鴉飛

送人

衡山山與白雲齊為送君行憶路蹊十幅蒲帆千尺水
載將春色到湘西
連朝烟雨春晴乍二月山城謝豹稀此處莫教春意老
畫梁春燕待人歸

大江北咽前朝恨匡阜南埋隱士琴料得歸裝佳句好
一船風月載清音
君乘湖上桃花浪飽挂天涯楊柳風為問故人劉子驥
武陵清興與誰同

題邢子膺南湖草堂圖

世外心情久未忘南湖烟雨變斜陽十年清夢秋江上
冷却當時舊草堂
江南風景太依稀無限苔痕上釣磯向晚西風吹浪起

不知湖外幾人歸

憶過南國日初斜獨樹維梢傍淺沙天外一聲清磬落起
隨風和月到漁家

放衙餘事自横經繞國郭青山共醉醒他日午橋魚尾長
不須更羨少微星

丨　子規

瞑烟遥下鶴飛還送客歸來自掩關寂寂春城明月夜
子規啼過木魚山

送竹如之蒲州

君過梁苑逢賓客為問相如老不曾想得單車更西去
榴花開盡度風陵

中條山北古河東汾水猶環萬歲宮自昔幽并豪俠窟
莫因羌笛怨秋風

題故慈濟寺壁

嶺頭朝日動鳴禽溪水依稀記竹林欲~~傍~~訪山僧何處是
亂峯廻合碧雲深

盋飯香消師座微竹轝嘔啞欵禪扉無端樵唱青蕪際
驚起一雙白鷺飛

和湛士兄食茶蘼餅絕句兼柬俊民

小庭過雨綠陰加晴午生香逼碧紗無限春光吹不去
分將花韻到山家
為惜餘芳恨晚風殘香收拾付廚工不知它日龍山下
更有何人憶落紅

題方小泉詩集即送之建平時余亦將游由鄂

廿年座上淡詩客死散無端不可論今日江山無恙地
揀花風裏遇斯人
誰從碧海挂緡絲放眼馮徐未是奇欲把龍吟問淮水
滿天風雨讀君詩
灊霍歌聲動勃鞮又攜餘興過春溪銀箏綠酒分題夜
知在嚴山雲水西
我欲扁舟弔屈原西風無地報人恩烟波萬里荆江水
何處青山似鹿門

丁丑元日試筆

千峯勁氣凝宵雪旭日烘雲萬里開一片懽聲江郭曉最清寒處看春回

二月十二日夜枕上口占

依依舊事見瞢騰廻合雕欄晚共憑夢醒忽聽兒女語夜深風雨灑寒燈

道中雜興

山光不共曉烟收湖水將嵐欲上樓兩月嚴城閉風雨

不知麥氣已成秋
野田春水没牛蹄餉榼遥穿緑樹西驚起塍邊雙白鷺
和烟飛落小沙隄
百里經年數往還停輿慣向緑楊間當壚瀹茗茆檐女
為説清泉只在山
隔湖野氣籠山起深樹晴鳩近水鳴明日津頭雲結處
定知風雨滯人行
草色波紋一望同野桃紅處畫橋通湖壖近水無喬木

萬頃平田柳色中
雨過溪頭漲未消老人家住碧峯腰看山興好忘前約
不覺攜筇過板橋

椒岑書來以待園遺詩屬定感題

皖江如舊漲痕遲千里書來發篋時庭柳成圍東閣閟
一天晴日讀遺詩

山居雜興

秋夢徐回午閣眠山茶活火手親煎從容挂起東窗坐

萬頃清霜稻熟天

買得青山入未深薄收柿栗有園林扶節更欲穿雲去
無數寒蟬起暮吟

碧山飛磬上寒空野寺雲遮石澗東門掩僧房誰布算
欲將流水問圓公

霜後風林雨後山老農扶醉過溪灣蒲鞋籐杖歸何處
知在青松流水間

西峯獨上暮雲收莽蕩中原萬里秋欲指京華何處是

此條山盡海東頭

故人相約到幽棲紅藥黃花共醉題窗燭未殘忘夜半
雞聲和月到峯西

晴日朝朝挂短檐霞光隨燕入疎簾五更枕畔聽山雨
料得窗嵐翠可拈

山外微雲掩夕陽柴門風過晩生凉不知何處秋成雨
一夜溪痕没石梁

乘輿隨僧下碧城野亭無客露初生白雲黃葉歸山路

又見松梢挂月明

戊寅元日試筆

經亂歸來百事殘版輿差喜得磐安從今放眼乾坤裏
無數青山任意看
山意漸含雲意活天容微趁水容和遥知薄海春齊動
一夕東風解凍多

寄懷筱塢江甯

物外逢痾得小間谷深清晝閉柴關無端忽起懷人思

萬樹流鶯日滿山
午夢依稀倒酒瓶天風江雨是新亭田歌驚起凭窗坐
秧色平分柳意青

寄贈方存之大令

臞瘁鳴琴已十秋心和為政自優游向來霖雨關天下
莫使雲陰滯一州
憶過趙北近春三穠李花開著意酣不是東皇能作雨
燕南風景勝江南

解組歸來近六年煙霞深處亦翛然尋山~~殆~~待好增雙屐
九帶堂前作地仙

讀吳公可讀遺疏感賦

埏埴鎔金萬品舒　先皇大澤徧扶輿無端一疏傳江
介始信當時衛史魚
宮詔分明出　禁庭尃天哀痛感羣靈異時中外齊翹
首扶杖褰衣掩淚聽
芙蓉仙闕紫金魚都是　先朝壤地儲宮史若傳調護

事吳公前有廣尚書

三峽栖遲百拜篇雲陽山木未渠憐秖今明月青山夜
獨抱深情聽杜鵑

玉陛金鋪散曉光鈞天一醉夢難長誰知十部龜茲外
別有人間萬寶常

題張子剛詩冊

潛皖西來一片青乘春曾上大觀亭江南此日重開卷
無限秋聲不可聽

海門雜感

征雁迢迢夕照長津樓獨望海山蒼角聲忽動孤城閉驚起愁心四十霜

吹盡淮南落木風角聲千里滿長空更教明月來天際無限寒光碧海中

海門東望雁初飛柴轂螺舟負短衣新漲鹹沙三萬尺等閒看種木綿歸

不閉江山萬里遥曉辭燕市晚吴船傳來諫草緣何事

為郤單于不受朝

漢朝宿將舊如雲河北江東百戰勳雅坐投壺又分閫

不知誰是祭將軍

鐵甕城東接浦江樓船舊部本無雙沿流不是無胡馬

未築三城已受降

江南花鳥久凋殘誰向桑田拾玉丹聞道重樓起天末

海風吹盡不知寒

身出淮陰舊將家腰弓臂箭聽胡笳無端獨上狼山頂

射得孤鴻落遠沙

封山鞭石兩無倫千載雄風歇海濱但使之罘能刻石
不須斬木怨秦人

津吏傳呼放曉關一程十泊海頭灣漁翁慣住知潮信
直挂蒲帆過福山

落花

一雨寒收柳岸風等閒坐對晚山空柴門客去春無恙
落盡天花一寸紅

通伯以荷花一枝見示口占一絶

湖船清興欲攜誰忽剪明霞動遠思三十年前浣花路
曉風楊柳武侯祠

歸山偶感

雲沙莽宕壓城空涼㶿無端十日中秋色不緣人事改
夕陽烏桕雨敷紅

題大甯寺壁

變幻晴風似暮煙　欲占
如雨疑晴古寺偏柳花爭放杏花天無端妙旨思宏忍

五葉金欄不更傳
暮雨霏微燕雁遥寺鐘初動掩僧寮一聲驚起林間鶴
飛向寒空不可招

過亦園題農舍園為先十一世祖故莊後歸張氏今亦鞠為茂草矣

少日行吟麥秀歌黍離空識故宮過今朝燕語鶯風際
得信詩人感慨多

瀑布

誰言瀑布在廬山恐是天仙宴醉還千丈玉龍拴不住

倒飛鱗甲下人間

發吳城口號

竹轎蒲帆五十天脚踪不到戟門前故人莫送歸裝儉
載得匡盧翠一船

筱塢自淮南歸訪余山中罷酒即别次其見贈詩
韻送之

湖海歸來百慮收天風吹近故山秋何堪兄弟相逢日
又向尊前賦遠遊

余將有行兒輩以書勸止題簡端以答之

東海西山暗自盟高堂頻盆得先庚還鄉果是遺安計應負當時傳別成

番椒

少年曾寫味椒圖茅潔薑辛欲共敷世事已非吾漸老斜陽薹笠碧山隅

登太白樓

楚殿荒凉蜀道危高樓百尺起遥思憑欄欲共詩魂話

日淡波寒不可追

送張後沆隨使日本

方丈仙曹使節催送君東去獨裵褢亦知海上神山好別有傷心撥櫂回

雪中東莫仲武

潮落江空雁斷聲天風海氣冷蕪城我來造榻逢初雪占得園林一晌清

主人清尊為客開竹梧不減東閣梅便當歲歲揚州道

獨刺扁舟載雪來

壬午元旦散步赤石磯

玉樓昨夜醉銀笙棋局詩瓢閣五更萬里春風吹不醒

江南閒煞老書生

曉日曈曨霧未消南岡東畔第三橋籬門前夜披衣雨

已上秦淮二尺潮

酬寒人見寄之作

萬壑松雲老鶴巢泉聲注盡研穿坳近來一管中書筆

付與何人賡絕交

送兒概歸應試還經湖樓作此寄之

送爾西登江上舟，天南翻悵客星留。含情獨倚高樓望，一片湖光是莫愁。

鳳游寺志云即古瓦棺址

鳳游臺外瓦棺寺，寥落僧房古堞陰。賸有鐘聲常不斷，竹籬茅徑得相尋。

題淵明傳後

百丈匡廬秀接天江陵歸去幾經年壁間賸有孤桐在
偶對薰風欲上絃

題莫愁湖樓壁

天有遥山湖有雲杏花風起水紋生九原若許中山作
爲問春光深幾分

出郭

行背秦淮一里餘莫愁湖畔釣人居數株楊柳江南路
紅杏小橋春賣魚

落帆

帆落檥陽酒正醒曉粧明鏡鬭娉婷向來雨後看山興
入眼今朝分外青

和寒人飲龍井茶見贈之作次原韻

同是寒泉在熱盂夢醒何事感東隅分明舊日看雲路
山色春來雨後殊

集賢關阻雨

蓬龍道上夜烏啼梦裏還家花滿蹊醒向山頭望親舍

白雲無限繞峯西

為方倫叔題文衡山山水

江上風光次第闌谷風靡雨緑簑寒向來萬斛溪山興
却向衡山畫裏看

漂母祠

昔聞韓信釣游年一飯曾邀经漂母憐今日祠前繫孤榜
夕陽空照水如天

題驛壁

一雨朝晴穏客心無端清思坐徐深舊時驛舍看栽樹
十五年來蒲院陰

旅舍口號

昔年燕趙壯孤征亂後笙歌過五更今日酒醒茶未冷
檀槽依約兩三聲

固安聞鵑

杜宇聲中行客稀寄言莫向斗南飛故人念我燕山道
馬首春殘正未歸

黄金臺

渤碣風雲氣未殊巋然一阜見雄圖不知當日來騏驥
猶記千金駿骨無

洗象詞

軟塵寶馬綠槐天羅扇蕉衫簇玉鈿金斛捲波香象起
始知今是太平年

返照

雲外孤光斜上樹半空色相失端倪閑庭欲暮雅歸盡

細雨初收返照晴

晚寒

風訊先秋送晚寒月弦三下客中看故鄉此日二千里
歸路知應萬木丹

秋雨

茶蘼煮酒餞孤征丹桂花開尚帝京欲把升沉問司馬
長安秋雨少人行

曉過趙北口

朝暾遥挂捕魚帆白露横空柳外含十二橋欄凭欲徧
兼葭秋水是江南

沂州

沂河北遶碧山斜落日城高冷暮笳諸葛已遥王導去
無人更説古瑯琊

沂州聞雁

春時送爾皖江頭海畔相逢又早秋同是江湖南去路
一天涼月過沂州

雨過

雨過輕雷曳薄寒柴扉倚杖對林端水雲下上交生韻夾映山光緑可餐

晴坐

谷底春歸花尚飛雲深晴坐翠沾衣幽居不紀年深淺手種垂楊近一圍

題張儷圖

手彈腰弧説忽張人灾鬼難互滄桑可憐紫陌癡兒女

不識成都張四郎

郊居雜興

舍南村樹黑雲封小雨喑喑起暮春一陣西風吹不散又含殘點過東峰

筍輿近午出山扉拾得城西畫稿歸嬾樹橫雲人獨往水田微雨鷺雙飛

不為傳名琢句奇偶逢清景興來時耽吟正使非餘事平世無能也自宜

小醉徐醒漏向寅，荒雞隱約隔東鄰。尋聲欲踏松陰去，山口剛銜月半輪。

嶺色徐開石路明，道人獨坐對雲橫。曉風殘月無情思，自愛晨光萬斛清。

千尺篛竿一丈鈎，釣鼇長憶海東頭。一時收起緣綸手，坐看溪雲漸近秋。

久雨深山氣易凉，袷衣當夏授高堂。老人翻起憐孫意，坐數歸樵渡石梁。時楷入城將歸

山味隨宜自在清不須作意慕前名斜川玉糝羹奇特
特試看吾兒萊菔羹
十載歸來養谷神盍簪不記往時人一盃遥酹瀼西客
書斷方知我貴真
相依谷底甘貧困把酒花間喜獨醒若使此君坐寒死
定慙南海墓前銘謂寒人
芝草流霞不可窮亂真幾輩古強同兒曹冀土輕胡廣
遞莫知人勝乃翁

誰從頂上灌醍醐釣盡清波未是殊我有阿耨三種法
不忘貧到垃椎無
明道傍花隨柳日龐公樹上草頭時溪山雲月誰同異
欲借舟車問武夷
山風未暑谷雲消午梦杳如江水遥忽過故人林際立
手隨松子藕詩飄
山田過雨逢新月鼓喙跳梁亦自佳可怪德璋風韻好
偏將鼓吹擬鳴蛙

空谷閉門聲寂寂
午窓篠枕夢離離
覺來身世知何地
一卷龜堂晚歲詩

秘閣遙傳爾雅書
講堂初學啓權輿
若論羣怨興觀旨
應廢蟲魚草木疏

兩餐果腹進弓米
頃刻全忘三雅杯
飽坐柴門看月上
碧雲無際有誰來

偶念堂萱春草暉
乘時聊以進衣緋
海風漫引雲帆去
秋水芙蓉澹蕩歸

飛花

燕子歸遲柳待鶯空庭過雨午初晴一池風定鋪萍綠
著片飛花便有情

筍肥誰家

暗綠飛紅到杏枝山村風味筍肥遲桃花如錦誰家苑
管領春光渴幾時

踟躕

雜花戀暈飛還住細雨含晴有似無正是江南風景日

亂山寂寂獨踟躕

燕來

燕子歸來社已過風風雨雨奈愁何不知上苑花如錦未送春時落幾多

沉士有海棠詩戲和之

無邊紅紫殿春天山苑風光次第妍莫道海棠都睡足一般穠艷鬥芳年

三月十二日雪

憶辭閩嶠下餘干夜雪扁舟闊淺灘二十五年又新火
數峰天際挂春寒

櫻桃酬寒人

政喜梅開百卉前櫻桃又熟晚春天恰如座上拈花法
一笑惟君得果先

枕上聞水聲有作

老我相宜絕島中雲濤無際入天空如何海上成連去
獨聽荒山水與風

雨後

雨後晴開一角明溪光萬斛助山清晚來不上柴門鎖
為待詩人月下行

送彥之之京即次其留别韻

花光酒氣百般清淺聚深離此夕情聞道天閶三萬里
長途何計慰君行
空山過雨月添清照盡人間離别情從此寄梅仙舘路
更無佳士此中行

次韻王子英酬沈士

迥絕詩情世孰如雨過石氣入睛初因君憶得匡山勝奇拔離人不可廬

答客

三十年間欲問津徧行湖海剩吟身歸來築得溪頭屋萬石參天絕少人

結得詩壇傍故山飛天仙每下人間柴門竟歲無車馬祇為聯吟自啟關

欲雨

不辨風聲與水聲雲頭萬朵壓山橫門前十畝新秧色便辦銀河一夜傾

大雨中讀朱子詩偶成二絕

南山雲出北山雨行到中天會合來一白漸收溪漲起坐看殘絮岫邊回

誰識天工有大機油然一雨溉千陂若教漢上論機事應悔山園抱甕時

偶成

容膝茅齋一丈深漫天塵土動相侵何當枯木寒巖裏
安得山僧斷臂心
共説蓮花火裏開一燈明滅更難栽挂車山下牛如虎
收得肥時出草來

偶書事

醒來無寒出寒棲行遇山翁問路蹊昨夜五更風乍起
半吹明月墮峯西

留得當時折脚鐺偶然夢醒取茶烹深山一室燈如豆
挑盡孤花分外明

有僧言予為普陀弟子戲贈

月到天心水在瓶不須別自有真乘良宵共我三生話
蓮葉蓮花證老僧

自去簪花

故人白髮不勝簪常愛花光潔比心今日晚風深苑畔
不知何處問人琴

冰雪為膚月比心山家花韻感秋深不知玉宇瓊樓下
短髮何人盡此簪
蘚砌林墻返照明西風吹月晚涼生山翁抱得寒巖味
自愛秋花一段情

芙蓉一首寄趙㲄翁

朝來濃露動清愁晴日初懸夙霧收我有芙蓉何處寄
皖江天遠正涵秋

菊花次韻酬客

風純玉稅少人催佳日詩懷盡意開種得菊花三十本
只教梅竹得同栽
先生詩政敏如蒲為問楊公並得無向我長吟秋水句
頓教襟抱一時殊

東倫叔

健學如君今日少疎慵似我古人稀晚來驢背看山色
拾得奚囊斷句歸
一卷新詩對竹看清思怪與雪爭寒還山尚記華顛句

楊柳芙蓉不數韓

題家問樵先生一枕窩詩集

騷壇先輩久凋零芳草斜陽寂寞經惟有落花詩一卷
風流長共故山青

枯桐絃外獨成歌流水高山喚奈何淅瀝高齋旬日雨
秋來不及淚痕多

白雲谷許為予擇陰陽二宅既去偶成四絕

喏大乾坤七尺中尋山别自有真龍但教識得源頭妙

水抱砂環到處逢
一氣遥連大九州崑崙獨坐握靈虬微塵散落皆珠玉
拾得歸來葬玉鉤
埽地焚香近十年柴門如水幕如天瑯環自有非關梦
那用仙官七字傳
吴江寒雨楚江烟總是人間淡蕩天試與跳身塵外看
清風明月自年年
客有以維持風化見責望者沉士有詩次韵答之

自分貧居似老萊　翛然獨向白雲來　亦知霜落家山冷
只恐春風枉費才

寄題友人藥俗軒

朝來雪意壓山沉　高館新添洛下吟　想得詩懷清似水
萬竿竹氣欲偕深

先後浮官共一方　顛頭梅信有遺香　南枝此日多應放
誰向空山寄遠芳　友人曾宰大庾

斜川在南海以芋作羹坡公喜為咏玉糝詩槩皃

婦戲效之以供祖母且廣之以冬筍萊菔之屬詩以獎之

南海名羹玉糝傳東坡少子是斜川山居我更誇香軟從此高堂慰暮年

兒樸掃墓三芝庵明日天大冷走足送羊裘迎之繫以一詩

箯輿昨日上崚嶒一夜瓶花凍作冰山冷定知高處雪一罏榾柮閉門僧

移居

小寒雪後雲猶冷，賓雁風高月不明。萬斛詩懷無寄處，
春風和客入孤城。
露井依然傍竹林，鵲巢新架古槐陰。分明舊日堂前燕，
故壘歸來不可尋。
鄰園敗石絡新籐，往事欹眠醉不譍。今日月明花覆地，
讀書聲裏一簾燈。
家具孤山鶴守梅，夜闌乗雨手親栽。白雲久斷黃塵路

偶為人間春色來

漁獵時風日漸勞自將古事教兒曹高門只合辭車馬
滿苑長松鎖暮濤

近谷春深蘭蕙香和雲斸入賣花筐長廊小苑無人到
自捲風簾坐夕陽

東風昨夜放瓶蘭獨坐挑燈憶古懽百卷翻窮人不見
褰裳起向月中看

龍眠山雨壓城過霽後風光又奈何等是江南花鳥地

不知春色阿誰多

歸客雄談海上風為言戍火照波紅沿船不少三千弩
未落潮頭已挂弓茉存談和夷事甚悉

櫻桃破蘂柳交枝往事花光動遠思最好日斜人罷讀
玉蘭初放倚樓時

門外三槐半作薪畫樓斜帶草堂春庭南常挂天邊月
猶似多情識故人

城頭落日帶餘霞把酒高齋對暮鴉忽憶故人離别處

一庭春雨送梨花
綠槐高處是吾家一樹林檎正欲花五色雲光齊照地
不知何處是南華

城北晚眺

夕陽衰草雨三家古堞新頹起暮鴉忽憶舊游何處是
畫樓貯月樹交花

丙戌元旦試筆是日立春舟泊湖口

楚江一月客星懸載入扁舟別故年幾片湖雲將曉雨

早偕人意占春先

辭家宿曹家岡

柳陰覆地麦登場湖水纔波恰受航記起當年初宿處
淡山踈樹兩三行

新秧出水大如鍼歎後人家望歲心昨夜連村雷雨急
不知何處漲痕深

花山道中

水淺漁罾遠入湖青山數點淡如無花山風景宜初夏

打麥聲中謝豹呼
門外銀塘乳燕飛貧家荆布出柴扉畫眉不為時深淺
楊柳陰中自浣衣
朝來野鶴出烟巒尚為雲深憶故山麦雨槐風三五日
不知清唳落江關

寄家錫九叔

風露初含木葉秋樹梢纖月挂銀鈎恠來清思牽滄海
為得詩人趙倚樓

渤海城邊動早寒单車兩度隔長安不知秋水今何許
合讓君臨碣石看
山城啼鳥柳毵毵峽啓堂空長野蠶莫為月明動鄉思
已無風景勝燕南
十載歸休百不言青山流水過閒園近來種得千竿竹
滿院清風獨閉門
毅庵寒人通伯連日會飲兒楷亦具食予與毅庵
寒人戲約為三寒圖先為四偈招之兼以示通伯

楷

為問蘇家冷幾分金神墩外盡湖雲料知雪後空諸有
明月當頭獨照君

獨往寒巖儀衛翁暮年解脱任奇窮人天若聽三寒語
把臂當教入箇中方儀衛有寒岩獨往圖小照

一山出入路三叉剪盡荆茅轉到家自有寒巖枯木在
不妨春月與江花寒人新自山中移居舊宅

我家亦有庭前柏誰與同參歲後凋撞破西來真了義

不須生死問根苗

醉中戲簡毅庵

大醉不知天地大得醒翻覺醉鄉寬神全不畏南山虎
說與騷人未是難

未到千杯力不勝聞君亦被醒人憎醉鄉却恠無君迹
百道天階各自升

為寒知翁營得贖裘貲繫以小詩

歸鞍欲發客衣單萬頃寒光道路難明月披裘動詩思

一湖風雪杖藜看

次阮仲勉韻即送其之臺灣兼柬仲葵

誰言骨相必鳶肩
餓虎饑麟亦自賢
君本蒼松巢裏鶴
不妨閒結海山緣
先子牙旗曾建處
海樓此日又籌邊
淒涼部曲憑君問
更有何人著早鞭

至南昌

龍馬雲車走鞠塵
十年蹤跡問陳陳
多情只有東湖水

向我殷勤似故人

野泊

江光夜氣碧空懸野泊當秋月在天照見水西山下路
網魚歸去兩三船

三至安福

亂山廻合柳毿毿隱約人家散水南我是桃源舊漁父
扁舟歸去又重探

懷里中故人

凍雨含風昨夜收，平明飛雪入山樓。江南故友貂裘敝，
更典青錢挂杖頭。
無事經時嬾出門，木綿裘薄擁諸孫。朝來卧聽城頭雪，
無限驚風減被温。
長卿宅裏數株梅，應有餘枝凍未開。風夜定知聞折竹，
又看山雪入樓來。

和諸念齋七絕四首

金鑪青氣看初純，柳下相逢暑煆人。一曲薰風弦韻起，

勝他窓底葛天民

芭蕉過雨柳風來幾樹葱葱手自栽好是清簾疎簟裡

一壺冰貯可人才

桑柘蕭條見已親俸錢百石媿斯人天關虎踞蒼梧遠

雲漢迢迢不可陳

芙蓉寸寸碧依人同是江関寄此身五月玉笥山畔雨

不知何處正留賓

泊峽江縣

春洲雨歇一城開碧岸停橈望幾回霽日山光天外出
澄江帆影鏡中來

不寐

射窓霜踈月吐踈林斜入屏風瀉影深欹枕四更人不寐
遥聽衙鼓自沉沉
罷酒停琴已載餘故人不寄一封書遥思此夜江頭月
照盡蘆花水繞廬

停橈

解印垂紳三十春，徧遊湖海不知津。停橈坐媿拏舟子，斜日秋風自度人。

寄女潔兒概書後漫題

武功山下二年居，花事侵尋客裏踈。久别故鄉忘不得，一春未半兩封書。

雨色連江生遠烟，高齋忽發緑楊天。無端獨上樓頭望，萬點歸鴻碧海邊。

庭柳千條欲挂綠，昨來送别苦相思。東風二月燕山路

正是春寒未盡時

試事畢復戲疊三絕和康平

春來底事斷人腸十載詩懷任意狂今日宜晴宜雨候

偷閒小坐擬三唐

山作心肝水作腸興來爭説是詩狂不知天地高何許

更有何人辨宋唐

騷歌曾斷古人腸眼底流泉又飲狂一卷南華齋物好

未須莊叟是荒唐

曙起

芙蓉庭院日遲遲往事凄凉只自知今日不眠迎曙起
柳條人鬢兩如絲

聞鵑

湖西兩度燕銜呢客宦風光漫與携寒食已過鄉夢遠
蒲城春雨杜鵑啼

蘭

逐客無聊託興長至今争襲楚遺芳縱楊江上多名卉

誰泛烟波釆國香

重送无错兼呈蔭堂先生

武功山外火雲生梅雨槐花送客行柔櫓一聲人去後蒲江嗚咽繞孤城

海雨湖雲易夏寒計程驚起念衣單書生興發輕千里未得封侯不自安

乾坤何處是前期華屋相逢即路歧閶闔五雲新捧日一封書寄破顔時

海氣連江動十山時清天放汝翁閒早涼鳩杖登樓望
遥指孤帆天際還
飛櫂乘潮憶舊遊水心亭下緑楊秋西風若與吾生便
日日狼山對海鷗
漫别青山逐俸錢武功瀘水兩依然田桑空負成都郭
偕隱終應絶島邊
生兒何必仲謀佳王謝門庭自散懷今日得秋誰最早
秣陵新雁兩三排

送陳蒲仙赴鄉舉即歸武陵

瀟湘此去水泠泠六月鳴蟬不可聽聞道湘靈能鼓瑟
數峯江上為君青
長沙鄉榜見名題料得還家橘柚齊一點君山湖萬頃
布帆斜日是湘西
賓館題襟二載餘銜杯相送藕花初楚江不少東行客
莫待歸鴻始寄書

題研齋晨坐焚香圖

曉風吹日上峯頭昨夜谿雲宿水樓起炷名香對朝爽
泉聲琴韻一時秋
萬壑花光漠不分林廬幾處别春雲揭來讀畫知何地
無限清輝付此君

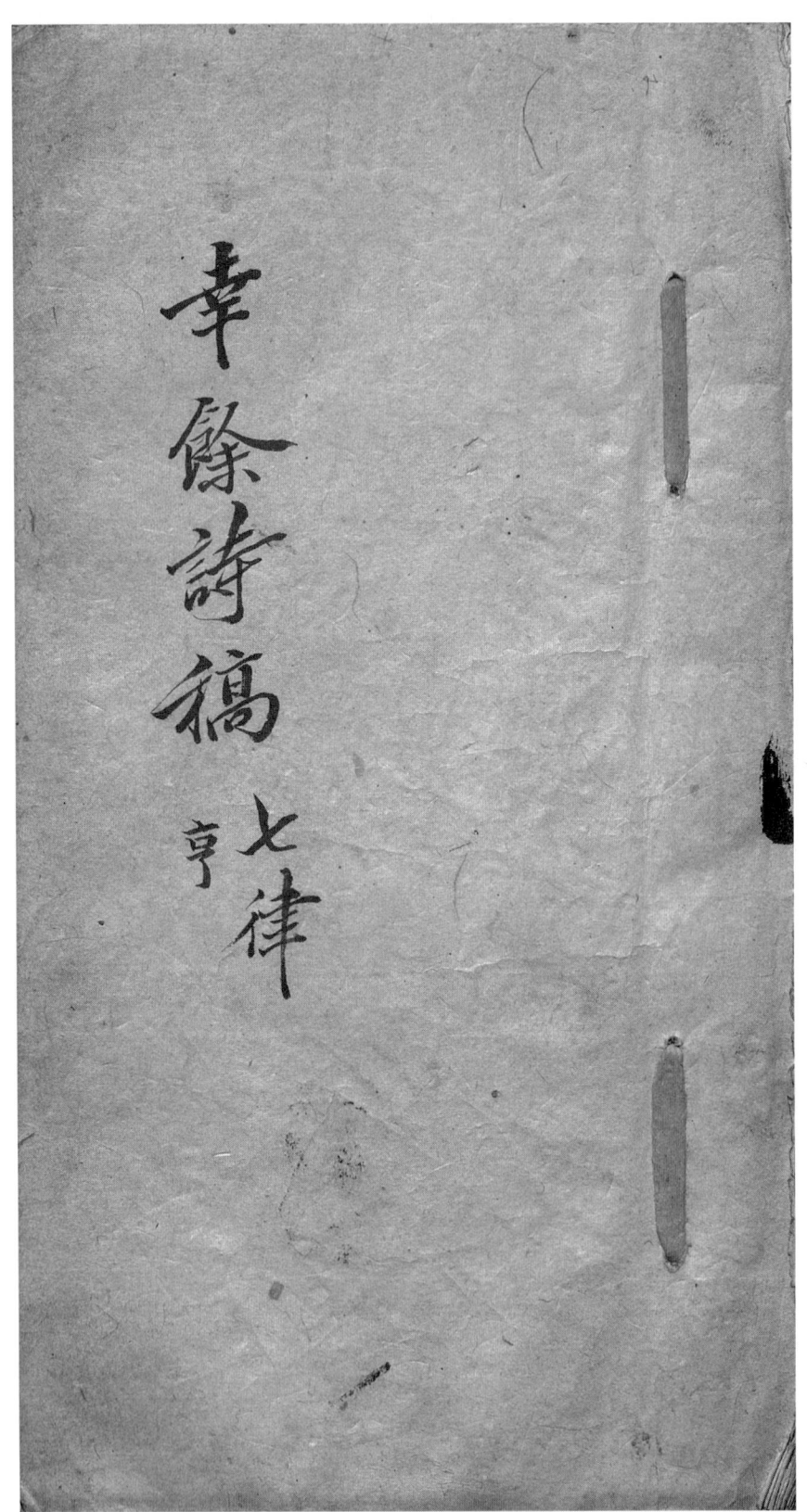

幸餘詩稿

七律

亨

癸丑除夕

滿目兵戈送歲闌偷生豺虎共盤桓家亡傳語一[illegible]斷父死憑棺一慟難縱使夜臺通夢蝶也應殺氣阻飛鳶師門北斗分明照徙倚庭柯戍鼓攢

得家沉士兄書喜其由賊中歸詩以迓之

三年翹首空相望一紙書來汝尚存盡室可憐方喋血到家猶恐未招魂（癸丑之難兄一家十一口同殁）斜陽犬吠知投宿流水歸鴉獨閉門複壁逢君莫回首空艙峽上正啼猿（甲辰）

余隨　先君入蜀兄亦同行過空舲峽有詩紀事戊申歸復過之今未十年先君見背不肖與兄竊伏草莽以偷生悲夫

寄懷蜀中友人

當年東閣醉如泥刻燭分牋每夜題車騎東南迎日出高樓西北與雲齊十年流水傷吳會萬里滄波自錦溪闗塞極天魚雁杳不堪回首夕陽西

奉懷陳頌南侍御丈

滄海東環鷺島橫老臣倚劍望　神京憂時論每驚天

下痛哭書曾感　聖明壯極晴雲連雪色南方春雨送
潮聲只今星斗三台外後進遥看氣象清

于役浮梁道中

一夕霜飛萬木丹扁舟載滿九秋寒溪流雨後痕常在
野碓舂完水未安千里儲胥通澤國十年烽火又江干
簡書晝夜兼催廹試取程書子細看

感事

十年廷議上羈縻豈謂銜冤到　帝畿邊草周廬榆樹

塞秋風麥飯木蘭祠早聞地險維中外不信天心定轉
移太息　六龍秋獮處五雲蕭瑟滿旌旗
翠罕霓旌別薊門名王倚劒獨承恩成謀足繫樓蘭首
先入偏聞魏絳言終古朝廷尊北極即今父老望南
轅先臣籌海丹心在　日月還應照九原
哀痛天書出尚方山東父老涕淋浪一成孤注猶龍起
薄海勤王莫雁行舞劍豈無劉太尉脫冠誰是郭汾陽
太宗千古煌煌業欲話遷都已斷腸時有上此議者

禹甸堯封正驛騷中興大業望諸曹不聞封事爭三師已見徵書索百牢芳草尚迷江外馬寶刀誰斷海中鰲腐儒挾策翻怊悵閶闔門開日月高

軍中雜感

上卿承詔轉雙旌獨立東南萬里清千嶂青山環大幕五更白雪壓孤城弓刀近徙良家子刁斗遥傳漢將營為語孫恩莫輕敵如公忠赤在平生

霍灊南去萬峯低獨立津頭聽鼓鼙江月自明湓浦北

海潮猶上宛陵西漢家百六消銅馬楚澤三千下水犀
好借豫章作根本坐收兵甲與山齊
黄海雲高殺氣兼萬家板屋淚長沾胡床未見安張亮
鱗甲空閒議李廉吴越烽烟迎雪斷江關鼓角入風嚴
蒞軍不用勞臣度已有偏師報賊殲
東流南對皖江汀兩岸班聲互坐聽鳴角按時傳令甲
長攙分隊學園丁營平芻粟千箱白諸葛蕪菁萬頃青
自有陰權芟巧逮莫將涕泣擬新亭

折衝尊俎多都統可惜偏師皖水濱聚米八州橫入目
勒兵萬騎靜無塵龍舒秋樹斷飛葉鵲岸寒潮空長蒓
聞道吾鄉有奇捷十年江郭望生春
兵謀　廟算兩難諳欲問青天意更含卜相朝中驚鄭
五總戎閫外說朱三借頭悅敵謀終壞抉眼懸門事豈
甘太息豪奸須駕馭坐看篝火又淮南
義旗千里下巴邛三户遺民浩刦留有骨荒苔埋虎豹
不兵旅骨長田疇劇憐青坂悲秦卒遂想紅妝侍益州

機算正深人未識，淮流從此替湘流曾澄候與滌師書言湘鄉從戎者衆至重價傭雇不可得
八面風雲護馬舉，將軍開幕禮賢初。朝投征虜壺中箭，
夜試睢陽架上書。江左衣冠思五儁，并州名譽欲雙居。
燕臺自貴真麒驥，駿骨翻勞月俸儲。

十四夜牛渚獨泊

布帆遥帶微陽落，林鳥斜銜暮雨還。風勢欲眠攲岸柳，
電光時見隔江山。永懷高詠追前哲，誰與靈犀照世間。
想得高堂檐溜急，一燈閉户聽潺潺。

張伯海於戊申歲赴金陵余送以詩　先大夫寄諭云如三四一聯則妙矣幼年初學未敢存稿行年三十餘一無成就默坐澄思恍然欲涕全詩不能記憶因補成一律

君去昇州菊正花布帆疊疊夕陽斜秋風何事催行客

江水無情撼歲華一抹樓臺江總宅六朝烟月莫愁家

遥思勝地還惆悵白髮朝餐幾勸加（時先大夫在金陵）

旅寺感懷

蕭齋寂歷敞秋光百感如潮欲潰防往事塵埃淹白日
逢時天地肅清霜元雲垂樹生寒色錦壁廻風起暮凉
惆悵章門開府地牙旗依舊憶登堂沈中丞以憂歸去
海嶠江關接薊門廿年蹤迹沒蹄輪亂時聞見增懽少
執友文章竝世尊闕月未收孤塔迥寒鐘初動一燈昏
山河迢遞旌旗滿欲賦東征未可論

豐城阻風寄强甫庸菴

江城寂寂楚雲限竟日孤舟看鳥廻野霧欲沈風乍勁

寒波漸起雨初來沙頭白雁深宵過夢裏黃花昨夜開
此別離愁更何極白溝河北是燕臺

都中雜感

大遼北展蛟龍窟碣石東開虎豹關元老車騎周日月
名王帯礪漢河山五陵石馬雲中下三苑金輿塞上還
自埽宮廷清禹甸六鰲從此奠人寰

鳳城南苑較旗分曉散龍媒十萬羣天策自開唐六府
元戎不數霍將軍擊獐古塞眠秋月射虎平原冷暮雲

十二羽林環紫極太平神紀挂龍文
仁皇妙算極天聰七政咸齊日再中何意鼎湖千載後
坐看文軌萬方同辰鐘賓館蒼龍曉午夜星文紫氣通
太息九章薪火絕遠求失禮到西戎
扶桑曉日照西溟有地齊通海氣青萬國樓台臨漢月
五都燈火雜胡星牙旗開府追王會銀漢浮槎格不庭
寄語　彤階諸大老莫因仙草冀殊庭

過邯鄲有感

極目平沙捲白塵滏陽驅馬憶貞臣西河無術爭胡服
東海何人却帝秦渺渺關山沈伯業蒼蒼城邑見遺民
一杯村酒空調瑟坐想當時頗牧倫

穎上晚泊

穎水迢迢艤櫂孤白波吹月隨菰蒲風中老樹先秋瘦
天外遥山淡欲無把酒憶曾陪北海收身誰與乞西湖
短蓬明發淮陽去雲木陰森謝豹呼

還至桐城居二日輒復南去留別戚友

田塍過雨日初斜眼底青來識白沙嶺（名在舒桐交界）廬墓故
諳靈運墅親朋交止嗣宗車作歸成客煩供帳久宦如
僧不戀家此處郵程應未遠不須書札效秦嘉（時內子病深）

送筱鴟弟歸里兼問徐敍甫

爾攜湖上匡廬色溽暑懸飄日向東海月忽生歸鳥外
皖山青入大江中酒罏往事逢屠狗楚澤今來有漸鴻
為問南朝徐孝穆可應笑傲舊時同

喜鄭容甫至

賓館悲懽二十年舉桮重喜到南川平時論學推丁廙
十載延師得鄭虔故里雲山淒往迹高城燈火變寒天
買鄰千萬應何策已負南村數頃田

胡慎思歸里營葬既別感賦

不信人間有巨卿六年空負死生情日斜村徑聞狐鬼
草合棺題没姓名華表鶴歸應恨晚麥舟人去正初晴
白楊蕭瑟通幽感夜雪寒燈夢儻成

歲暮遣懷

萬木凋枯絕障開高原極目悠徘徊天清五嶺雲霞出
日落三江風雨遠[來]道故人書久絕近時傳語事多哀相
思歲晚空蕭瑟況聽寒鐘入夜催
汲岸高風已寂寥唐家炎晏亦雲霄募耕舊族無三戶
徵餉新章下百條南徼兵戈淹日月西征弓馬賜嫖姚
請看飛輓連江海壯士魂歸未可招

奉寄滌生相國

十年仗節奠神州更領河山表薊幽桴鼓秋清三輔盜

竹鍵春障九河流諸生此日誰爭長部曲他時半列候
聞道津門集烟船籌邊應建海東樓
東巡碣石臨滄海西渡滹沱見太行十郡壘空宵掩雪
九邊烽靖曙凝霜定知禮樂能興漢共信安危久繫唐
玉燭調成收戰伐黃扉想見髮蒼蒼

哭莫伯鬯茂才

人天永別在燕臺一涕何堪盡我哀骨相君原非大歲
福田天只付凡才蒼皇客路奚由奠寂寞師門痛爭裁

此日九泉逢故劍談深應憶蹇修媒

憶昔

春來杜牧鬢如絲醉後微吟憶昔時匹馬經尋樓上客
雙蛾爭進席前卮長宵合手彈胡拍半醉凭肩品竹枝
湖海一尊車馬散中天又見月如眉

薊溪

後輿高下趁荒雞細雨生烟路欲迷村市自成雲木外
板橋知在粉墻西孤花出澗紅初綻凍麥依山綠未齊

馬足暫停時問訊響泉聲裏是葑溪

懷李芋仙大令

古寺無僧積葉紛高齋獨坐感離羣寒風入樹宵凝雨
薄瘴生山曉似雲幕下記曾容謝朏座中爭話謁田文
祇今寥落江湖遠回首章門一憶君

自題清夜聞鐘小影

車鐸誰尋空地鳴悠悠遥夜惜平生一千里外窗中月
十五年前飯後聲永憶妙香魚磬寂徘徊秋樹斗參橫

柴桑故態猶無恙又費丹青勸耦耕

初度次日湛士凡治酒招容甫庸庵小集

撫鬢頻嗟歲月更暫將花事遣吾生當階種竹逢新雨
傍石移花喜放晴海上鷗鵬空自化夢中蝴蝶漫相驚
親朋健在年華老百榼傾翻未許醒

刻張亨甫集成以一部寄其門人李鳳儀明經雲

詰復綴一章

冠絕閩才五百年天南一綫幾人傳竟無明詔求遺草

曾見諸生守太元此日青箱煩後死異時朱履記前賢
廿年滄海同多感烽火無端又黯然

葉松亭歿三年矣其子桂山茂才自里中至商所
以歸葬者且索 先大夫集感今悼昔泫然成韻

化鶴千年事杳冥坐思故友淚常零生逢朱邸推名士
死別青山尚客星有子能傳靈憲術向予遥問太元経
天涯回首仍多難話舊停觴未忍聽

題張亨甫先生博陵登眺圖即送其孫心葵歸里

送爾南歸出近郊可能三徑有衡茅文章無力驅窮鬼世態何人廣絶交四海昔游冠劒盛一時圖畫姓名淆摩娑蠹軸成眞封風雨扁舟泣夜蛟

寄江待園廣文

先生挂席向滄州彈鋏吹竽近十秋傳道銅章方耐冷還家錦瑟頓生愁雲山擁樹臨荒垞風雨連江入郡樓此日相思殊未已大觀亭上月如鈎

送鄭容甫

秋城霜色斷晴暉，八月天南雁未飛。篋裏疏章長太息，尊前風雨送將歸。帆開渚北逢寒露，木落淮南念授衣。自有休文識劉勰，莫教心思感芳菲。

生死論交未許同，離筵何事太匆匆。詎應驪唱由窮鬼，儻是蛾眉忌國工（君夫人不欲居此）。山色朝開三楚遠，濤聲秋撼大江空。關河從此音書異，多少凄凉入夢中。

寄懷徐敦岑

天外相思一千里，篋中書札十分愁。江湖有地容陶令

朝野無人識馬周見説歸來松菊在關心別後稻粱謀
閉門種菜英雄事謾為聞雞更倚樓

春日漫興

積雨纔晴冷未收無端官閣動春愁乘時事業輸青史
多故年華易白頭犢角出牆將裂砌花光穿檻欲登樓
楚南舊説饒奇石坐想黃溪汗漫游

有感

晴苗飲雨夜懷新坐對溪山媿此民高士深情思援蕹

昆戎習俗易移人，近來世槿寗吾好，自昔賢豪樂食貧
便擬抽簪趁秋水，樅陽江上問垂綸

迎春東郊

廻盤萬樹倚晴天，春仗遥依驛路懸，溪水半圍明粉堞
板橋一道族花鈿，山容繞郭猶含凍，柳意沿湖欲化烟
歲竟條名知下考，郘農久媿奉稍錢

醉題

男兒四十鬢如霜，底事尊前太息長，倚劍清淮憂市虎

弢弓海上望天狼一時風尚和戎論舉世誰爭結客場
舊習未忘君莫笑短衣杯酒勝銅章

寄懷沈中丞葆楨

天選儒臣　詔起家樓船嵬峞壯中華河源奉使通安
息海上推鋒繫呂嘉從此魚龍收駴浪即今翡翠怨清笳
籌邊大計經營苦坐見奇勳勒海涯
秋色無端動遠思荀香坐接十年遲吳公已去誰應薦
劉勰初來記見知綿邈予懷悲祖道蕭條民氣異當時

斗南悵望思投筆短劍摩娑兩鬢衰

詩社分韻得秋蝶蜻蜓

亭館花稀柳欲衰雙飛草底夕陽遲新來勝事游人少舊逕名園老圃知到眼畫圖思帝子關心金粉付紅兒腐儒亦有莊生夢衣扇飄零又一時

芰荷風起柳圍橋檻外離魂未可招點水身疑隨絮化入林翅恐共烟銷高寒玉沼饒清露浩蕩雲程任碧霄寄語江南小兒女膠飴絲綫莫輕調

秋夜雜感

湘簾盡上帝車橫雲物初調夜氣清桂露驚風珠錯落竹泉濺月玉琮琤微茫葭菼思秋水慘慄江山冷故城聞道漢廷　明詔美江湖廊廟不勝情

玉軸丹書出鳳宸關東父老淚洟頻彌綸工事風雲會僕累河山日月新閶外有人爭運覽都亭無復見埋輪八溟從此看波定不用煩憂到小臣

曲江風度望難希機鑒當時四海歸坐上藥籠溲勃具

囊中蟠木朽枯稀深源北去名空盛安道西來事已非幕府岩嶢遮海闊高秋鷹隼莫空飛（曾滁生相國開府南北辟薦闔廣今直省疆吏大半曾為公所推舉）

綬帶輕裘列閫升餓麟饑虎各攀登五侯鯖饌傳樓護四海龍門望李膺落落郊原披褐盡茫茫江漢濯纓曾獨憐高士南州去秋舍追隨語未能（故人徐異甫孝廉合肥相國邑人也獨浩然歸隱）

吳山楚澤寄身偏老去誰當訟異賢二頃陂田何允宅

五湖秋水米家船滄洲且喜干戈定客路安知藥石捐

最痛秣陵風雪裏扁舟書卷對江天莫邵亭夫子披徽不出求得曾相撤

偏訪江南遺書戊辰春予過金陵同阻雪于燕子磯三日別去遂不相見

刺桐城畔浴棲鴉隔座飛觴笑語譁裏葉梹榔春並蒂

傍釵茉莉晚交花早時魚藥留凫舄中夜人琴感鹿車

至竟板輿空有約秋風蔦帔念西華己未庚申間客泉州與孫子春別駕

觴讌甚歡孫有板輿歸養之約余來江右孫丁內艱旋亦殂逝今有一子在里中

早歲攜囊過梵宮碧梧蹤雨寺樓空黃梅上座推神秀

絳帳經師重馬融，丈室有階巢野鴿，佛堂無壁呌秋蟲。縱令健在應惆悵，經苑茶寮說字功。弱冠就表兄馬命之于大甯寺常泰和尚方丈學書，寺燬後命之殉難于舒城，而常公亦入湼槃。

芙蓉墻外近銀塘，小客甌南未十霜。齊贅天涯逢敬緒，難兄人世見元方。潮生牡蠣添盤味，雨暗桄榔長夜涼。鼠臂蟲肝兩蕭瑟，可宜回首少年場。己未避亂福州，依張伯海姊夫，時伯兄慎齋亦先在閩，深得急難之助。

一自妖星照上游，無邊戍火逼天愁。三年本榻栖遑海

五夜彫戈枕歙州馬鬣蒼皇悲道路貂蟬寥落負兜鍪
祇今衰白風塵際敢向人間問菀裘
鳴鞘吹角散榛蕪鄉夢關心菜子湖陌上賣花金谷地
壚頭沽酒梵宮祖宿名江左思龍躍耆舊襄陽失鳳雛
最是金盆仙井畔不堪秋雨憶王芻
敝廬舊倚夕陰街捲幔秋來爽氣佳栗里已虛眠五柳
瀧岡空憶植三槐分深指宅雙珠耀（故宅借與子襄筱鵑兩昆季）鬼
詡營方一笑偕（宅燬於賊者大半欲營之無貲而止）每元亮未歸勾漏遠

年年明月蒲高齋

破車殺馬成虛誓，聊欲弦歌作徑資。換縣賞恭慚並治，余始以湖口與安福對調審能蓺稻竟何宜。耰鉏箕帚秦風惡，神鬼丹青越俗疲。木葉亂飛人意倦，宵深匡坐憶蒪絲。

八月賓鴻未渡河，無端秋色動悲歌。湖山西道遊踪少，故舊南州藻思多。野馬影中人濩落，荒雞聲裏歲蹉跎。

秋燈

兒歲琴書意味違漏聲初永雨聲稀關河難結思鄉夢鍼線平添寄遠衣露冷一天侵戶牖悲蟲四壁下簾幃空堂獨坐頻挑草只恐明朝燕欲歸

村東

穲稏齊收野色空晚山如畫小村東林烟淺帶寒流白霜葉深含返照紅拔薤人歸過犬巷賣魚船泊傍牛宮臨風獨立看生暝清景依稀故里同

安成候代示署中諸子

當年嶺海走江臯南省軍儲正驛騷雪積關山開萬幕水生湘漢下千艘摛文五夜攀龍尾奉檄三吳見鳳毛壯志銷沉元髮換孤城空憶角聲高

海嶠江關各晏清乘時端合事歸耕春寒縛日冰遲解雲意經風雨不成鄰寺疎鐘秋閣晚當門喬木暑陰輕故園景物真堪老況是高堂白髮生

鳩笑鵬飛兩未忘乾坤放眼又蒼茫曾聞天上愁能寄不信人間醉有鄉海色夜通江月白河流秋接塞雲黃

不堪歲首春難偏恐向滄波問釣航

巖谷春來氣總寒行藏心思幾凭欄卜居詎肯同雞鶩
化俗深慙比鳳鸞已分邱園安東帛誰從渤海問安瀾
襄陽耆舊吾家法細雨歸舟次第看

與振甫曉吾夜話

玉露生寒月挂檐劇談鄉事覺愁添高風記見劉真長
薄俗還思李士謙萬里梯航方北拱千秋史册起遐瞻
名山大有關心事凶吉何勞問尹占

湖海蒼茫極望頻漫漫長夜憶天民雞聲到耳原非惡
龍性為人豈易馴梁地故交思劇孟桐鄉山色屬公麟
破車殺馬君休惜試向爪田一問津

憑欄

廟戰神威軼漢廷八荒貢楛見盈庭侍臣禁苑爭裁詔
飛將燕山盡勒銘歷歷玉繩依北極迢迢銀漢接南溟
腐儒别有悲時感暑夜憑欄慧星

次韻孝先兄同游青原之作是行思禪師道場

皐壤清緣每恨慳身閒暫得入名山拓開塵網尋思去
恐墮真金丸鑠間一徑風烟分上界萬峰廻合閟禪關
倒荊卓錫尋常事狡獪何須動西家僧人感傳倒栽荊樹為思公勝迹
藥樹堂前古柏垂壁間斜日照題詩鍾魚彈指無傳響
文字諸方有護持舊國蒼茫餘短塔僧寮寂寞自穹碑
西來妙義興亡感禮罷空王欲問誰順治間吾鄉無不大師說法於此歿
後葬爪髮於思公塔右

贈孫琴西康訪

座上聲名前輩並甘棠擁節一時尊庇寒士任吹竽濫
執法人依解網恩晴午圖書淹畫寢春風鼓角靜轅門
胡牀便許高嵩造餘事文章或共論
平生奉教羣賢地十載歸來喜再過隱几江聲三楚盡
入樓山色六朝多露章早見貞臣槩風采今殊法吏科
願合江淮齊上頌八州仁氣徧巖阿
衣鉢人間有代興名山事業亦沈升交遊孝棹思任昉
聲望慈明御李膺四海求師憐我晚一時拔士只公能

會將追趙西歸意長向醫王學折肱
春色將還無端興感風前花下率意口號彙而錄
之得十一律
雷驚露斷燕飛還意興無端似轉還環三月春陰山閣暝
一庭花氣華門閒庀雲孤出難成雨野鶴閒飛易返山
底事流鶯相喚急故園歸到又江關
長隄照水柳藏鴉憶訪名園繞郭斜雨後萬釘黃腳菌
火前千點白毫茶離離旁舍曾生穀寂寂平田尚種瓜

已是太平清晏日不妨樂事問桑麻

皖伯臺前壁壘新天風軼蕩轃奔輪座中趙勝三千客
帳下田橫五百人已見封椿須蟻鼻更開夏屋似魚鱗
江山本是聲名地誰布東皇有腳春

金鞭寶馬出天衢甲第連雲耀路隅白刺獻瓜東土客
青絲沽酒霍家奴先炊煉炭原非異有壁鳴銅未是愚
忽憶少游鄉里日獨騎款段看春鋤

先帝英姿鼎盛年退朝開閣進羣賢中興伐叛過唐憲

家法崇王黜漢宣豈謂深宮留玉輦翻憐複道照金蓮
小臣舊事瞻閶闔獨抱春心望九天
祆祠高與白雲齊謀國諸賢盡種蠡海市已通遼水北
烟艘又過皖城西山開灊霍連三楚江挾巴渝出五谿
終是 聖朝無外日治兵不恤法羌氐
舊日梁園諸友散雞豚後會倍關情維摩道足偏多病
梁倚才高解外生脉脉花光春色薄濛濛雨脚暮江鳴
何當卜宅南村去烟舍雲塘事耦耕

自別龍眠長薜蘿天風吹緑下槃阿徐陵文字東濤少
殷浩聲名北去多鳩欲依人難擇本燕知得食便營窠
曉來聞道村沽美且上江樓倒叵羅
長衢羅衢闕清虛門席深垂斷客車尊酒落花兄弟健
晚風微雨故人疎牀頭回夢聞烹茗簾角留香起課書
為憶阿戎官裏去相思應寄武昌魚
諸芳擁緑上闌幃花意闌珊春意非無限愁心鶯獨語
有痕春夢燕雙飛蘼蕪香冷輸金鴨楊柳風生憶錦騑

誰信粧臺斷消息壁燈猶照彩雲衣

出郭行吟望渡頭宜人雲物麥將秋一春好雨依時節
三面晴將抱郡樓遠障斜連澄渚曲片帆遥帶夕陽收
漁人不識論醒醉自逐桃花放釣舟

至沙羡贈程尚齋方伯時督鹽沔口兼示劉小雲

十年仗策貢經綸轉為儲胥董要津白舫夜飛炎路雪
碧幢朝擁海波春湘西此日猶歸蜀荆門以西淮南引地為蜀中久假不歸今欲規復河内當時已借恂幕下久知多士美論才
尚難定議

誰是出羣人

夏口小病蓧常邀登江樓

高樓金碧警人心扶病登臨百感并三楚欲無天塹險九江空匯洞庭深島夷卉服叢沱漢玉帛兵戈變古今醉卧若逢靈雨夢不須入世更相尋

見邸報張子衡廉訪引疾知其落落之况廉訪於余有一日之知作此寄送其行

文山百尺照江空憶上歸舟謁謝公虎豹宵屯梅嶺北

魚龍春化劍江東十年人返陶潛宅一夕塵飛庾亮風
更為蒼生思再起莫因清嘯滯湘中
發篋行吟上馬時長林深谷見公遲清談豈必三言中
廣座曾蒙一字知地濶洞庭終浩浩天高樞斗自離離
含毫寄送翻增感悵望崆峒有所思（公别後以自撰鐵瓶詩鈔見贈）

追悼胡慎思

長逝不復望騏驎誰與招魂過贛濱生有沉憂傷感憲
死無文字誌元賓天涯冷骨埋荒草故國秋墳斷澗蘋

（慎思自其祖以下無次丁）若向蔡家問書卷，春來王粲更傷神。

除毅甫輓詞

瞪眸伸足古賢蹤，每向公卿座上逢。迹蒲關河真老馬，筆迴天地是神龍。草堂有約嗟吾負，泉路何人更汝容。先子墓門殊未遠，霜前月裏定相從。

雪中楷兒攜新婦歸有感作此示之

鹿車作聽雪中音，悲喜無端一腨心。三歲素衣憐汝少，重闈白髮望渠深。綵燈錯落圍金屋，銀蕊參差起玉岑。

從此高堂潔晨膳莫因慈竹歎蕭森

容有以乩仙詩索和者依韻應之

雨色連山潤遠空城頭常挂碧玲瓏鶯語圓流窓外樹
燕翎斜剪江上風芳林著露櫻未熟小市驚雷筍可籠
誰惜青春去強半獨騎白鹿尋仙翁

江樓書感

西風吹露下巖城獨坐危樓百感并地險不須江作塹
星高時共月爭明天邊宮闕艱難造海市樓臺率請成

且喜滄洲頗無限扁舟尊酒恣縱橫

山行有懷

峯頂光斜日未沉亂雅歸去下秋陰村烟傍水參差起楓色隨山宛轉深永憶故人同剪燭當時勝事牘寒林天厨人海俱綿邈珠岫烱岑獨自尋

三芝菴雨贈石峯和尚

山氣彌天萬壑沉禪關一夕變晴陰雲烟上界疑如此雨雪人間覺漸深百世松楸成色相六時鐘磬自清音

無端却憶支公榻，元度重來未許尋。末謂一心禪師

頹牆壓髁幾折阮薪儒馬通伯來視詩以謝之

和朋駘尊各有因，嵇琴單虎未宜論。方將鑑井憐多事，却為停車感故人。大勢巖牆難久立，吾行却曲更誰親。把杯且喜磐阿穩，腰脚能過莫厭頻。

丞相

丞相威名動四夷，聳聲閶闔繫安危。但聞遠略求魚鐵，不数名條貴繭繰。紫海人間衣盡浣，錦機天上石誰支。

唐封夏甸艱難業珍重三苗贊禹時

山中賞雨不得酒戲題

天柱峯頭遠霽開餘陰漸合又風雷雲疑碧嶂千層起雨近朱陽一線來坐任年華如駟過豈妨朝暮有狙猜人間雲狗俱違適我貴何須定把杯

送春

華巔白雨雨如絲小住江城又一時鄉（味）風光榮草木味宦情花事到荼蘼兒時游賞吾廬在早日繁華老圃知

喜我先春解歸去不緣時卉悵將離

己卯元日試筆

諸天一夜走風聲曙色纔通霰雪行薄海搴夜思六出
一時擁篲望重明開簾丹嶂連雲合把酒春冰隔座生
稍喜河淮通五版不須持節問貧氓近年三輔旱澇民就食江淮甚多

題方小樓雪夜課經圖受經於阿翁也

君家族望半清標五百年來未寂寥喬木風烟培後起
萌芽經史繼前朝巾箱舊業披圖在山海英靈入夢遥

怊悵江村風雪夜定知掩卷泣氷銷

方鞠常比部見訪山中留之不得御寄一篇

鐵馬銅龍迹已陳煙霞餘意自相親坐思白水盟新侶
誰向青山訪故人珠勒不停銀燭夜金貂空買玉壺春
知君魏闕關情重湖海元龍未足倫

為亡内卜葬地感賦

去住何嘗定是非人間天上兩依稀向来壯志如鵬息
未死閒身似鶴歸秋井蒼苔殊自分深松茂栢汝誰依

青山滿眼奚緣好絕頂攜筇淚轉揮內臨終屬必合葬

登天門山有懷滌生舊帥

四度天門杖一筇無端秋盡又飛鴻片雲忽送瀟湘雨
落日徐生滄海風牛渚祖船空故實龍驤戰艦憶前功
高懷徧歷知難再剩有江山興未窮

山居漫興

卜得山居似一枝幕巢葦挂各相宜炎光漸逼思栽柳
野色能寬不等籬花至盛時珍蓄水當漲後見淪漪

南陔久樹忘憂草更不頻煩鄭尹著
列窗遠不吐朝曦起視林花露尚滋早挂蘆簾將燕去
自藏斗酒聽鶯遲春歸不俟詩人餞老至難教烈士知
鳴劍在牀杯在手更誰揮麈話商芝
植援當墉小趣成年來生事近躬耕東籬采菊心能遠
西澗鳴篁境過清不速午風如惡客先封甲折欲爭盟
可師更有跳珠水流到門前自在平
偶買山田學老農借人耒耜又添傭有兒何必辭擔糞

失婦誰當解賃春秧點平疇星倒影渠分春澗水朝宗
即堪此境終裘褐已過蘇門竹實供

小園朝爽絕淄塵天放疎慵不自珍心澹易忘新句好
骨殭諱說典衣頻喜晴芥菔爭盟夏迎雨荼蘼欲殿春
秉興拂衣想禪悅清波釣處有金鱗

市門路遠難徒步村巷樓棲幽少客過經亂親朋能健少
近衰年歲覺情多定知茵溷隨天巧豈必杯螯落舊窠
花雨自然成眷屬清風明月滿山阿

節欣立夏逢時雨一宿生晴起斷霞樵徑晚風歸乳燕
水田斜日亂鳴哇叢花過好跡方惜近樹無多遠亦嘉
寄語弟兄各相待宵分明月滿山家
行散因風趁菜香漫攜筇竹過隣莊山深縠雨茶猶少
春盡松花菌未嘗囊藥愛題防己字養花兼得樹人方
倏然腹果渾無想水石清泠每坐忘
解印偷閒轉得忙山林城市費平章宵霜蠟屐來東閣
帶雨篷輿慰北堂近夏百花空爛熳不秋孤月亦蒼凉

關心事事思巢洗不為高談爝火光

乾坤憔悴曜重聯自檢平生幾幸全　先帝龍飛垂綬

日小臣蠖屈墮弓年蒼梧何處詞陳墓湘竹曾聞淚灑

天虎豹守閽雞犬墜讓他衛史報恩偏末謂吳公可讀

太白曾看曜日中長衢萬口咒晴空春秋未辦陳災異

主客誰知驗吉凶梅福市門憂太早莊遵卜肆意何窮

近來噫氣秉春發旱坐想京焦問八風丙子六月晦太白經天今年二月八

日夜大風拔木

毀屋有死者

上將西征久不還壯圖萬里過陰山連城七十朝齊下宛馬三千夜未班豈謂旃廬歸使節幾今玉塞失雄關聖明終是如天日赫怒風雷匕鬯間

一別黃姑掩畫屏維摩室在一燈青直須桑土防陰雨底用衾裯待小星萬事早知春有夢百年誰肯酒邊醒相思雲海天風際或再吹簫到幔亭

寄懷李芋仙

孟門舊事不堪尋消息惟君感獨深一紙記曾煩雁足

六年空復憶龍吟江通灩澦勞歸夢月傍微垣動客心
聞道起居恐相訊鄴書賣盡到嵇琴

書憤

瀝血何曾到杳冥我朝　九廟自神功（靈）桃林放馬方周甸木葉書蟲忽漢廷湘水蒼筤前日碧平陵松柏異時青怪來地坼天崩日持較平君未易瞑

正月二十六日雨雪交作口號

疾雷破山山氣宣長風生谷溪滿烟雨行交空泉挂屋

雲封不盡峯在天憂農八月至正月傷世十年更百年
甘露醴泉未殊遠蒼茫滿眼何由然

漫成

林烟山氣望成疑空谷春寒睡起遲出岫閒雲思釀雨
避人野鳥欲移枝近來病待金鎞解懷古居將土窟宜
滄海茫茫吾道在天高日暮又何之

出山自嘲

林雨花風展日長篌輿大好載春光嶺雲欲盡見山閣

溪水初生沉石梁漸喜麋田浮麥氣正宜烏几受梅香
如何猿鶴頻相負枉著生涯在醉鄉

即事

幽事經年未許尋桃岑柳曲畫陰陰雲移花隝紅相射
雨歇山堂翠欲沈天半明霞無際遠嶺頭春雪有時深
怪來溪閣添清思萬壑晴嵐展霽林

余將有江右之行與湛士閒話因贈

與君四載鎮相依勝事茅堂未覺稀露泫晴花生異彩

霞烘雨障變餘霏，僧巖茶迸雲根出，山觀鐘搖澗鍊飛。正好槃阿終老地，肯因拭涕悔東歸。

五十年來百慮收，白雲蒼狗各悠悠。心如化鶴思還日，身似歸鴻近早秋。四海誰當文舉座，平生曾薄仲宣樓。即今邂逅逢親健，或避時人買沃洲。

夜話

頭顱已秃氣縱横，把卷誰知誤此生。四海登樓王粲賦，十年懷刺禰衡名。時非遇主空垂綬，老不能侯負請纓。

今日雪深談往事夜闌寶劍匣中鳴

憶昔

憶昔遍舟海上歸江東戎幕鎮相依朝秉赤水風生箭夜渡黟山雪滿衣萬里壯圖輕鴈塞十年好句付魚磯文饒前死孤寒在擇木知難鳥不飛

梨花

漠漠梨花覆華門微波初緑繞孤村縑笙似抱仙人怨湘瑟難招帝子魂蕪徑春迷雲冪歷蘆簾晝下夢存温

停輿忽憶當年事畫檻銀塘細雨繁

題清芬老人村舍

麥潤桃飛細雨過湖雲初散晚風和到來桃徑天然畫坐久菱舟静裏歌極浦遠天微樹見春晴近水澹煙多山居寂歷渾忘世更欲移家著綠簑

牆隅去年種杏甫得一花遇雪逗留既晴復以事牽去及歸已綠葉成陰矣追詠一詩

野梅落盡雪初殘消殺年光杏未看忽向空山慰人意

正憐花事阻春寒董林仙種難醫命安吉秋芳易轉官

撫物感時豔陽日故應閒處得偷歡

龍雲寺

千峯側轉朝朝異一徑盤廻面面通松竹自深諸有外

莊嚴忽見了無中化城彈指能增刼舍利長留不礙空

夜坐老僧談行法泉聲月色兩非同相傳佛殿為巖頭禪師幕化自吴中飛來

海會寺贈至善上人

廬山老衲能殊俗挈法重開海會堂正喜我來梅子熟

恰聞參事木樨香九江波起光遥合吾老雲生寺盡藏
手種白蓮今待放莫嗔偷賊監仁王

萬杉寺

廢寺摧隤古道旁當門人指五枝樟客來雲霧生衣袂
僧少鐘魚冷佛堂座上晴嵐侵竹氣樹頭斜日隱湖光
登臨忽起時衰感世外同艱乞食方

六月二日見雙彗

當年茂氣八風宣四見流精近斗懸似授指星消緬象

欲憑脉望問蒼天藩條列郡三桓貴雀錄中朝四相賢
底事不眠邱上望又看雙彗紫宮前一彗在北穿五帝座入紫微垣一稍東尾距斗不遠

別王柳橋

海昏司馬江州輩喜我能逢風雨來自許情深過潭水
為期爪迹在蘸臺柳橋勸予改官于蘇天池六月鯤難化華表千
年鶴未回訪戴雪船又何日細巡東閣認莓苔

舟中感興

七載雲泉事漸諧，扁舟春晚又江涯。時平戍鼓聲都緩，客久村醪味亦佳。無楫憶從滄海繫，有輪定擬驛亭埋。蒼茫萬里空乘興，倚舵高吟悶強排。

江甯晤張廉卿贈之

憔悴乾坤幾懵舒，秣陵重見渺愁予。空聞神鬼勞前席，不信熊羆有傳車。江水波寒霜重後，海山人到雪飛初。季鷹久抱秋風興，幾度松湖自煮魚。

湘水枯微絕問津，老漁空憶武陵春。權輿遠近猶乘屋

薪水催傷幾寓人感代自饒天下寶即今爭獻海西珍
扁舟風雪秦淮道獨有張堪可共論

梅花嶺謁史忠正衣冠墓

故里曾瞻玉貌懸叢祠喬木尚風烟雕戈北峽勞三援
玉燭西陵慟十年此日瓣香親毅魄他時衣鉢憶鄉賢
楊州又見繁華歇斷雪殘鐘一惘然公為吾鄉左忠毅所知張献忠之乱公曾三觧城圍

洪琴西都轉拉觀署中園亭感賦因贈之

先人昔在維揚日東閣觀梅月幾迴花下圖書深網鐵

酒邊裙屐盛扶輪當時談藝無殘客此日搴帷有故人
撫事流連又開府草茵苔印迹空陳
漢水陵陽毓俊才殊聲雲合動風雷嘉謨閩海曾欣薦
大業湘江望遠陪明月漸移寒雁鶩青山無恙照樓台
異時棉上安文隱萬向烟波問晉推

秣陵歲暮雜興

東吳玉樹久凋殘小住金陵送歲闌千里箛笳人外靜
一城燈火客中寒到來勝地空文藻別後音書憶路難

日暮高樓起愁思霄風颭雪滿江干
不信橫流定止車野人舟在且浮家江閒春色廻天地
海上潮聲變歲華衰草寒隄殷仲柳筠籃曉日邵平瓜
劇憐馬糞烏衣衖步屧婆娑數暮鴉
鍾山望氣久蕭槮林壑風巖變古今好景不辭花鳥暮
青春常為管弦深江山麗蹟駢黌宇文藻虛堂慨釜鬵
舊手已遙驚後死清涼雲物漫追尋
朱雀橋南積雪晴曠遊漫討六朝名荒祠舊榜題康樂

斷碣殘僧識步兵山水未應殊昔勝琴樽何處問平生
蒼鵞隨地惟前代皇路駈車敢淚傾
京華一别十三載屠狗英雄近若何廊陛文章爭補衮
江湖歲月老漁蓑平時下品高門少草昧成名豎子多
北望居庸極天末五雲終繞漢山河
紫瓊閶闔矗層霄雲漢高寒閣道遥玉殿獨通王母馭
琳宮只受廣成朝金銀眾闕羅羣帝紀宿星官拱斗杓
熒惑天狼莫相犯我皇神武過唐堯

犀壑西環鐵甕雄蜀岡幕府椅江東濤廻玉粒千艘白
火鑄蒼波萬竈紅夾轂問門金作屋長衢留輦翠為宮
風潮三宿魚龍夜短櫂鳥皮悵望同
挂劍綱維半壁藩夷吾端在古風存閣書事抵規年格
澆柱誰當咒至言淮水波濤流海國蔣山雲氣接中原
遲行緩步紛持節匡坐南溟看從鯤
鴻飛鵠逝各何之獨坐蕭齋有所思文字待遒需鎊好
故人別久斷書宜清香畫戟輕荊璞濁酒山樓廢尹著

一望江頭風雨晻幾懷谷口柳枝垂

市酒駐愁欲策勳獨醒翻倒惜離羣晴尋古蹟交新友
雨借奇書按舊聞永夜客星懸碧落大江孤月照閒雲
盤江清絕湘波遠太息揚靈一弔君

訪源設齋於金山僧舍

未到山椒已半空九霄雲氣檻前通坐疑鐘磬懸天上
時見帆檣出地中壺酒斷知遵佛界盤餐小有話宗風
主人意倦僧歸院枉對焦山興不窮

舉扇

舉扇何由忽障風西來青鳥報書空自知芳草當階上
那有仙桃入籠中設醴官倚虛夏口聯床使幕憶江東
武昌今日魚無數不遣纖鱗到釣筒

同人游城北諸山至張伯山宅小飲

放眼溪山足嘯歌暑風結綺任淆譌烟流破閣餘嘉樹
草長寒塘有敗荷今日只談風景好秋來到處夕陽多
天邊又見春江月照我蓮花橋上過

客有勸謁大官者口號答之

新聞絳節下江關鳳翼龍鱗各附攀四面嶽雲成雨去
五更夜雪掃門還車書事往人何在廊廟心長鬓已班
幾欲搴衣援孔李婆娑無那性貪閑

正月二十七日侍　慈大人游後湖馬上漫詠

看盡三冬江上晴後湖又趁早春行馬羣散牧草初緑
魚艇閣沙水未生山樹散寒生遠韻僧厨無供有餘情
籃輿穩載清光去萬斛鷗波鑄鏡平

翌日再游妙香庵

午日當天萬象閒巍然灰刼剩禪關樓前雨後青溪水
樹裏春來白壘山花鳥動輿游客感風光喜放老人顏
斜陽未盡雞鳴寺乘輿還憑竹杖攀

春日漫興

客裏春光何處賒勞勞亭畔日初斜三叉別徑聞茶鼓
一角頹牆見杏花驛罩似開君子館江干虛上老人槎
谷鶯海燕無消息漫對疎林數暝雅

哭張鑑亭茂才

世間直諒如君少，天上今應食有魚。倚樹漸疑成苦李，買山終可種甘藷。官中夜燭曾相約，病起秋風尚寄書。知汝吟魂憐弱息，春寒雪冷閉門居。卒前一月以詩二篇見寄

方靈皋書文賦册子為方柏堂題

靈皋初住京華日，曾舉蘇書勵素侯。高識早年超舊手，大文故應看傳頭。當年餘事珠璣在，此際流風粉澤收。把卷知君惜橅楷，摩娑不獨為銀鈎。

登鎮淮樓在淮安府城内中街

滄海中原一氣冥憑高醉眼豁餘醒南來水盡懸空白
北去山無不了青小刼天人留埤堄大河風雨會神靈
淮陰舊說多年少誰向橋邊帶劍停

淮安贈別筱塢及筵上諸君

破車殺馬成虛誓溯水離山請檄來兄弟二年重別酒
賓朋四座出羣才麥晴攬轡淮河會槐夏登山海岳開
闉闍岧嶤定相憶楚雲燕樹接三台

經南苑進永定門

晾鷹臺北對西山諫獵無書禁尉閒朝日一駝鳴輦道嘶風萬馬出天閑蒼皇望闕思龍起遲暮登車媿鶴還甘旨漸稀諸子少霜華滿鬢入燕關

至都中喜晤代畊姪兼感憶尊甫吉甫三兄

香波初動碧荷池廿載悲懽并此時家有竹林慙大阮室無琴榻感徽之九江風雨人相憶三晉音書雁到遲至竟銅盤能濟美銀河浪定日邊垂代畊時需次永定河工

示通伯

去年爾北我南行門户蕭條每共驚老輩文章傳白下
舊家世業剩清明相逢帝里人無恙别後星槎事幾更
傳說少微同照地空階坐對不勝情

贈光稷甫時初補御史

憶别京華十五年相逢雙鬢各蒼然文章天上三台貴
巾褐人間五嶽跧出處自知慙謝朏諫諍差喜得韋賢
都亭大有埋輪地温室休嫌踈（疏）草傳

贈馬月樵時以大理寺丞兼應科目

玉室金堂待曉珂通經餘事法曹過漢家折獄于公最
唐世平反狄相多四海風趣尊蠹簡一時衣鉢重鑾坡
獨憐燕酒相攜處促膝停觴憶志和末謂張芝生

贈張二谷時以知縣謁選

塵世相逢多望外故人久別得真懽相憐筋力疲為客
翻笑韶華老入官天地萬年輪底窄海山五月筆端寒
從今好買鵞溪絹細寫民風座上看君工山水時鬻以目給

睡功

蕭然一雨郤炎風漫閣羈愁試睡功芻狗早通三夢外
鷦鷯徐穩一枝中渙氷若谷歸玄牝吹火燎原息絳功
都向枕中生妙法不須大覺望雷同

寄贈吴摯甫刺史

刺史初從幕府徵聲名意氣各飛騰文章永叔推蘇軾
賓客侯嬴報信陵一自大星傳夜隕空聞舊友議同升
刺史與李相國同出文正門下可憐滄海桑田際無限天池看化鵬

松鶴藤猿歲月更天風吹斷步虛聲雲難作雨空舒卷
泉偶辭山任濁清三輔春風活國手九河秋水故人情
建康會座堪同憶準擬重親小異生

方篠泉出示潼關見憶之作次韻酬之

昨歲知君出玉關計時萬里傳車還天山風土歸新詠
人海霜華識舊顏楊柳尚思驄錦別櫻桃待醉鹿苹間
弦歌慈榜都常事莫謾相憐兩鬢班

漫興

坐聽殘雅語暮林閒齋客思為誰深遠遊茶荈懷甘水
經亂詩篇足苦音海上碑成空把筆山中調絕久錐琴
如何十載狂奴態也動星文傍斗參

九衢駟馬集神京人海崢嶸半俊英濟世才華寬小節
近衰言論絀虛名燕山六月秋先至絕塞三年草不生
為憶富民曾製爵我　皇應賜李西平

宦意歸心兩未降蕭然一榻對花釭涼風徐墜夜深葉
落月斜明雨後窗久客黃花生古塞入秋紫蟹憶吳江

都盧曹掾争呈技慚愧階前十丈橦

夜發黃村

城頭戍鼓近殘更月黑天高玉斗横暗徑野駝鳴鐸過
遠村深樹見燈明中原何日東方旦世路難期蜀道平
見說燕南秋潦盛正傷葭菼没官程

平原中秋

黨錮胡塵兩難問一杯邀月且縱横青天未必如人醉
白髮從渠向客生岐路風光驚火戲三條官燭憶文成

男兒身手能無恙，去住何勞太息聲。時兩兒應南闈試，一子婿應京兆試

泰安感事寄光稷輔侍御

江茅鄗黍罷封祠，肝紙爭緘骨髓辭。闕下未歸權萬紀，田間空復趙光奇。當鑪犢鼻經災歇，閉户龍宫代雨遲。聞道天閽今四闢，莫嫌封事說豳詩。

兒輩買菊供大母之歡兼待余歸戲為詠之

慚愧東軒笑傲身，冷香為洗帝京塵。林園夕露餐英徑，籬落東風送酒人。漫許賞心專九日，豈將花事讓三

春庭闌莫恐繁霜重已結寒梅歲晚因庭梅時已含色

雪後飯山家

高嶂初晴雪尚明塵衣又入翠微行青山蔽日移寒影
綠竹驚風圻動身囊栗已無臣朔飽酒狂豈獨次公醒
漫將潭水論懷抱深淺何人似此情

酬寒人村西散步

自出京華返玉鞭幽居宵晝得清緣半輪海月揺春霧
一髮晴雲定午天此日披衣乘雨後往時種柳認風前

尋花莫起韶光感透看衰榮已十年

二毛

偶為幽居惜二毛青春又見去滔滔一峰挂瀑天垂鍊
叠嶂横雲海濺濤坐對時光觀物化安排吾道問天高
谷駒不縶王孫住芳草留人自蒲皐

仙姑菴同寒人

往時冠盖早還家相倚名園繞國（郭）斜登閣秋山明夕照
閉門花塢鎖朝霞百年舊事山陽笛一曲清愁塞上笳

何意攜節仙井畔煮茗雨外對桑麻

掩關

城市歸來獨掩關庭花未落且盤桓乍晴濕霧經宵合久雨深山入夏寒一水抱田喧樹外數峯銜日挂雲端人間不少清都樂底事頭皮斷送官

寄葉端生重慶

一别巴渝望渺然歲經四十路三千山懸雪嶺疑無地江過雲陽欲上天荆土豈堪王粲老洛城曾得茂先憐

故人若問當時侶席帽椶鞋不記年

聞光子芬還鄉舊居尚存一椽憶壬子會食葉松亭所至今三十年矣以詩寄之

靈憲奇書不可聞人間天上總離羣銀牀尚汲齋前綆玉軸空滋谷口芸樹裏村田初見水嶺頭寺閣半埋雲緱峯近報歸笙鶴蠟屐登山幾望君

初秋枕上作

一室泠泠秋氣清罏香篆盡夢難成山焦夜響知風起

竹露斜明驗月生半世觀空無住相萬方至聽有殊情
鼉龍蝯鶴真同感不必黄州鼓角聲

某君贈兒輩文集題其後

山齋寂歷似安禪磬石隨宜得小穿亭竹晚風成遠籟
澗花朝日共清研闔棺定有誅心論諛墓誰非潤筆傳
發德誅奸吾事在待將巨眼勘青編

病起夜坐

茫茫大塊偶淹留歲月婆娑一壑幽病起追涼還怯露

山深不雨亦成秋玉螢唧唧聞天籟銀漢垂垂入地流
槃澗夜空微念定坐看殘月上峰頭

秋坐

野田燈上析初聞掩卷開門坐夜分露重有聲微似雨
山高秋氣欲成雲社前已送鴛梁燕暑後猶飛豹脚蚊
漫見清風吹月上松間斜照碧潭紋

秋興

瓊雲百丈下茅堂坐對青燈長夜涼槲葉風聲疑帶雨

菊花天氣欲成霜十年充隱雲三徑千里懷人水一方
歲事漸闌華髮短共誰繞指問柔鋼
薊門見説怨滂沱玉宇秋光近若何瓊島曙雲猶捧日
瀛臺夜月自沉波正憐名族忠貞貴大好平章解事多
玉露凋傷楓柏冷山林廊廟憶蹉跎
碧雞金馬自天開吳舶黔賨萬里來鐵索有橋通佛國
金沙無水洗滇灰艱難表跡思雄畧險峻江山養異才
回首昔年觴詠地卧龍躍馬不勝哀

丸江山直萬安橋海氣天風萬里遥漳島窺林珠浦月
仙霞東瞰浙江潮烟含碧葉檳榔碎雨過黄梅荔子嬌
寂寞釣龍臺畔路吟魂廿載倩誰招
彭蠡寒波九派生西山南浦灌嬰城斗牛氣巳天中散
龍虎山猶鳥外横秔稻連雲思孺子菜瓜含雨憶雲卿
梅時感事兼今昔冷淡韶華又幾更
三吴雲物冠南垂麋鹿臺空舊俗移靈藥不辭師子遠
角釵争炫日林奇玉簫金管荒鹽市錦纜牙檣罷漕司

太息海陵諸父老翠華十見到江涯
巴西江接海東頭關市旌旗晻素秋經制有錢軍用拮
勸農無使　主恩優茆檐歲困輸黃犢貫客春稀敝黑
裘永憶開元全盛事長安直北令人愁
我朝絕漠三千里恰篤烏梁大帳開霜黑寒門通虎節
日黃碎葉進龍媒繻傳東海連西海星拱中台接上台
誰料北庭南牧馬秪今　宵旰望邊才
憶上狼山百尺樓醉凭危檻望神州宮中弋綈悲精衛

閣下綵綸狎海鷗壯士不青俗客眼書生空白少年頭
洛陽豈少徐文遠碧水丹楓獨送秋

甲申元日試筆

十載栖遲倏電光諸孫容易欲成行獻觴幸有閒居樂
操紙誰知秋興長山色添寒侵草閣溪風飛響過林塘
萬方消息猶多難試把春盤子細嘗

天寗莊訪阮仲勉不遇

閑門深閉草萋萋空返筳輿問路蹊鏡裏耕芸催布穀

車前早晏聽荒雞刼過老屋無喬木河徙殘畦有斷堤
聞道蹇驢每乘興嶺雲溪月絆歸蹄

遣意

清溪迴繞亂山流一角斜暉挂樹頭玉版筍肥梅子夏
黄雲麥似稻田秋近來酒興潮生海昨夜詩情月滿樓
空谷栖遲正相稱豈須吾道説滄洲

道光戊申侍宦歸舟過巴江夢石柱秦夫人舉吴
梅村綏寇紀略所載不實事言間忠義之氣凛凛

也適友人談遺事遂追成二律

夫人昔在黔彭日自許青天隻手擎氣並蜀山高不動心盟江水遠同清十年遺恨争巫峽一劍寒光接帝京聞道寶刀曾袖斷袖至今猶似怒濤聲

讀史誰憐執簡才秦人蜀老不勝哀是非雲雨高唐去恩怨芙蕖洛水來豈有千尋桐可折枉教五色筆端開平生忠義分明在永夜何勞思不裁

義帝以失足墮江中死而三老董公說沛公歸罪

于項王以為取天下之資後項王在垓下以馬賜
亭長三日而殺之讀史感二事走筆各成一律

漳河一戰虎狼空奉楚丹心日月同但悔沛公封漢上
須知義帝墮江中長籌廣武亡韓信大勢中原誤董公
終是昊天偏助漢莫將成敗論英雄

百戰天駒共死生烏江亭長太無情身為夏后雙龍種
骨並周王八駿名闕上黃塵蒙玉勒渡頭碧血灑槃纓
扁舟曾絕江東水猶聽終宵咽不平

次韻篠塢見贈原韻

南風吹雨逐雲開坐看鞋痕減砌苔野徑漁樵方夢好
天涯兄弟喜重來園深夜剪蔬千本地敞涼傾酒百杯
情話莫嫌便申旦東堂荷芰北山萊
自古才人多簿尉哦詩萬首酒千觥南昌綠鬢神仙侶
海上朱霞宦客情莫惜五湖營斗粟時還百里擁書城
前年記得攜壺處漂母祠邊秋水清
聞道交州大帳開醉橫白眼幾停盃天心難劃華夷界

帝力虛求絳灌才日麗青冥鮫有淚月明碧海蚌藏胎
請纓請劍男兒事莫倚高情解帶回

仙壇送客

雲旗鐵鎖渺難攀位列交遊盡太山未必仙家有奇術
應緣天上勝人間挂弓事異誅蛟去杖劔功同檄纒還
太息滄溟多駭浪願移寶杵靖瀛寰
廬阜高賢倚遠公小齋漫欲衡繼宗風杏花放後人方
至蓮葉圓時別太匆天上夔龍聽石拊人間猿鶴怨山

空分明夜月吹笙處悵望峰頭又夢中

友人築山樓名曰瞰青接以修廊名曰步虛雜種竹梧之屬以書抵予寄題二律

舊傳峯背山天閣石氣攢生世外雲古洞陰森埋虎跡深松磊砢長龍紋近來玉斧修名構鎮日冰壺對此君借問巢中雙白鶴樓頭說劍幾廻聞

碧澗丹崖隱隱連步虛廊更接鄰烟當秋起視雲生嶺獨夜徘徊月滿天欄檻乍隨孤障轉簷榱長繞小亭偏

懸知醉下高樓後響屧閒時詠幾篇

方山如買宅城中是吾家舊時所居爲吾姪所出售者入宅往拜令祖芒川展卿儀衛三先生因得二律贈之

懷剡歸來問舍田氣含湖海尚依然春波南浦同千里夜雨西窗話十年故國風趁江上水秋來消息海東舡頭顱如許蓮時感相對婆娑秖醉眠

烽火頹城半夕燕山邨華屋幾糢糊午橋已見虛裴度

甲第誰當賜魏謩買去定開新户牖到來猶識舊街衢
德星堂上曾相聚付與君家勝彼都

次韻篠塢疊韻見寄之作

詩筒兩月已三開又遣花童踏碧苔落月晚風催客去
談雲踈雨送秋來相思劇處逢高詠懷抱向君更舉杯
正似天仙沉醉裏笛聲飛出小蓬萊

秋興

八見空山木葉枯蕭肰獨坐對氷壺風搖林苑明紅果

雨入疎窻暗碧梧新祼諸孫連歲長故人細札十年無
韶華易到思吟句滿眼秋光不可摹
安節傳家兩字師清泉白石竟何宜最難將母辭官後
況為償逋鬻産時匏葉淺深隨遇定菊花門户耐寒支
寸長尺短尋常事自入秋來総不疑
倫叔以折枝木樨洋芍藥見贈且繫以詩次韻酬
謝
瑶華親折入山家十載閒看天外霞丈室散花參盋飯

寒巖枯木守楞迦多君遠采秋江樹慰我虛停日暮車
泛此佛壇同一笑聞香簪鬟兩無遮

篠塢出示諸人送行詩亦漫贈一篇

久客辭鄉轉似歸西風無淚灑征衣縱看江上秋帆遠
正是淮南木葉飛吳地橘枝霜後飽空山桂子月中肥
祇憐細雨孤吟處剪燭誰當共剪（掩）扉

雨留靜觀草堂與外姑話壬室舊事

松山遙黛動湖流湖上波光帶雨收草閣風搖籬菊晚

柴門雲濆海棠秋十年珠箔虛新梦一夕金樽起舊愁
怊悵玉簫聲久絕鳳凰何事戀秦樓

石門沖

抱石懸流瀉復渟蒼崖忽起束羣青晴天積氣交風雨
捲地先聲走電霆在昔有人號真隱今來當户剩殊聽
山家夜半如留客定報龍吟或虎經

安處先生

安處先生甘冷歇僵卧抱膝無人嘲有田負郭責太平

廣人滿室還相招屋角垂柳手自植峰頭野泉舌可澆
問渠何以奉親歡溪寺鐘來歌和樵

餞筱塢

雁聲落雨（葉）雨難聞況送風帆入暮雲山水有情能任我
田廬無計可留君當年高詠逢真賞此處何人與論文
滿把金（樽）莫惆悵河梁同是歎離羣（予亦將待缺入都）
鄭重親持此一樽相看去住總前因有才能奪三生福
無病方支萬里身拚聽蒼天隨位置尚稱綺歲莫憂貧

監車倦馬垂垂老伏櫪猶堪問路津
數從繡障入山隈惜舉霞文祗四回酒到快時偏引枕
談經深處轉停杯牛蹄不為青山卧羊角還招白石來
大好五更沈醉醒弟兄懷抱避人開君時以卜兆及兄年老為念
此去君當樹二松捲扉安我舊冬烘宦情自與秋同淡
貧業惟知句可工花為人閑紅韵減雲因風捲碧天空
他時釣得江魚美尺素無忘問小童

寄王柳橋司馬吳城

三年不到灌嬰城漫憶西窓夜雨聲好友乍逢如得句

名山久別亦多情清霜楓桕臨湖晚秋水芙蓉向晚生

為問宮亭乞如願可能容易並歸畊

菊花生日戲贈

淡泊村醪酹一杯十年籬徑未相猜似親秋士難為落

常對高堂著意開風力一時驚衆卉關心九日傍高臺

君如說法人間世須向雕欄玉砌栽

贈山如

城市山林計各艱扣門有客莫常關文章豈必風雲妬錢粟能教意氣删終古天人同濚世當年事業重名山自慙鳴鶴難為和青眼高歌一望間

寒風凍雨把酒圍鑪念此日族戚中有因予而遷徙者惻然成一律寄示通伯及楷樸概共和之

太邛遺德問猶新庭訓虛承五十春正媿孤寒安廣厦難將族鄰盡比鄰挂車月黑雲如絮投子梅開雪似銀試看懽迎三徑日可憐風雨出門人

雨中嵩甫尊者留飲醉贈

減盡豪情百態新酒兵花政廢陳陳春霖作冷如過客庭草重青似故人若為素心虛卜宅未充水手豈知津匡居縱使如泥醉已負當年頭上巾

夢中作

瓊粻鸞車去故鄉人間咫尺見蒼涼臨崖自此真千里湖水相思宛一方龍象入塵終蹴踏蛟螭到海總徜徉行吟大有炎炎語莫為荒唐廢老莊

哭李芋仙大令

十年不見竟騎鯨，千里驅車媿巨卿。豈有奇才無世用，祇緣孤衎得狂名。紅塵合讓癡兒住，碧海難攄恨鳥情。太息登壇空絳灌，銜寃生斷賈生纓（芋仙似侮上官得罪）。

東流戒馬相逢日，正是君初仕豫章。餘論元暉推孔顗，交言靈運壓王郎。集名天瘦堪追憶，生謚文哀亦可傷。美景良辰逢上巳，可能桮酒似平常。

十載為官不救貧，海濤斷送此吟身。奪來畫佛常懸壁

逐去錢神快濟人五柳諸生思大尹三苗異教困疲民
平生風義歸詩半拔劍高歌泣鬼神
不緣乞食悔辭官祇為交遊惜歎盤書斷知因飄泊久
病多時念唱酬難無少田宅生何補有好兒孫死可安
千古章江嗚咽水哭君雙淚不同乾

懷刺

閟閣深深晝下簾三懷敝刺坐櫺檐佳人例斷侵晨報
園令孱宜渴病添有憒正當投孔顗無隣誰與論陶潛

江山如此扁舟在危泛駒昂久自占

發吳城

景物滔滔歲欲更章江放櫂第三程雲消山似屏眉列
水落湖如鏡面平齒髮漸從人外老江潭易向客中輕
故交廿載猶安坐牢落扁舟看濯纓

除夕遥大孤山泊湖口

一帆側借風横勢百折湖心破浪時上下舟飄滄海粟
東西人篆碧霄縹絃歌舊地朋簪少艫舳新年繫纜遲

臘鼓驚心鄉夢遠高堂柏酒正盈巵

九江旅望

楚江春靄碧空連目盡征鴻思渺然落日停雲徵士徑寒波照月賈人船離離烟樹迷鄉國杳杳風帆没遠天幾度憑欄思養拙故園歸去又新年

上巳過寒人家

尋芳勝日雨絲斜草上閣新嘗處士茶歲歲流光穿屋水家家春色出牆花堂前燕識非王謝座上人悲失顧華

莫為披裘忘蠟屐禊觴陳迹已天涯

紅杏樓偶題

佳日宜人俯仰中小樓獨坐趣無窮隔窗雨送芭蕉碧
别舍烟分棗橘紅長語燕如知近社短吟蟬似識秋風
花間未盡芳樽樂又動清光屋角東

和月樵登投子山之作兼柬山如

君登投子問精藍片石孤峯不可探鐘向寺前參寺後
人從江北望江南旃檀新刹同遙思雲日空山付雅談

試問钁邊雙樹子又誰赤腳放衣擔

和方山如韓侯顭墓

漢主平湖歸輦日正逢傳送故王頭狗功容易隨蹤發狐死終難正首邱草樹苕蕘停客馬風雲慘淡護郵牛烏江要領宮中彘太息英魂一類收

酬家錫九

當年文采數吾家出處羣推蔚國華天祿燃藜逢太乙成都載酒得侯芭於今蠹簡看無恙後死駒光恨有涯

娩我尺捶空取半李揆三絶任君誇

遺愛潭州四百年峽江嫩政亦同傳春風藹遍湖南地

秋水清開石底天遠起文孫松菊後奇機（改）武庫海山前

康公積善知今驗翻信篇章空外研

先臣夙抱在澄清未數微忠掣海鯨直道不虧三黜節

藏身深薄二疏名朝中列論思前績域外奇書啓後生

早晚巖廊綜核貴包桑還見萬方平

勅碣東環拱絳霄英髦如水此中朝風雲入塞胡星迴

日月當空海霧摇黄紙銓名期召杜青山回首憶漁樵
不材脱幘忘緋紫東閣詩成願倘招

樸兒書來邀楷同客天津聊先寄此

爾去經年渤碣中登樓湖海氣應雄五更笳鼓城頭雪
萬幕旌旂海角風紫塞近通長白外黄雲時接太行東
春深閣夜連床話莫漫相憐作客工

丁亥元日讀劉攽之詩效其體作一篇試筆

雪壓高城二尺深萬家燈火送窮心曾聞世事可相遠

何意閒吟痛忽沈名酒支寒還夢鹿短筇扶滑聽朝禽
諸孫未解憂年穀眩眼光中索餅金
清夷和惠兩無成理髮何嘗黑一莖門戶艱難方色養
米鹽容易滅詩情漫思開歲邀鄰曲準擬春泥補地平
江海山林各隨分敢依仙奕問輸贏

都中清明出遊

清明壓定靜無風龍爪槐南放眼空山色碧城梨雨後
春陰畫閣柳烟中平時市上稀屠狗橫目人間合送鴻

車馬寂寥鸞馭遠五侯賜火是行宮是日南窪子無游讌者又上奉
太后謁西陵未還

客中無聊觸景為題作詩六首遣興

九衢車馬簇雲煙清響因風得偶傳四海塵污誰起舞
一窗晴色憶談元碧幢幸少祠神使絳幘深愁作埭年時修三海已費六百萬金僅得半工而又有規圓明園之意旅館下簾渾漫想重明
日月正堯天右午雞

銅龍魚鑰動攢更宮樹眠鴉警夢清彩仗千官穿隊影

畫樓雙鏡曉寒聲傳頭封事虛西府逋尾閒歌聽上城牢落一翁楊柳畔含情陣陣看縱橫右曉鴉張沛綸何如璋自諫官敗事後朝廷以平日自號清流喜建言者虛誑皆不足信而諸人亦因此短氣未敢建白遂成仗馬矣

何處花宮動晚鐘夕陽客舍挂長松碧紗久薄唐王播金奏今思阮仲容韻出僧房驚座虎聲隨仙梵起潭龍空王似解游人意搖破緇塵不任封右晚鐘

欲醉名山不可留近來生事媿閒鷗買空春甕惟餘債折盡花枝枉當籌彭澤有田秔竝種酒泉名地郡思求

黃公罏上今誰在酩酊歸來日暮愁戊辰壬午兩次入都文讌諸人皆散去矣　右市酒

沈沈夜氣近清和街柝催眠隔巷過廿日寄廬宵漸短一燈照讀味偏多銅壺不擬聽宮漏刁斗猶堪唱塞歌驚撫頭顱真老大景陽鐘鼓沒星河　右街柝

玉漏沈沈宵夢稀碧窗燈灺散涼輝人眠柳市聞鴉語影度芳林有雁歸漫憶朱絃吟趙瑟誰堪清露點朝衣青天夜夜應殊照一下嫦娥問是非　右窗月

留别代畊

又隨歸雁到燕關北道剛逢小阮還時君還自天津漫遇鳳池三日接為輕狗監六年間升堂眷屬添麟種慰客書編出馬班明去江湖各翹首野鳬潭水暮雲間

代畊邀同道州何君字仲默者遊陶然亭遇大風揚沙走石天地晦冥移時畧定乃依野鳬潭而歸麥短始青樹尚未綠惟亭前碧桃一株盛開得一詩

薊門草樹二分青廿載三從勝地經新雨一時逢日下
故交四海望雲停桃花盡意開僧舍潭水依然繞客亭
又是江南春欲暮只應相對倒金瓶

以　母壽日沽酒獨飲得詩一首

帝京楊柳未垂條三月鶯聲澁漸調壯闕生雲通石馬時上奉　太后謁西陵西山飛雪冷金貂是日遥望西山雪色柝鈴客夜傳書到花月春宵入夢遥燈燭四圍兒女鬧忘憂應解是萱簫

嚴田感舊

雲石風泉萬壑開，十三年外此裴裒。桃花去後誰曾種，桂樹當時着意栽。天上晴霞明雁鶩，林中斜日耀樓台。清都好夢塵心誤，流落人間又一回。

高嶺

和王柳橋司馬見寄之作

卅年官燭話平生別去浮雲一片輕垂老絃歌彭澤酒相逢燈夕灘嬰城江山傑閣人殊賞鼓角樓船事幾更此日烹魚傳句好知君風雨不勝情

上巳偶題屋壁

人天小刦十三年又見山城上巳天鳥語不籠當曙好花光經雨入晴妍今朝稧酒應誰主舊日垂楊尚檻前芸篆風簾各羅列分明梅尉是神仙

夜坐有懷

銀檻依然掩碧紗芙蓉枝上月初斜金鑪盡意廻香篆
絳蠟何心放玉花只有牽牛能渡漢幾曾博望可乘槎
元暉應抱朱絃怨欲向天邊問玉華

疊前韻答諸念齋

南方近暑掇輕紗坐憶平生對日斜新事不堪悲柳樹
舊游何處訪桃花相逢賓館欣開甕回首銀河似返槎
又是一場春夢穩好聽奇句向張華

疊韻贈陳蒲仙

瀟湘烟雨似籠紗記看君山對郭斜一夕江頭驚畫角
卅年洞口失桃花論文忽遇凌雲筆接席疑登貫日槎
聞道荆南多秀氣莫因下里靳風華（壬子曾往湖南至岳州遇賊而返）

挽馬慎甫

折盡荆花庭院秋訃書讀罷淚横流竟教夜雨聞鳴鵩
不信春風可化鳩多口久知憎士慣披胸何處與人謀（君有披胸獨立小照）
蕭條燮桂樓頭夢應悟人間蝶是周（予曾爲題詩）

趣園芳草歇萋萋，欲賦招䰟路恐迷。前度花開朝鳥鬧，經年月冷夜烏啼。秋鴻有影來從北，江水無情不向西。千里守官空野哭，憐君莫助益凄其。

重九夜坐示同人

登高何處可盤桓，晏坐思來似水瀾。九日雁催山郭冷，中宵月帶海天寒。幸無鈎黨須營窟，翻為窮途轉入官。昨夜故人傳細札，西園松竹未言殘。

諸兒應秋試後夜坐望信

秋林飛葉見星河客思裊裊夜半過故里音書江水遠
天涯寄迹楚山多潯陽帆有秦淮月皖國湖通左蠡波
聞説南中初署榜明朝拼得醉顏酡

兒槩得鄉薦觧首敬和　先八世祖感懷詩韻且
以勗之

五百年間事幾殊讀書先德溯唐虞乾坤勲業當朝貴
邱壑文章並世孤卅載風雲思似續一時江海聽傳呼
明年金殿開春宴回首流輝未覺無

雪後陳蒲仙以詩見和更以一詩贈之

廿年蹤跡雁飛還歷憶官梅次第攀凡三宰安福三面寒江開霽日一天殘雪冷青山清時民氣憐今減內史文章孰與班范雲曾為安成內史喜得湘西老賓客連尊剪燭破愁顏

曉發蓼塘

一月東風曉尚寒閒禽深處過禪關微茫淡靄村前樹斷續殘雲雨後山麥秀齊勻農事起水波纔綠釣人閒官輿又是江南夢深娊春犁畎畝間

肯堂用予前韻言詩境示樸兒因憶廉卿至父二
君復自疊韻成一篇

詩情禪悅兩高寒恰似清齋守八關積水一輪秋後月
碧空數點海中山故人牢落思長道新事淒凉付等閒
且與雞豚作春會衙官屈宋酒杯間是日家麓逸治酒為予壽

試院書感

當年校士此邦來大海明珠信有才次第分題官燭晚
煇煌下筆錦雲開十年泉石忘青瑣二月風光又碧苔

文事早知關世運鬱輪袍外一興哀

寄吴至父

冀州刺史晋時賢驚世文章四海傳藝院早推文石室漳河新鑿禹山川興來逕觧陶潛印臨去知留劉寵錢好事風流愛才急報君叔寶果翩翩

自笑一首

曩時觧印縱攜壺高卧東牕百慮無人外傳聞雲聚散山中甲子樹菀枯十年充隱終南徑二月官符合浦珠

自笑長吟亦何濟，山林廊廟幾贏輸。

春霽一首戲效倚雲詩境示令和之兼邀肯堂同作且示三兒子

殘雨連山霽尚微，中庭春事正依稀。花嬌鳳子探香入，柳宻鵓雛曳絮飛。午放餘膻鬆革帶，風廻小冷怯春衣。劇憐舊日同巢燕，不向珠簾畫閣歸。

與蒲仙夜話即示兒壻

顧馬無人過冀北，九熊有母在淮南。相思射策覬天巧

遮莫敲門惜大憩仙樂洞庭乘月聽明珠滄海入秋探
獨憐齊陛竽聲蒲鬣調雖高只自諳

讀詔

銅龍新象開黃道丹鳳啣書下紫霄天關曉鐘呼萬歲
泉臺湛露徧　三朝電飛薄海傳聞喜　日棒　慈雲
想像遥別有關心人外感衰裒官燭夜分燒

安成餞春

三攜黃綬此間過髮鬢崢嶸歲月磨地角春歸鶯不到

土風人少石偏多鐘魚響絕空青嶂帆櫓聲稀冷綠波
又是落花好時節碧樟樹下獨婆娑地無遊覽之所惟有大樟連邨蔭畝而已

夜坐書懷示倚雲

絲繭春燈動夜繅熟蠶歲月感霜毛少年市友思屠狗
老去心期暮釣鼇世有吳門堪自隱山無畏壘可長逃
向平婚嫁尋常事只恐人間五嶽高

諸硯齊和予聞詔詩疊韻酬之

銀鉤底事來吾眼星斗珠連煥紫絳霄五噫梁鴻過洛下

八哀杜甫感先朝宮雲捧日龍顏喜殿藻携春虎節遙
臣力天功摠終古可憐當日介山燒

午日偶憶荊州舊遊撫時感事輟成一律

萬斛龍舟百丈緣荊南回首鬢毛衰暮帆夏雨章華道
曉日楓林屈子祠卅載風烟人代改一江蘅杜古今悲
湘纍自有傷懷事簫鼓年年作水嬉

安成即事

老來宦況早霞同鎮日偷閒似武功香篆定時心共直

水光凝後境交空高齋山好思佳士小圃花疎待約僮好雨知時蔬稻賤只除民俗亦雍融

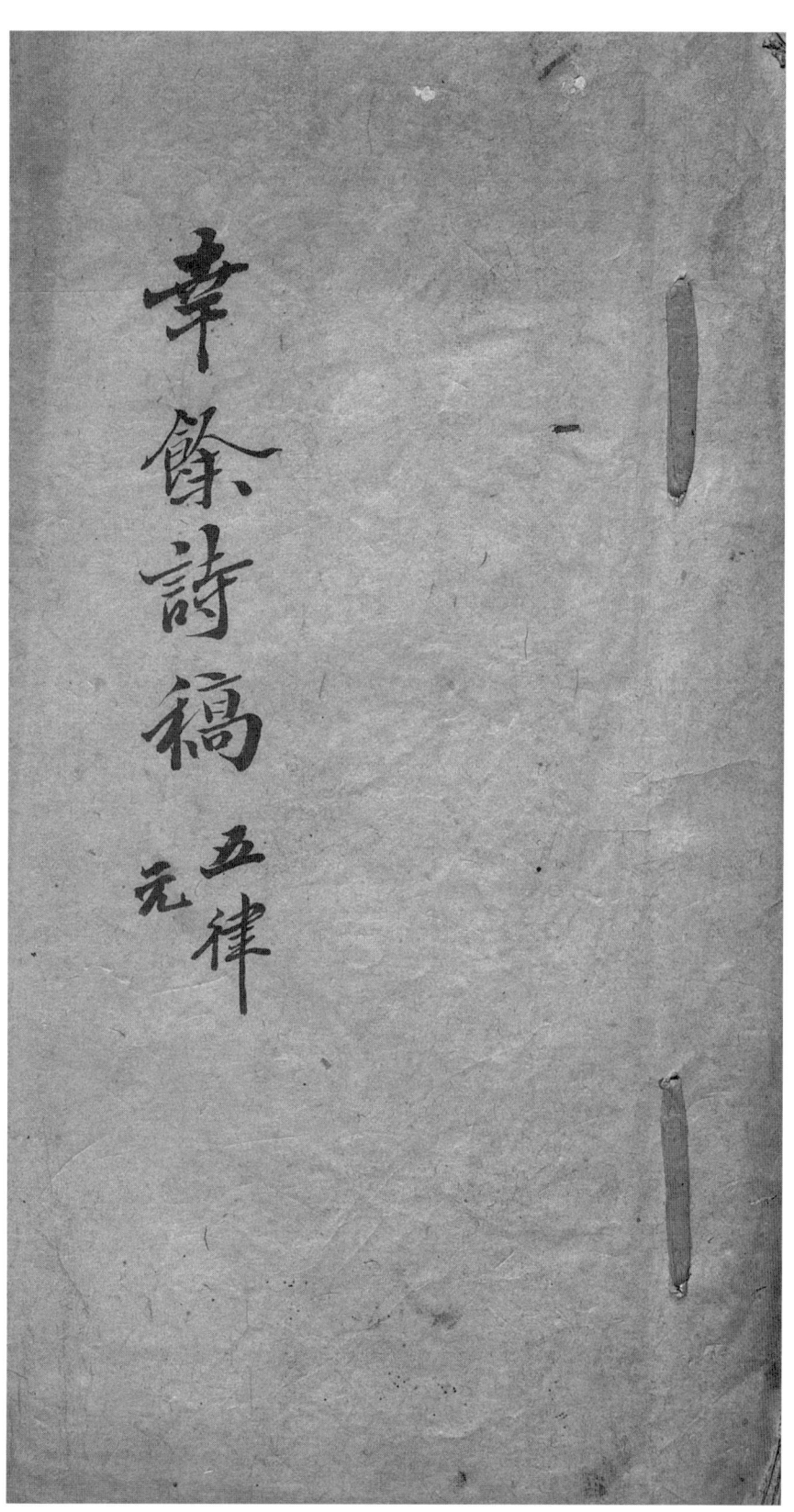

幸餘詩稿

五律

元

送別葉端生 丙午

共席未三載倏然離思生高齋千古月今日爲君明發杏含悽色初鶯帶別聲不知巴字水何處似深情

送江雲章 丙午

東湖舊來路此日送君歸灩澦水方落陽臺雲已非野風下寒葉舟雪蒲征衣去去休回首門閭望眼睎

九日慈雲閣 丁未

江水圍清市山光翠壓城孤亭開晚菊一騎破秋晴東

望懷慈母南瞻惜女兄迢迢六千里把酒悵離情

不得大兄消息

昨聞歸有日消息問終差苦念十年別遥憐白髮加江湖通故里涕淚傍天涯前路休回首沿江起暮笳

樂平道中

曙色曉班班孤雲去不還鐘聲遥渡水日影近移山耒耜曉方出園場閴若閒老農隔林浦亂後掩柴關

渡江時奉母隨姊之閩避亂

慘憺風塵際浮家此暫停大江春不緑荒岸雨還青前路愁豺虎連車得鶺鴒葛衣今尚在行到亦蓬萍

河口别映文

客路又揮手征衫誰拂塵有家曾累汝薄命怯依人章水初逢夏匡山半不春及時理歸棹應慰倚閭親

分水關 鉛山屬地

離亂廿為客安危此地分有關通碧海不塞亦黃雲戍火漸看遠哀笳總易聞傳言劍津上新駐水犀軍

初至福州示伯海

竟睹衣冠地，威儀萬象新。蠻天開日月，海氣動乾坤。皀帽浮家日，朱門聚室辰。莫驚辛苦久，賴此漸知津。

竹崎關

春光滿天地，窮海氣猶寒。棹擊松間月，波摇屋後山。人家圍諫果，孤嶼長檀欒。三載江湖客，扁舟喜路寬。

贈林若衣大令

往年江上别，雨雪正紛紛。又過永嘉亂，還從皖口軍。寒

風疏壘草落日變江雲漫作升沉卜重闈且羨君

寄江待園

故人江海去遥路苦難争家室近何託貧交誰爲深天涯同寂寞佳句幾沉吟消息無由得因風一寄音

早發太山村

寒春村外起雲木帶平田野氣宿殘雨山聲爭亂泉時艱勞計吏俗弊憶前賢來往風霜裏深知媿俸錢

東流除夕

我行近鄉國轉望白雲遥荒市低垂雪寒江冷上潮帆檣迷古渡燈火憶前宵明發過雷岸何如洛浦橋

野廟

野廟臨荒渚停橈此暫尋湖雲將嶼没江水到門深短塔殘僧骨寒爐古佛心何年斷碑碣倚樹任苔侵

輟櫂

輟櫂維春岸前村落照横亂鴉爭獨樹殘角閉孤城山遠含烟重湖澄競月明長淮行漸近何處問韓生

宿范水即事是去年經亂處

信宿邗江路孤舟又客亭遠天時有雹微月不藏星問地驚新燬披圖按舊經他年曾泊處燐火滿荒汀

露筋祠

岸草連波綠雲帆挂日遲朝來風色好解纜露筋祠淮樹低爲帶湖山遠似眉前村起簫鼓何處送靈旗

羊流店羊叔子故里

匹馬辭淮甸乘春望眼開晴雲生海嶽朝日上徂徠論

絕懷孤注伐吳之謀惟張華同心時危想異才沈碑更何處今古不勝哀

贈光稷甫

帝里南畿遠郎星北極安日高燕市暗春盡薊門寒共憶林廬別方知親故懽屠沽如可問應覺酒杯寬

溪山夜興

樹杪上烟月溪頭獨夜歸怪松疑鬼立俊風鳥逼人飛山遠寺鐘動竹深鄰火微誰叅元妙理即此發清機

寄懷容甫

爾去客鄉國雲山好傍誰人來傳語少書到隔年遲江路鼉鼉出長淮虎豹饑高天斷歸雁何處寄相思

四十初度在郡城映文爲置酒名容輙謝一章

客裏逢初度清尊慰鬱騷斜光透池柳春色借鄰桃閒望煩頻語鄉心釋吝勞不緣深宅識誰解素情高

重陽東湛士兄

節序逢重九清游憶再三霜楓轡長壑晴瀑瀉秋潭載

酒寒知閣烹茶漱石菴至今行樂事付與老農談
四海滄桑後吾鄉秖再經菊籬留井砌苔徑失門庭草
没兼城白山童借雨青天涯各回首未覺夢魂醒
好是乘秋水辭官放釣舟有田堪養母無骨可封侯朝
事思鳴鳳生涯待狎鷗誰能同此意何點與何求
惜抱軒何在言忝拳理齋微霜谷口樹斜日杖頭柴以
我慚前業送反自厓何當元亮井佳日一開懷

除夕

滔滔官舍晚不覺歲時深風裏迎春雪燈前餞臘心兒童看長大親舊幾升沉埽却鄉園思椒盤且盍簪

宮亭湖漫詠

積水生寒務匡廬半有無南風起陽月挂席向江湖秋盡烟雲重天空島嶼孤推篷奉慈母時一問前途

金神墩訪蘇疆甫

故人掩扉卧殘雪蒲荒林隔岸青山遠當門碧水深近聞為善好有子慰君心萬事方搖落誰知松下琴

聞説

聞説淮南道，哀鴻徧陌阡。録名開内籍，轉粟罷緡錢。朝著思量粥，都亭孰理饘。江干又風雪，對食淚潺湲。

次韻春雨

不覺苔痕濕，時添屐齒雙。微曛鬆革帶，輕潤上花幢。墊角行將學，隨車意早降。麥畦知漸緑，生想鹿門龐。

將赴鄂州先寄孫琴西方伯三十四韻

翼軫分天統，江沱劃地維。八州風化轉，一路福星垂。

廟算隆羣牧儒臣暫典司上游資坐鎮南紀奠華夷憶
昔龍顔近常隨雉尾移寶書森武庫金策燦文詞捧日
心恒切扶天力獨支真宜操斗杓坐待掌綸綍已見徵
三策翻令悵一麾江淮流浩蕩天地色淒其皖國逢超
卧淮陽借寇宜諸生瞻祭酒十部仰軍諮賤子依劉表
當時遇陸倕荀香三接幸樂顧一鳴悲東邁烏私斷南
圖雁影隨三年瞻馬首萬里會鴻儀潤麥江〔燕〕南景清槐
薊北時亭臺猶在眼文燕有深期　帝德旁求俊臣心

老不衰倚天長劍在拔地豫章奇日月輝簪笏星辰上
履綦懸旌迎竹馬弭節協元龜蜃氣侵閶闔妖星動昊
曦沉憂原杞望痛哭豈逢岐舉世懸希解惟公道不虧
才將看 國活事莫惜身危調鼎方儲用辭官轉自疑
出原將勵節歸不待焚貲理縣慚罷統追塵法趙咨擬
穿遼海榻難下廣平帷西望思公切東鯷戀母慈襄哀
遵楚渚慷慨即江湄欲就饔飧潔翻鄰土木姿郭舟容
太小袁竹問何須勳業羊公感行藏季主知萬方且多

難何處問商芝

翌日仍雨　老母遣力送衣感賦

天地恩何狹難將比母心衣裳千線密風雨萬山深犬小依禪榻雅寒戀舊林門閭三十里愁煞梵天音

遣興

沉陰深不散霽午日如曛遠屋封餘雪危峯挂宿雲林踈山閣見石卧澗泉分君問榮枯理無生未可聞

望雨不至

黑雲懸屋角轉雷忽東還風勢如飄瓦雷聲尚隔山遠燈懸水際野碓響松間物外一何樂豐年好頗顏

翌日雨至

亂峯雲際暗飛雨破空懸山氣沉喬木溪聲受野泉水光睉界沒苔色殷痕穿坐憶河南北舍情欲問天（時晉豫皆旱）

飲酒

養拙山居好陶情飲酒難麥嫌村釀燥梅似市沽酸菊徑穿雲白楓林挂日丹及秋還種秫九醞與衝寒

答人

欲識幽居事憑書寫寄君鳴泉村後雨華日嶺頭雲白鶴新巢徧蒼山舊路分麏麚不相避向我若為羣

閑眺

流水潺湲外柴門眺望頻踈篁雲際屋孤笠雨中人寂寞漁樵事蒼茫戰伐塵陸畊知有偶未忍問前津

晚晴

山中三日雨向晚動晴霞萬壑來泉響孤光入舍斜微

風歸乳燕深水亂鳴蛙借問經行客何如五柳家

夜思

松月照餘滴四山清氣多我心與流水遥夜共澄波好道餐雲石參禪證薜蘿迢迢不可得掩户一長歌

病起同沉士攜兒輩登檀香巖

懸磴上林杪欹橋截瀑飛石侵僧竈入雲擁佛門歸聞有高人蹟刀圭寓道機何當開丈室安坐問癯肥

土地嶺

朝行此山顛古木冐霜濃削壁石支麥欹崖泉挂松僧歸黃葉路鳥入白雲峯借向樵人問仙家何處逢

曉渡

曉氣兼秋起征人正渡河一星留樹杪斜月下湖波日澹禽鳴少霜清雁背多誰將遠游意遥續五噫歌

枕上偶成

燕寢清無夢虛窗夜色開雞聲和月起樵唱入雲來以我陸沉意甘同世棄才豁頭風景好申旦與徘徊

將歸過金陵筱塢弟招同張鑑亭吴子襄夜飲醉中賦別鑑亭亦有滬瀆之行子襄筱塢皆依官無定居也

滿目看秋盡，深杯不可辭。相逢皆客路，何日是前期。江介嚴風夜，霜城警夜時。明朝挂帆席，雲樹各離離。

通伯及楷樸兩兒應鄉試不薦歸途作此示之

國是無真賞，家風有別源。世才求豈乏，宿好且同敦。客意三秋盡，襟期四海存。向來清白徑，應未亂開門。戲用杜公

柴門莫亂開意

天下滔滔日安居幸有山九霄寒月近千嶂碧雲間鵷鷺殊蹤濶麏麚自往還飛騰付年少勖我慰衰顔

即事柬潄公

愛日冬晴好山家午韵佳翦蔬將進酒炊黍惜分釵梅綻慈親喜茶香小女偕何人知此意開徑渺予懷

三秋倦遊覽行李及冬歸老樹紅仍脫寒流淺更微天涯知己少年暮弟兄稀每欲披衣葯層巒又幾圍

阮仲勉別揚州約先余到家經月予歸而仲勉未見還詩以訊之

自作邘江別沿流惜路分往來一千里竟月不逢君秋水漲谿雨寒山燒凍雲江天風雪近何處更相聞

伐木

伐木鷩山夢虛窗曉日紅山寒霜勝雪地迥樹生風萬象歸玄化寒聲滿碧空昭蘇殊未遠雙屐待人同晨光

天際一星留晨光動曙樓暗潮兼月落朝露共霞收地濕秋蒸雨天低雲入裘白鷗方浩蕩吾欲下滄洲

神功

前山雲欲盡殘雨復東來霧氣微通日谿聲殷似雷神功殊寂寂地寶自恢恢為語芸芸者吾將戲九垓

宵夢

慘慄溪山裏柴門夕照深晚鐘山有韻高樹閣儲陰託世懷知足前賢或會心昨來有宵夢推枕不堪尋

寄懷張廉卿孝廉

舊歲龍江別思君去復還秋心三楚澤生事六朝山軒冕忘青瑣文章動赤寰後堂多弟子應覺鬢毛班天下兵連動誰紓北顧憂旌旄羅薄海杼柚盡諸州坐憶山林宴長懷天地秋幽叢託高韻何處足淹留

雪中戲柬沉士

雪深山氣勁晝室冷侵眠木桂枝頭介氷垂屋角鞭書堂傅午飯鄰竈上遲烟為憶袁安事方知解脱便

泊太平

野舍甘長拙雲帆復此逆江空生澒洞山遠入虛無念國憐兒戲論交憶老儒東征意何托聊得板輿扶

棲賢寺

古寺今寥落隤宮歇梵禪谿橋花覆地山閣竹侵天鶴倦徐歸苑僧閒自理田誰當與招隱絕澗汲寒泉寺外二泉一名招隱或云照影也

白鹿洞

數轉碧溪灣當門識聖關雲深惟見石樹密不知山老桂風前古寒花雨後殷傳聞有白鹿洞口伴人閑

南昌奉贈張子衡廉訪

鳳紀元調舊龍飛日再新乾坤方正位清概見斯人憶昨妖星動當時義旅伸張旗彌禹甸擐甲盡堯民勢捲湘江外鋒連漢水濱艱危垂活國忼慨哭廷臣怒盾追雷電斜毫動鬼神果安唐社稷同掃漢烟塵日月澄黃道山河朗碧宸登天看鷟鷟行地失麒麟龍性明公仰

雖才小子親寄詩慚屐履造榻想車茵度憶文山遠書
曾澧水陳傳聞一字獎契濶十年湮西顧登車日南圖
舉善辰報恩殊浩蕩握節忽邅迴江表逢劉晏朝端憶
李紳霜花飛暑路海水積山嶙竹馬公真郭芃苗我聽
郇蒼茫冠劍地磊落石林身已分鵷鸞隔相安猿狖鄰
空囊甯沆溢素業自原貧有母能偕隱無家且問津揚
舲三篋在入舍五漿頻作賦殊荊土攜琴望楚闈夏雲
涵庾嶺曉鏡展湖湄台斗須終踐萍蓬任自淪曾聞千

里足一顧九方歎

將過吳城鎮寄王柳橋程敬生兩司馬

揖君江海去風雨七年心不見湖光合長懷廬翠深寂寥孤艇在浩蕩客星臨濟世看公等微生詎可孚

將之吳會于重陽日送通伯往京

挂帆離皖國落葉滿江城更向寒波外送君復遠行風塵侵客路雲日麗神京隔歲登高處應憐此際情

將之吳中留別阮仲勉

憶落淮南葉同挈建業舟碧空雲嶼暮斜日布帆秋念我天涯去遥生江上愁舊時風景在逐路為君留

蕪湖寄楷樸兒書後題此

水宿逾三夜維舟復此關清懽人外足生事客中删雁陣空如定漁帆遠似閒樅陽兒女處書到一開顔

登北顧山

世亂尊天險時清引勝遊一江天地坼雙嶼古今浮象犖人間躍龍旂日下舟百年虛盛典北望不勝愁

金山

金山今古勝三度繫游艘樹色忽連岸鐘聲常渡江天風催客鬢佛閣換僧幢為問蘸公帶禪心復幾降山下洲渚連岸不復水中央矣

發江寧却寄汪梅村先生

一棹去江東孤帆天地中山廻連海碧霞起沁波紅高蹈空懷古長吟孰與同獨憐汪處士三徑蒲蒿蓬

至蕪湖

燈火上城郭維舟又此津野烟沉驛樹微雨冷江春塔古鈴無語祠荒石有神明朝望秋浦應見九華人

齊河道中

山光泰岱了河勢魯齊臨有地天同曠無風日似沉黍梁連畛短槐柳逐郵陰回首雲興嶽斯人慰望深時望雨甚殷

午日過獻縣

征途遇佳節鄉思轉難支地濶疑無盡天高問豈知日

黄瀛海國塵白仲舒祠廻首榴花發庭闈分緵時

龍爪槐登覺羅炳成小樓

竟歲閉門掩尋秋得暫過地偏浮碧遠樓敞受青多調古琴懸壁人稀砌長莎登臨動鄉思江上有卷阿

夜坐有懷

衆籟未摇落此心方寂寥閒庭涼意滿遥思起漁樵夜色海生月秋情風過簾素衣無恙在淄涴幾能消

留别馬樾喬通伯

朔酒不成醉浩然悲滿懷高秋生磡碣幽夢隨江淮鸞
鳳聲新譜麐麃侶舊諧不須重惜別吾道已安排

代畊以詩送行次韻酬之

秋氣日在戶倏然生別離交情經客窗天意入秋知桂
樹山前路楓江畫裏詩莫驚輕振策已與杏花期
萬化半寥泬進秋發興同早霜征雁月澹日晚雅風清
世遇多難滄洲道未窮何由商去住深自媿龐公
千古文章事吾家五百年求珠傾巨海觀玉辨陳篇以

我椎輪質望君五薪火傳黃梅宗法在南北好依賢
早年曾解印小著野人家春寺鐘搖月秋山樹醉霞鶴
傳華表語蟾放廣寒花此意未牢落何須怨鬢華

出都

久客怨無事一鞭辭國門一駝鳴曠野隻準下晴原宦
興轅駒倦歸心社燕翻家人憶前約早晚到山樊

齊河待渡

待度齊河郭連天濁浪翻峻聲吞海岱積氣走乾坤水

濶帆檣隱風高馬色昏八支真禹跡莫漫問淇園

同方存之登北顧山甘露寺家訪園攜酒招飲

故人離別久勝地忽相逢罷櫂尋頹寺銜杯聽暮鐘雲帆出瓜步海日見吳淞共憶蕭公顧斯人不可從盛世英雄少江山霸氣多北還基白雁南渡兆蒼鵞往事驚灰劫清歡付櫂歌高高看鐵甕長劍一摩挲

老鸛嘴阻雨

容程二千里晴日送高秋忽喜鄉園近翻生風雨愁山

雲藏寺閣澗水受泉流莫怪村醪薄斯人正可憂比年彗孛屢見今年皖南北及浙江江西四川同日蛟洚並發淹斃民人數千衡堋潛山城垣十餘丈壞公私廬舍不可勝計

雨後挂車河大風甚寒

山氣冷催霜朝侵客子裳遥知風入户花幔下高堂秋色重陽近寒衣九月裝清歡應未遠眉宇看先黄

立冬日遣興

秋色看徐盡山寒斂夕曛陰厓宵見雪高嶂早多雲文

史開詩葉雞豚策歲動呼兒理梅徑花發好相聞

得喜

夕風吹澗桃山氣霽亭皐崖月當春冷溪聲入夜高游
節怡母老遠道念兒曹忽報芹宮喜張燈散鬱陶

賞雨憶毅庵兼寄寒人

幽舍逃人好陰晴總不羣村田牛背雨鐘澗虎溪雲野
氣千峯失飛泉萬壑分遥知子桑病裹飯遲相聞

新晴

晨色奏新晴山家淑景生折松時礙燕深柳易留鶯石氣參天潤溪流繞舍清萬方鋤笠動應見久昇平

熱甚

松露重如流空山暑未收疾風難解熱連雨不成秋葉脫猶追蔭宵涼尚倚樓只餘瓜蔓外蟲語自清愁

冬日親友集宴

灊岳蟠東麓皖江鎖北陲歲時風雪近天地薜蘿宜潭古龍藏久林深鳥出遲親朋懽宴處獨坐一凝思

晚菊

萬壑看搖落空庭晚菊親霜深方見艷香冷不隨人撫鏡簪花髮藏身漉酒巾歲寒誰到此籬外老農鄰

喜椒存歸里小集山齋

吟愁消久客意氣減衰年歲暮江湖上知君不受憐菊天橫塞雁風夜走山泉罷酒默相對真歸恐未然

枯坐懷莫仲武

枯坐聽風急開門雪未沉寒空朝日淡野氣夜霜深邱

壑行藏事乾坤老大心有懷何處吐定向廣陵尋

雨宿芮氏

平原忽風雨小住喜田家雨合鳴蒲葉風行落杏花呼兒乞鄰酒問婦出崖茶明日城南道秧歌逐客車

喜子英至

閒門露猶濕空翠照山村忽喜故人至時聽農語喧檐禽爭夏渠渠水出雲根坐問盃中趣將毋中聖論

游媚筆泉

春山芳序更訪勝借泉名石磴抱雲上澗櫻含雨生昔人久不見竹日空相迎試問冷冷水為誰巖下清

別峯庵

古徑背溪入危岑聳碧梯到門孤殿迥捲幔萬峯低僧少經新亂碑殘失故題誰將前哲意一為借金鎞

送李超父之任

玉殿傳鸞詔金庭卸鷩衣雲霄一羽迥河海萬流歸君司河務遂使論交地長憐長者稀乘槎果通漢歲歲問支機

次邵子湘見贈韻

暗山帶松影殘月吐餘清遠雨天邊散秋蟲葉底鳴感時驚露重懷友聽雞聲何意逢高詠殷勤慰我情

忽聞

舉眼誰相問青天豈果高醉鄉寬到海樂地窄如濠殘暑消氷藕新凉劈露桃忽聞盟會起罷笑首重搔

鐵圃有詩社之約詩以堅之

赤日威方減青雲興漸高山瓜支午飯湖稻注新槽秋

迴河垂帶光寒月似刀聞公有社約未敢聽鐘逃
筱塢五弟淮陰放櫂隨春燕以歸來皖水停驂指
秋鴻而將去借眼海棠之艷對語消愁寄予鐘韻
之軒連宵情話出其餘緒製彼妙詞佳句驚人幾
貴江南紙價曲高亦和豈如白雪吟孤乃藉名花
自儕學步錄塵清覽正我不工

花事秋蓮老新涼意若何曲墻微雨寂危砌晚陰多露
洗猶宜粉風梳不解酡少陵如可作應補海棠歌

暝立

暝立下空山蒼茫樹石閒谷虛人意靜溪淺水聲閒容
樹深燈出寒樵夜唱還無人共清景微月嶺頭彎

九日言懷寄倫叔山如沉士篠塢

籬菊晚婆娑依辰日月過長眉時様少短語古懽多秋淡
如帥酒心閒耐野歌天公容我傲風雨蘄磐阿
毛公洞雲外乱後不曾看尚憶一泉碧遥含萬樹丹春
秋佳日易天地此時難憑問茱萸佩登山近幾盤

重陽夜雨

醉起三更外茅簷雨到初灑因楓葉覺潤念菊花舒游興憑人盡詩情入夜餘明朝應把酒秋緑滿園蔬

寄程敬生

道遠難逢使山居易嬾人江湖千里隔風雨一燈親似有溪橋約都忘歲月新只餘廬阜夢還往路差真

贈白雲谷

萬木冷蕭蕭柴門鎖寂寥雪殘迎雨盡溪響借風驕慧

眼延佳客仙心話永宵前期知有信定似皖江湖
山水最深處相依祇白鷗寒楓催落日殘菊送窮秋歲
晚逢君至殷勤為我留峯巒隨地好還向故園求

晚霽

三日空山雨微晴動燒痕遠烟散高樹晚日霽孤邨峯
冷樵歸必溪深人渡喧相看忘歲月寂寂掩柴

雪霽

淡日隔雲烘山寒雪未融出林人埽逕過澗留虎留蹤已

覺素心少相憐青眼空漫期城市好風景故時同時將移居于城中故宅

車心澗

馬蹄倦行客山色入蒼茫野店春潮沒官橋落日涼石泉分苦茗旅席共麤漿薄醉看乘釣漁筌欲兩忘

秋日登城示沈士承初兩兄

孤城吹角斷閒眺日初曛重靄秋疑雨遥山遠似雲烟村經亂滅木石與人羣莫漫悲搖落聯床足共聞

郊行聞左季高相國之變

夕霽楚雲開秋高雁未來風鳴將落葉雨散未收雷聞道南征將壺頭困不回會情望北斗曳杖幾裵佪

黄彭嘴晩望時送陳雲溪邑令奉諱去任

野曠風行急平糊朧望迷日寒山色淡霜冷雁聲低歲儉思仁政時艱惜顧睽含情問農事潮夕與天齊今年大水

暮歸

踈林歸鳥外長薄帶孤城落日背山下斷烟依水橫人

家游經亂風尚眷羣生漸覺繁星起官橋燈火明

曉發蕭家店

開戶雪千里登輿漸覺非昨來黷風色一夜作霜威水涸餘湖氣天寒減日暉庭闈殊未遠回首白雲飛

臘戍

十里無雞犬荒岡日欲昏千盤孤客路雙柳兩家村歲儉人聞戒天寒水斷痕急輪近前館燈火滿籬門

寄吴摯甫

獨坐懷人遠三年尺素遲春燈微雨夜貧酒落花時政好憐岑木官閒課家師向來文事秘深淺與誰知

白㯃初花

顧渚分新種章江入舊家歸來松竹底一紀見初花璧砌宜鄰菊籐床合煮茶高風誰伯仲輸與野梅誇

碧桃

一樹庭花白仙根種自誰雨深風日淡春冷燕鶯遲抱蕊雲全瘦籠枝月乍移清尊斷消息寂寞獨吟詩

九華山作

一片天邊碧舟人說九華捨舟來谷口散作萬蓮花古徑雲藏寺名山僧易家人言金地藏曾此伴烟霞

出九華至甘露寺道中

來日暗雲氣歸逢霽色新千峰排送客萬竹遠留人映晦當胸豁樓台轉脰頻憑將泉壑趣細語慰衰親

憇山亭

亭檻俯溪危風含暑氣吹追涼隨樹影破倦讀碑度

蟻丈泉脈全蟬解網綠役夫前路热憐爾坐移時

夜起有感寄吳至父

秋窗漸難曙夜起望高天明月常如此涼雲忽黯然呻吟天地病醉夢鬼神憐太息先賢傳流風誰與傳為國存元氣因時作典型含情等舊雨屈指已星晨北斗江河接南天日月經文章匡薄俗舉酒莫辭醒

中渡

際曉雨初收山聲急衆流空江橫沓靄孤艇送窮秋老

父收漁網寒僧語寺樓含情思理櫂悵望又松楸

兒槩既游吳門楷亦將之天津與樸同客倚閭道

遠情見乎詞兼寄示樸槩三十韻

家落難安坐時危易別離一年思遠日三值送行期不必窮途哭常懷失路悲書來成作客肱折謬求醫山雪尋封徑江風已凍髭宿雲瓜步樹寒月蔣侯祠失母憐渠小依人媿父慈湯誇三鳳穴各挂一鳩枝弱弟行難任允昆又繼之緩風辭故國春色近 皇畿使信兼旬

迫治行兩月遲連牀話山雨剪燭憶秋池回首銜泥燕
關心破浪鬐樓頭一壺酒細札十行詞烏展丹霄綺蜃
吹碧海奇菊風催朔雪杏雨送流湖郡郭聯吟好高齋
縱目宜遙憐寒入夢念我白添鬚老子能安卧高堂喜
可知茶烹仙井水藕斷寺塘綠避熱桃笙細穿雲竹杖
支清娛彭澤酒哀亮少陵詩風鑑譽皮骨星家驗日時
人天吾道在門户爾曹為吳蔚同長憶江湖起遠思休
為攖世網輕薄似時兒文語寧常作畸行不易持直令

杯醴在莫惜舍槳虧花鳥江南夢風霜趙北陸蒼茫勞
獨詠天地正淒其

老樹

老樹當門立經過識故家心空知閱歷氣在易萌芽看
鵲春巢穩聽蟬夏蔭遍後來更孫子應不計年華

晨見初雪

勁寒警衾枕牕曙動睛暉起視遠山白夜來知雪飛孤
城飢鳥下淡日亂雲歸為問兩髯老誰憐敝緼衣毅庵寒人

皆無裘

中夜

更籌中夜急鑪火有餘温庭雪欺燈焰檐風裂案罇物
華春寖及天地歲初元明發看梅綻孤芳見道根

稾生入塾

燈火兒時事匆忙入眼來林廬經浩刦文字豈寒灰喬
木春前徑閒門雪後梅詩書兼舊德永晝與裒裒

雪漲

何處風雷起，春來蟄未驚。懸知晴後雪，一夜坼冰行。山漸分青出，枝初覺緑生。大橋横郭外，佇立眼為明。

陶然亭别方掌如比部孝傑

芳郊草色齊，巳是送春時。沈雨潭光合，行雲樹杪遲。閣寒僧病肺，酒散客將離。明日滄波上，茫茫何處期。

走筆留别毛實君農部慶蕃

忽作坐中别，回頭一月天。論文門屢過，感世淚如懸。麥潤披衣雨，茶澆玉井泉。萬方方蹙蹙，吾道竟誰賢。

武清道中遇麓逸

海色連天暮前村數里中與君經歲别歧路忽相逢遠
樹留斜日歸帆挂晚風莫憐萍會暫後約是湖東

端午

佳節雨中過蒹旬日馭譎風雷堙鬱久天地晦冥多氣
暗雲沉鼙聲高水漲河方將慰農願霖雨出山阿

德安

林居逾十載作梦又江鄉月出當残夜人行及早凉半

城沈野水孤塔見朝陽憶想先民政裴裒媿吏良

豐城訪馮晉齋

橘樹人家外雲帆入水邦秋烟生遠郭斜日澹空江輟櫂訪之子將非舊面尨深情不可盡坐聽曙鐘撞

峽江

行到峽江縣青山兩岸多水清稀釣事城小倏舟過地熱秋光薄雲生日氣和雨師應有意前路長江波

出郭

篗輿出南郭望眼極冬晴喬木猶前日兒童盡長成數村涵遠照一雁破空清廿載風光裏深含去住情

宿野寺

霜樹帶危坡篗輿廹暮過殘陽留寺閣秋磬入烟蘿苦茗閑僧味隣燈紡女歌由來上方地明月向人多

贈諸念齋

我友撚髭處高齋一榻深鳥傳旁舍語柳借昔人陰妙手千秋業悲歌萬古心酒中多逸興從此莫辭斟

東窓日欲盡清氣起林端訟閣吏人散暑庭奇語寒方將據驢背發興向漁竿一夕聞梁父牢愁且為寬

大雨入夜未止走筆贈蒲仙

孤城當晝昏山雨急翻盆萬頃渠添漲千村水到門疾雷天末轉餘溜夜中喧為問瀟湘客何如在故園

爛泥灣

扁舟遵野岸芳草未萋萋寒月明林外鳴禽過水西平蕪荒店迴獨樹寺樓低為憶春燈夜依依是舊堤

龍頭石

又挂雲帆去長天鴻雁多晚燈江市遠春樹鳥聲和官興遥山淡塵心逝水過平生有奇好舟楫意如何

舟夜

戍鼓中宵斷孤蓬郭外横衆星臨水動遲月隔峰明萊戲心猶切桑田事已更時危長策少舟楫媿平生

又

細雨春燈外推蓬起望天遠鐘雲際寺獨火夜深船鄰

紡荒雞裏漁歌斷雁前明朝風日好一路看山妍

寄蘇強甫

聞道蘇居士今年生事微出門一飯少高卧接人稀風雨倏經歲江湖空掩扉草堂千卷在教子莫相違

見説

見説宸光殿當春出使臣黄河天上水白骨道中人薄海輸將日　深宫宵旰辰更聞罷秋築何以報　皇仁

南海開天詔中原仰大猷萬夫秋下竹一道水嫣流定

使蛟龍伏長懷鴻雁憂三池看朗朗歲晚幾含愁

槩兒計偕北上以官中事不及別追寄一詩

置牀廿三歲於今忽出門平添官裏恨不盡別時言到日宮花發當春海氣暄家書四千里動爾梦中魂

送張厚培外甥回里

憐爾歲方壯往來何所成薄田償債券旅殯尚榕城有限妻兒累無聊升斗營故鄉少可戀底事雪中行

試院偶成

小罷公家事秉醺暫倚欄山雲晴不散春雨畫〔晝〕添寒天
地傳杯醉年華攬鏡看高堂有白髮何處足求安

試院諸人皆和予前作疊韻再酬兼示楷樸且並
前詩以寄概也

又見年華改東風悄入欄花光燃早霽鳥語變春寒詩
債經年負鄉書隔歲看舊來詞賦事憶遠更長安

戲贈蒲仙

君是文章伯長吟每倚欄酒招衡岳秀詩入洞庭寒汲

古雄心在詩情老眼看莫嫌髭撚斷安字韻難安

試院枯鶻（柏）巢其上戲詠以詩且招諸人之和

到眼青全失危巢尚養禽無生天地德不死棟梁心身世看垂老尋常且好音坐忘春欲半階草綠沈沈

曉赴試院借肯堂半臂戲綴一章

公事何由了衰年攝養難三春將禁火半臂却餘寒雨沐山光展雲蒸日氣殘衣裳易顛倒念爾不能安

次韻康平春興

山郭晴兼雨春妍一倍加藻泥肥燕户杏蕊上蜂衙酒
緩初醺帶寒遲欲放花風光正如此好是各巾車

賢王

九廟神靈在三元歷數長如何方復辟先事失賢王
帝眷留書牘天心鈇斧戕懸知龍輴出萬涕灑連岡

立夏前二日郊行遇雨

到眼谿山暮高低麥隴秋風篁沙岸鳥烟雨水田牛才
絀輸仁政心長念俗偷勞勞春似客無計勸淹留

積雨

積雨送春盡山城不鎖寒萬峯洮水外孤樹怨雲端重濕苔侵座長蔬筍薦盤人言秋水足聊復此心寬地僻書來少憂天眺望疲目無堪送處心有不厭時短緻星霜改長吟風雨悲夜晴瞻紫極北斗尚離離

蠶事詩走筆成二十韻

春盡蠶功起時清衣被長宮壇親賜絹芳甸遍條桑八育蚖珍出三眠繭甕良家家園客草處處馬頭娘簇罷

冬常日衣成夜不霜星河明彩織日月繡黃裳送暖安
三老奇温藉萬方神功思古帝愷澤望今皇官舍荼蘼
晚金閨兒女忙宵燈青縷綃朝日碧鈎筐宛轉穿甘縛
經綸且善藏衣人無紊理濟世任投湯消息關微漢温
寒待度量女紅綵五色僮約法三章顧我蛾生子哀年
蛹自僵頭顱看女長纖素感妻亡豈有牽牛詠將母化
蝶鄉白綵慙麗服金粟待秋涼舉眼梦綵鮮翳誰效績
彰相期乘泰運安坐共流黃

葵扇贈諸研齋兼示肯堂

君家蠶事好餘藝紗能工蛛盒難為巧鳩巢未許同昔
聞繒扇貴漢制皇后貴妃用之命婦否余見葵絲功光耀飛精鏡圓
開似月弓素絲消暑日黃絹惜秋風細響宵聲縷規行
畫在礱一句纏紙上百口吐環中無縫捐刀尺多層訝
僕僮招摇過白羽撿點想燈紅四月殘春去三年製錦
空宜違馬安巧珠謝蟻穿通送似娛堂北聯翩效宅東
肯堂續為二扇絕佳策勳合寒燠披受聽雌雄自古楊仁枋炎涼

四海融

国家出版基金项目
NATIONAL PUBLICATION FOUNDATION

安徽省圖書館藏桐城派作家稿本鈔本叢刊

姚濬昌卷 2

安徽省圖書館 編

北京师范大学出版集团
BEIJING NORMAL UNIVERSITY PUBLISHING GROUP
安徽大学出版社

清寐軒詩稿

不分卷

清寐軒詩稿

《清寐軒詩稿》不分卷，稿本。二册，毛裝。半葉十行，行二十一字，黑口，左右雙邊，單黑魚尾。框高十七點六厘米，寬十二點七厘米。版心下印『枯樹精盧』。卷端題『清寐軒詩稿』。文中有鄭福照批點題跋、吴汝綸批點等。正文前葉有題識『乙亥春仲表姪馬復震敬讀一過』。是書字體有多種，當有代抄者。書中多處貼有浮簽，用於修改詩作。册二有大量吴汝綸親筆批點修改。

是書爲姚濬昌詩作初稿本，修改過程歷歷可見，數量又遠較刻本爲多，頗具校勘價值。

乙亥春仲表姪馮復震敬讀一過

乾坤清氣得來難，此其得之矣。清而腴，廉而勁，此清而雄者，杜也；清而高者，柳也。於卷中屢屢見之，好讀數過，益貴心聲。牢騷如墨痕佩。老[illegible]

大集氣味醇厚，意思深長，此學力之可貴，所以異于麗才也。然隸事固其所長，亦往往長中見短，是又才之稍遜于學也。此中甘苦，達人當自喻之。管窺之見，徒取笑于方家也。過承 知愛，敢獻芻蕘。

同治壬申季夏朔日濬昌拜讀敬識

早歲艱難百感同，故人歌哭各西東。四時憐我風塵裏

清寐軒詩稿

偶感

野鳥翔寥廓不作飢鷹依孤雲出大壑萬里因風飛人生非秋露何懼朝陽晞曳尾毋寧惜冲天豈無時壯士喪所裏屈伸皆致訾所以魯仲連長揖謝田齊

不得大兄消息

昨聞歸有日消息問終差苦念十年别遥憐白髮加江湖通故里涕淚傍天涯前路休回首沿江起暮笳

官軍至示忱卿

旱歲艱難百感同故人歌哭各西東四時憐我風塵裏

三月依君艸莽中築壘闕河兵未合解圍兩雪路誰通

當闕幸有臧宮策已報前軍再奏功

家吉甫兄寓書□□先君□□全集泫然感□時

吉甫丁外艱入都謀葬事余辟地至閩

憐遺弱遠傳箴往事今時一愴然萬里悲君同問訃

一坏先我慰重泉漫天碧水辭湘浦過眼青山向洛川

莫便回頭更南望故鄉烽燹已三年

盈篋文章痛甲兵側身餘恨此難平避仇李燮新遭禍

別處楊歆舊有名清白幸還畱手澤散亡常恐及吾生

俸餘商榷如非晚累世遺編正滿籯

去六

東□曾閲馬白眉邕州

治蹟亦名垂豈知六詔魂

歸日又值三吳興戰時梁

苑書來鵝肆散越臺之

人言豐帆遲又重消詔

報新圭凡鵝奏中共復持

得家泥之兄書喜其由賊中歸詩以送之

三年翹首空相望一紙書來汝尚存盡室可憐方喋血

到家猶恐未招魂兄為惜抱先生曾孫癸丑之難兄一家十一口同歿斜陽吠犬

知投宿流水歸鴉獨閉門複壁逢君莫回首空舲峽上

正啼猿甲辰余隨先君入蜀兄亦同行過空舲峽有詩紀事戊申復沿江而下今未十年先君見背不

肖與兄竊伏艸莽以偷生悲夫

憐昝絕句

碧水蒼煙黯黯開孤城花鳥自荒臺青衫未改當年舊

細數清明廿五回

貂裘無主春難典濁酒尋常債卻稀

江南江北雨霏霏

寄懷蜀中友人

當年東閣醉如泥刻燭分牋每夜題車騎東南迎日出高樓西北與雲齊十年流水傷吳會萬里滄波自錦溪關塞極天魚鴈杳不堪回首夕陽西

樂平道中

曙邑莽班班孤雲叅不還鐘聲遙渡水日影近移山未拒曉方罷圃場閒若閒老農猶可羨亂後掩柴關

鎮海樓感興

薄海驚鼙鼓天涯獨倚樓天低帆影重山豁海門浮幾

日塞鴻到遥知江上愁傷心千里目誰為濟時謀

奉懷陳頌南丈

滄海東環鷺島橫老臣倚劒望神京憂時論每驚天下痛哭書曾感聖朙北極晴雲連雪邑南方春雨送潮聲只今星斗三台外淺進遥看氣象清

舟發康郎山

挂帆離埜岸㳄邑望沉綿水影搏初日雲光滌遠天蒲荒魚筍徧艣急鴈聲連去去獨何道余生幾幸全先一日大風雨幾不渇渡

于役浮梁道中

靖霜飛萬木丹扁舟載滿九秌寒溪流雨後痕常在
埜碓舂完水未安千里儲胥通澤國十季烽火又江干
簡書晝亱兼催迫試取程書子細看
書事
丞廷定策上釁靡衘哺究明罪昇由趙陀勞賜璽
謂廣東就撫事 ○秋風萎 謂定龍江事 ○昇
同是 ○六龍秋獮
深悲
翠罕霓旌薊門名王倚刎獨承恩成謀足繫樓蘭首
先入偏聞魏絳言終古朝廷尊北極即今父老望南

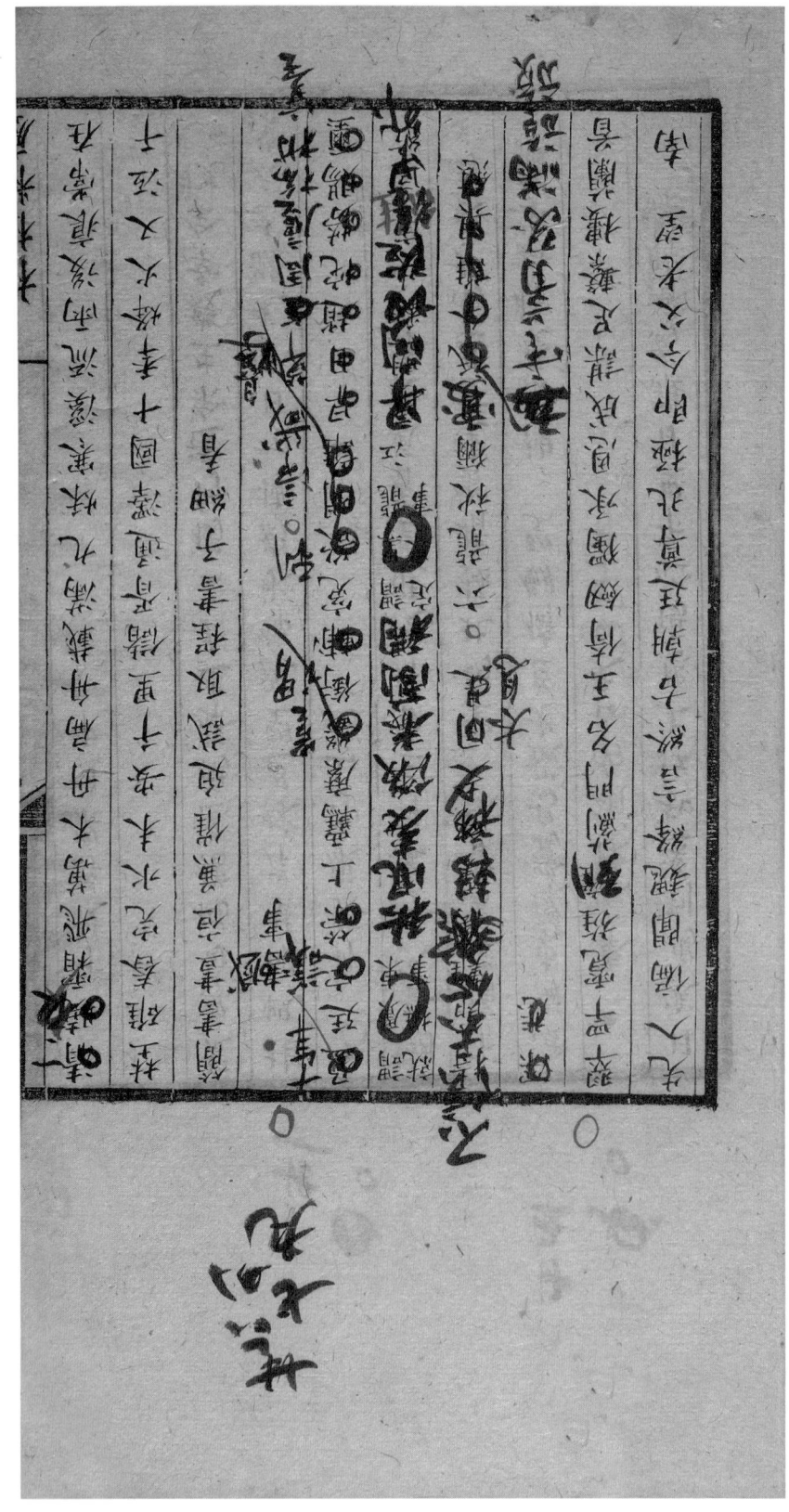

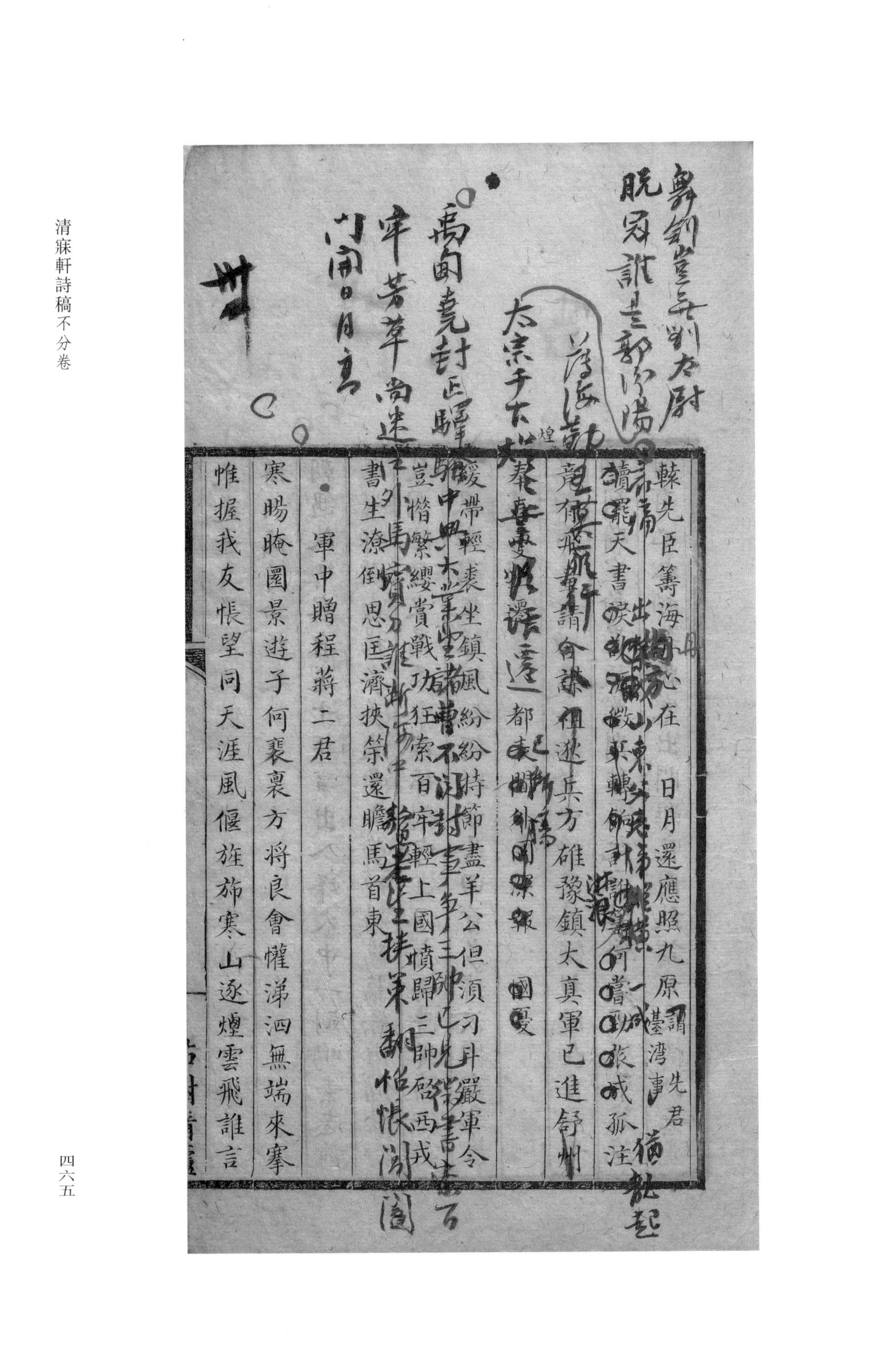

軫先臣籌海心在　日月還應照九原謂臺灣事先君

讀罷天書……孤注

竟有飛章請合謀但逆兵方雄豫鎮太真軍已進舒州

都……國憂

緩帶輕裘坐鎮風紛紛持節盡羊公但須习升嚴軍令

豈憯繁纓賞戰功狂索百年輕上國憤歸三師啓西戎

書生潦倒思匡濟挾策還瞻馬首東

軍中贈程蔣二君

寒暘晻圍景遊子何褱褱方將良會懽湥泗無端來搴

帷握我友悵望同天涯風偃旌旆寒山逐煙雲飛誰言

天道遠日月不改時滔滔江漢流盈涸亦有期且覓芳
樽酒慎莫論所之
朝遇故鄉客自述十年事出入烽火中一劍鳴素志前
年營邛壠白楊多哀吹堂上萱艸榮藹藹餘懽備甘心
赴國難負米爲子季再拜謝客言同志而遭異騶騄嘶
天風雕鶚振㳂翅如何與子居回首多漬淚顧言采藜
藿且慰倚門意
高樓有嘉會四坐多時賢中廚夜薦饌想像在目前青
緗列綺室翰墨陳案閒往迹既云徂奄忽不可攀蓼莪
自有心松柏知歲寒出門雖良圖敢謂甘受憐此意竟

誰與幸得同心懽

絕句

鴈過彭蠡皆歸路人去鄱陽更遠遊不識射蛟臺下水
春來幾處著漁舟

貂蟬

馬鬣無封遽請纓貂蟬安敢卜吾生慚爲阮掾無三語
嘗借孫陽憶一鳴買郭也無田種早上堂辛有婦彈箏
南誰現飛名譽滄海茫茫又幾回

九月七日奉陪邵亭夫子周志甫丈登迎江寺塔

㳠水下巴渝東連滄海碧殿閣付蒼茫客興渺何適一

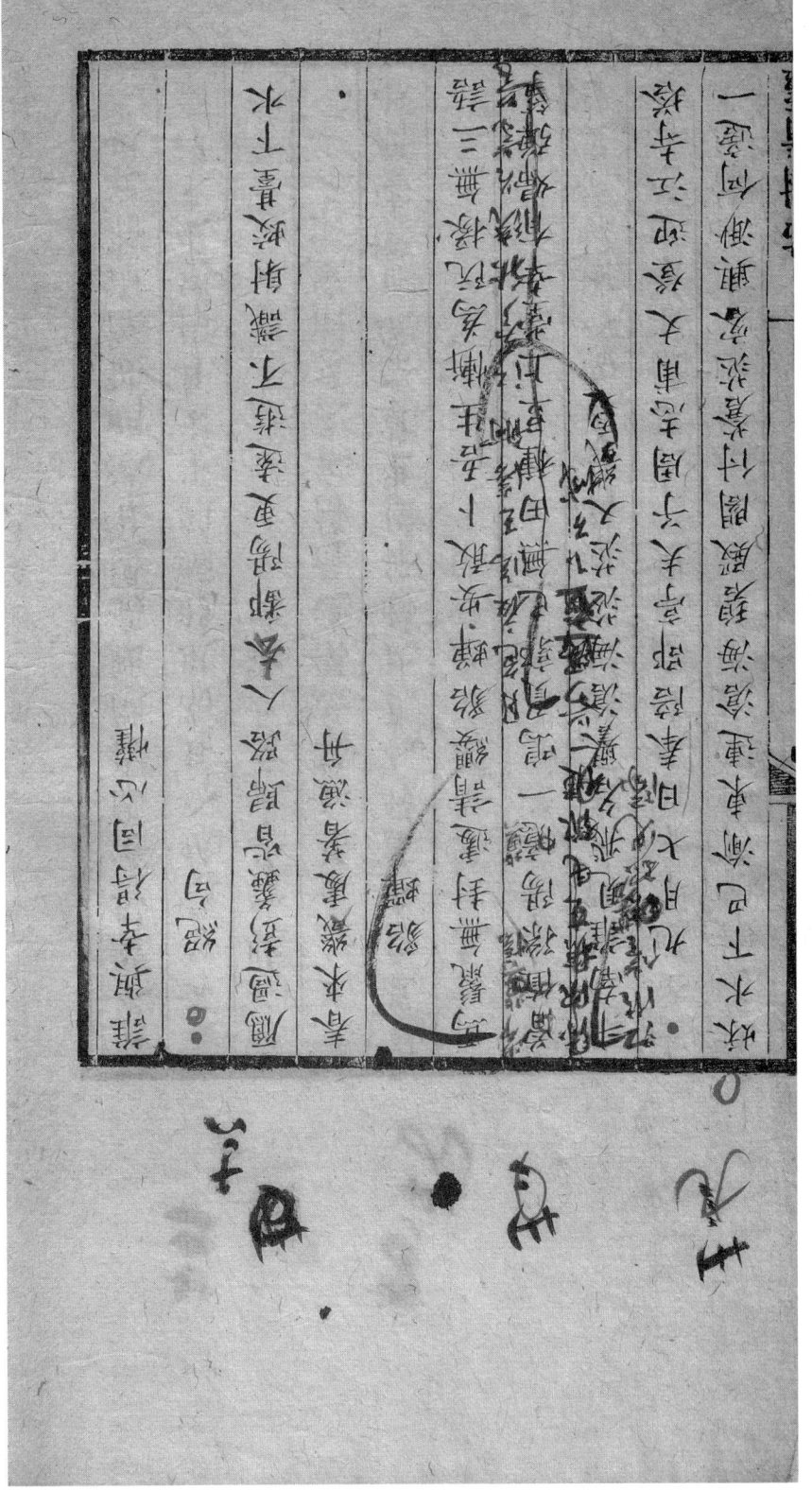

柱獨撐姝萬怪不敢摘欄頳手捻檐蹬轉梁挂幘班坐
雲壓頭舉手山在腋悲風抱空來壯懷不可釋絶頂拾
餘灰斷趾見題石詩擬慈恩新箭未南八射慷慨度層
梯顧言乘下澤

亂後集賢關陪志甫作

百里喬木盡歸人見此關孤煙生草際微日露雲間小
有宿蝸舍十年如鶴還偶逢道傍客未忍問家山

曉發吴城至大孤塘

長年呼張帆入耳南風競喧雜下方舟稀星歿未淨章
貢水若歸潯陽樹微映鳥邊日滅明波際山將迎風光

廿三 廿四

落鏡中興與日竟薄暝叓前瞻憯然旅思屏

石鍾山

筲余承嘉會行近長公宅江海渺廿年叓踐名山迹涉江冒風雨振袖聽水石厺帆掠湖脣敗葦見洲脊峨嵋與儋耳夷險纖何隔涉境亦偶然後人乃重憎遺構昔已非高文猶在辟坡仙樓有翁潭溪書石鍾山記石刻古賢自有真鴻爪聽攸適再拜荐江蘋斯人儻可格

小孤

太華峯頭十丈蓮西風吹落楚江前扁舟五度煙雲外屹立寒濤已卅年

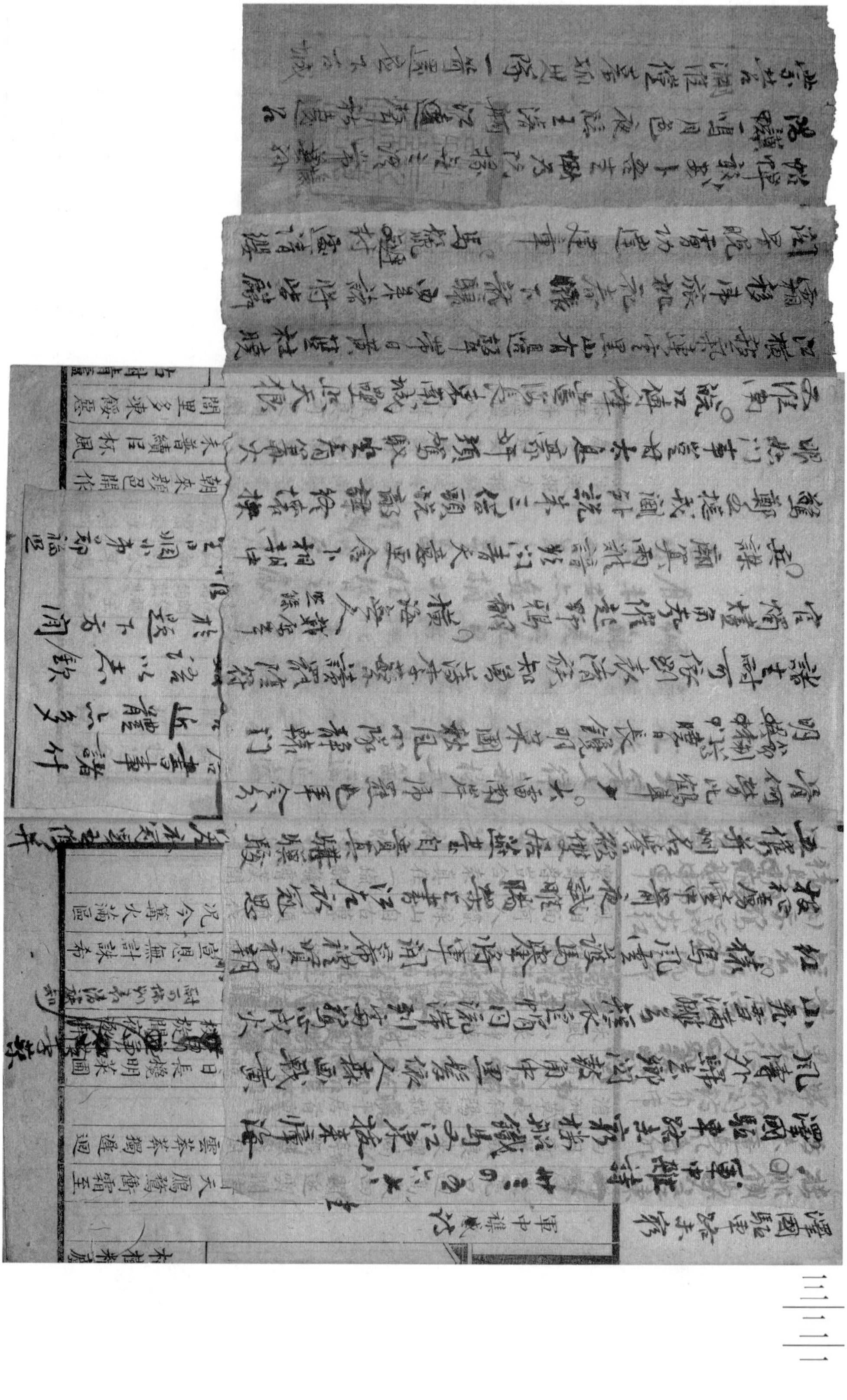
軍中雜詩

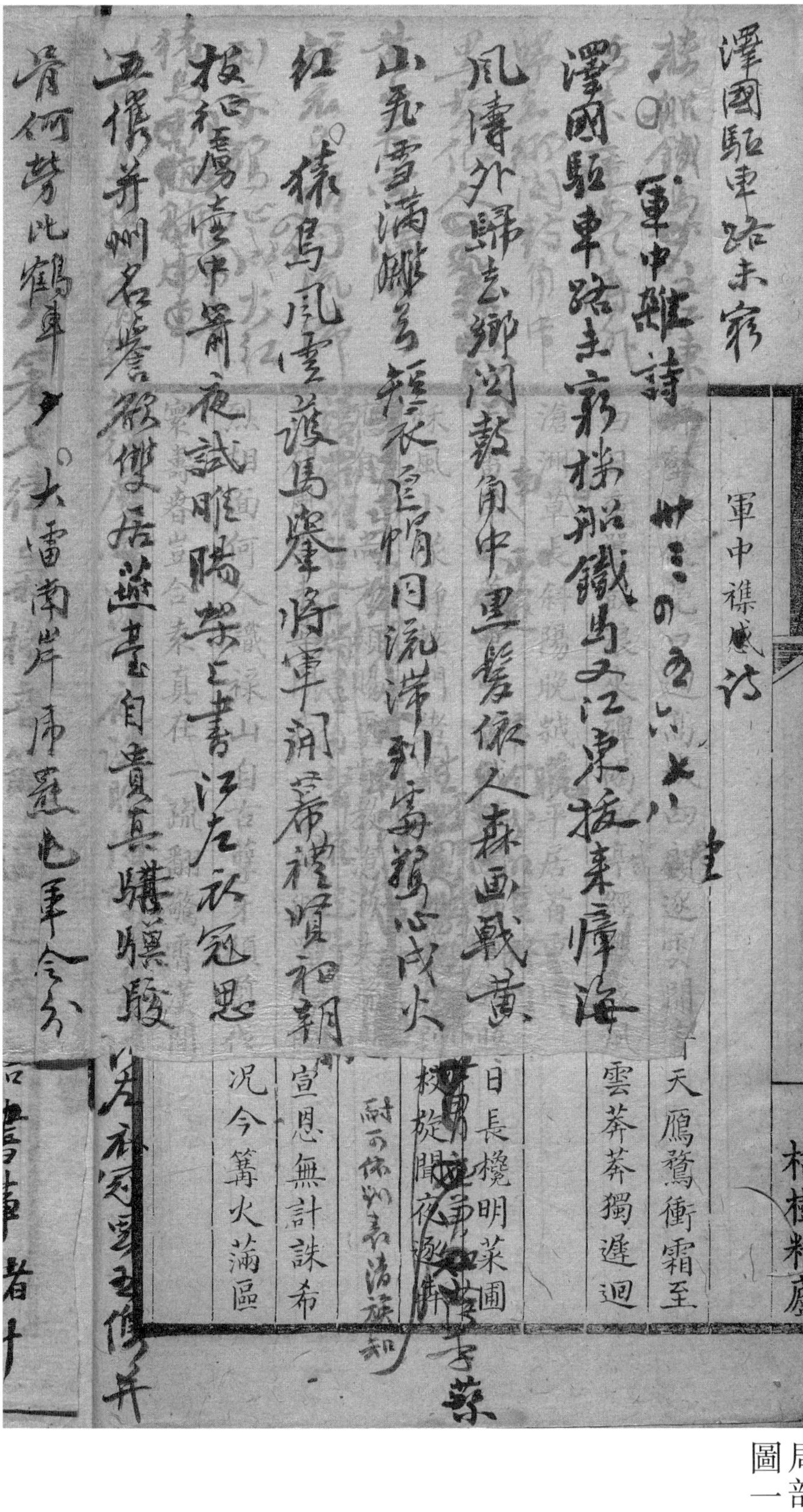

澤國驅車路未窮

軍中離詩 卅三の五六七八

澤國驅車路未窮，樓船鐵馬又江東。按來滄海風濤外，歸去鄉関鼓角中。黑髮依人森画戟，黃山飛雪滿雕弓。短衣皂帽同流滞，到海孤心戍火紅。 猿鳥風雲護馬鞍，將軍開幕禮賢初。朝投絕塞中宵夜，試雕鞍槃上書。江左衣冠思五候，并州名誉叙樊居。遊車自貴真驊騄骨，何勞比鶴車。 大雷南岸佛题屯軍今分

局部圖一

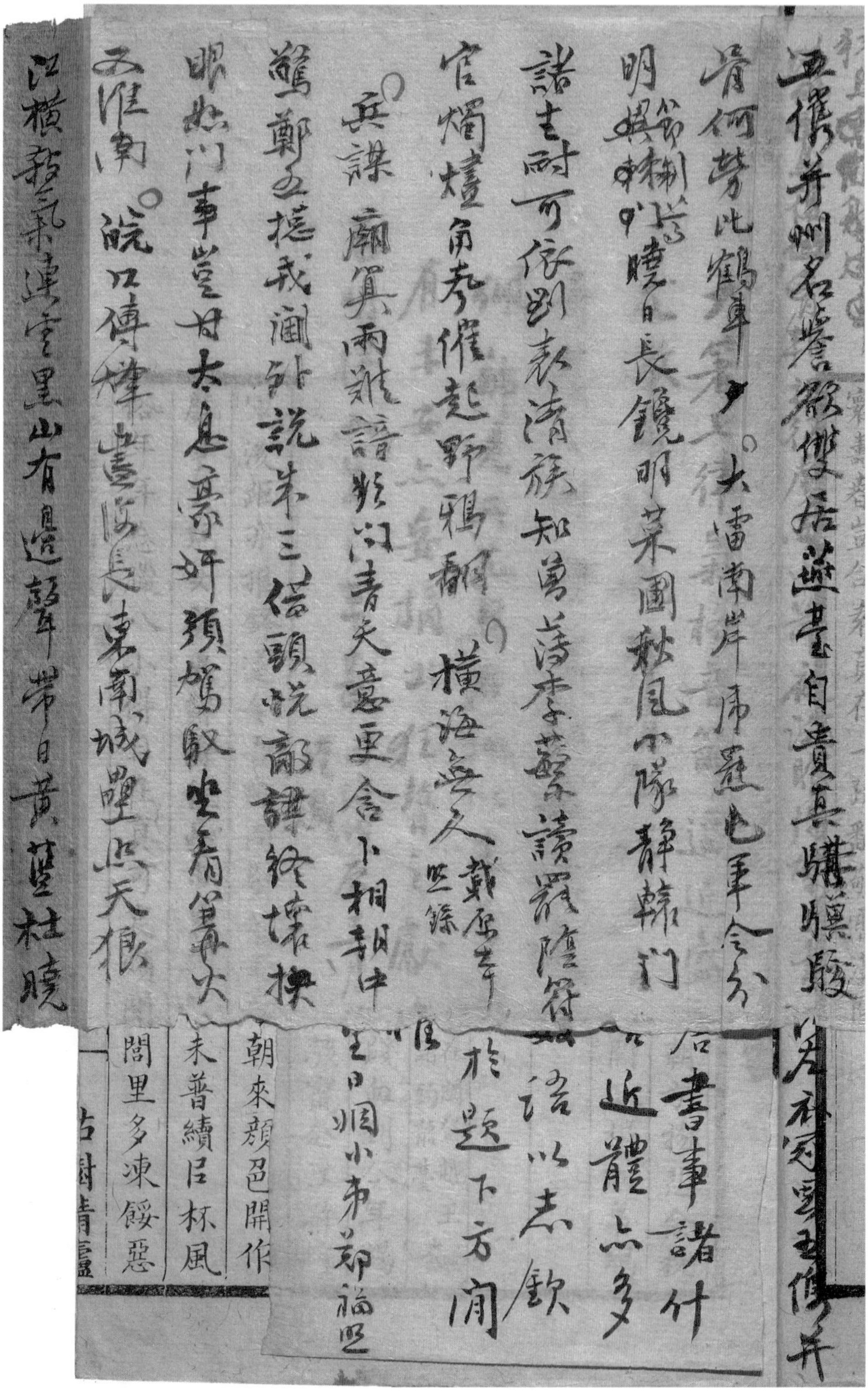

局部圖二

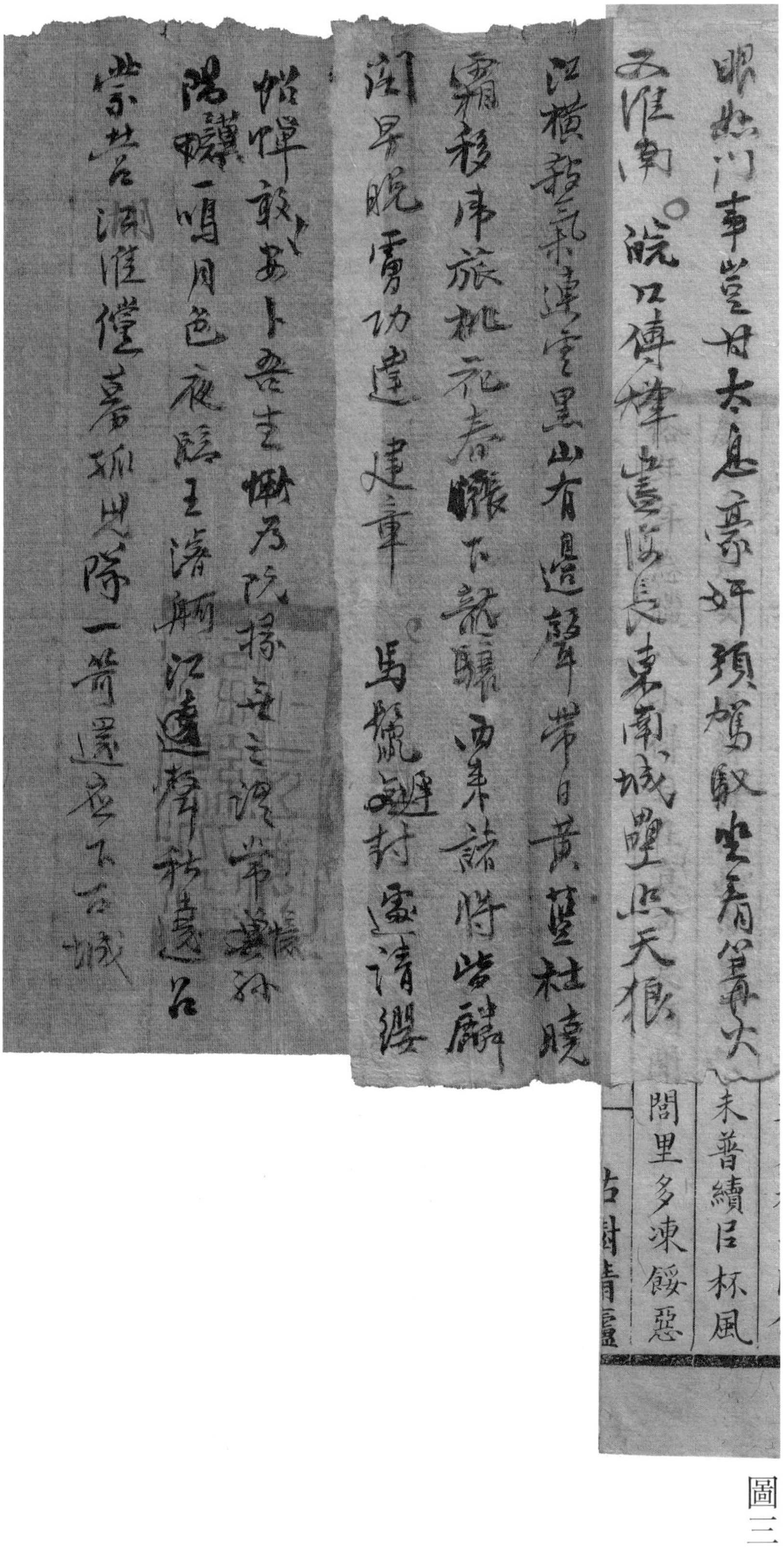

局部圖三

大篇七律氣格音節逼近盛唐，書事諸什

尤微妙，[illegible]概可謂合作，五言古近體亦多

佳句，[illegible]句，[illegible]後數過，從識數語以志欽

佩。[illegible]

有[illegible]摘出狂[illegible]之處，[illegible]

明擇而去之，幸甚幸甚。[illegible]月望日[illegible]小弟[illegible]

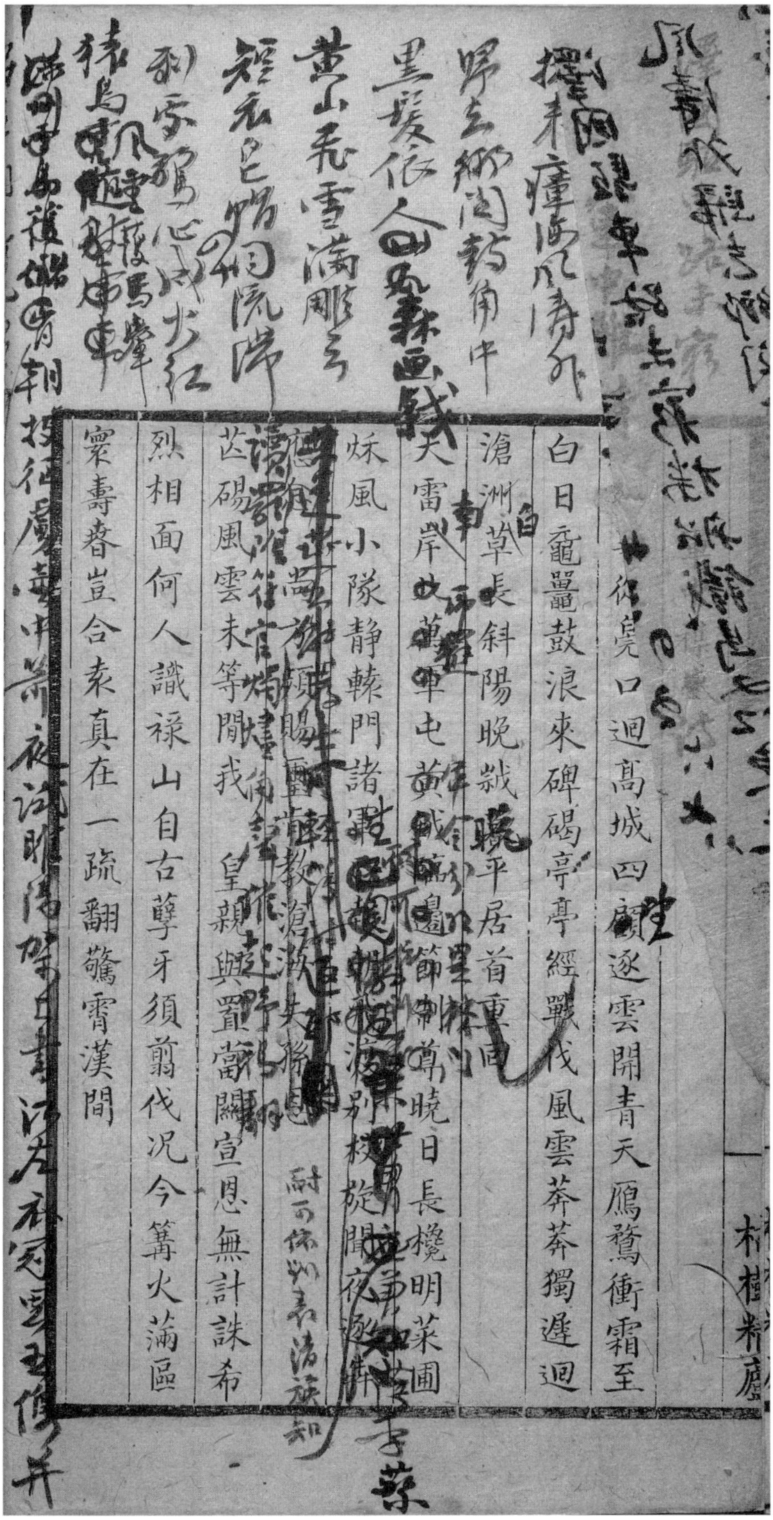

作莞口迴高城四顧逐雲開青天鴈鶩銜霜至
白日鼉鼉鼓浪來碑碣亭亭經戰伐風雲莽莽獨遲迴
滄洲草長斜陽晚戱平居首重回
天雷岸[illegible]屯[illegible]節[illegible]曉日長欃明菜圃
[illegible]
妹風小隊靜轅門諸[illegible]
迖碣風雲未等閒我皇親與羅鬱闢宣恩無計誅希
烈相面何人識祿山自古孽牙須翦伐況今篝火滿區
衆壽眘豈合袁真在一疏翻蘺霄漢間

局部圖一

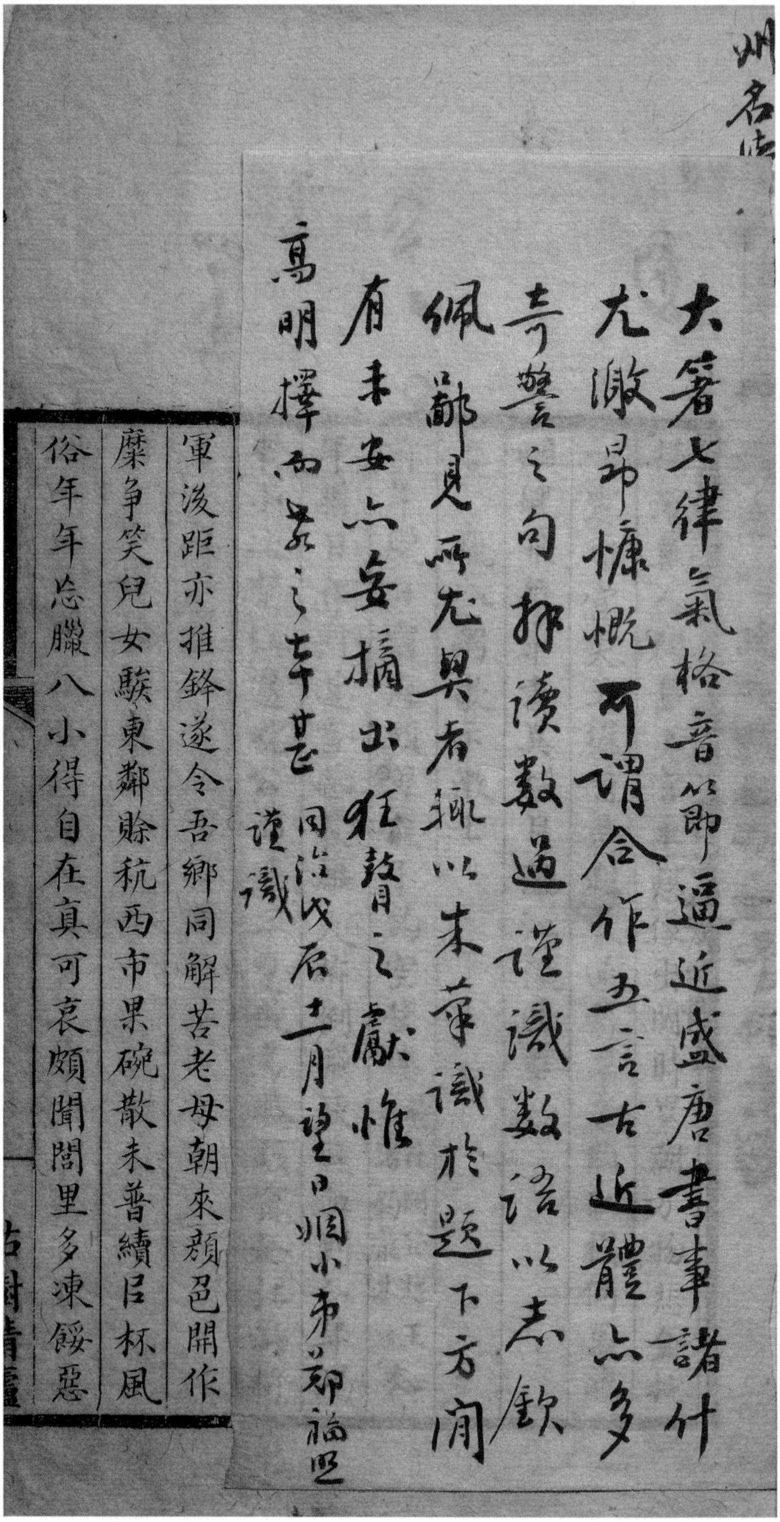
大著七律氣格音節逼近盛唐書事諸什
尤激昂慷慨可謂合作五言古近體亦多
奇警之句拜讀數過謹識數語以志欽
佩鄙見所尤異者輒以朱筆識於題下方聞
有未安亦妄摘出狂瞽之獻惟
高明擇而善之幸甚
同治戊辰十二月望日姻小弟鄭福照
謹識

軍後距亦推鋒遂令吾鄉同解若老母朝來顔邑開作
糜爭笑兒女駭東鄰賒秔西市果碗散未普續吕杯風
俗年年忘臘八小得自在真可哀頗聞閭里多凍餒惡

局部
圖二

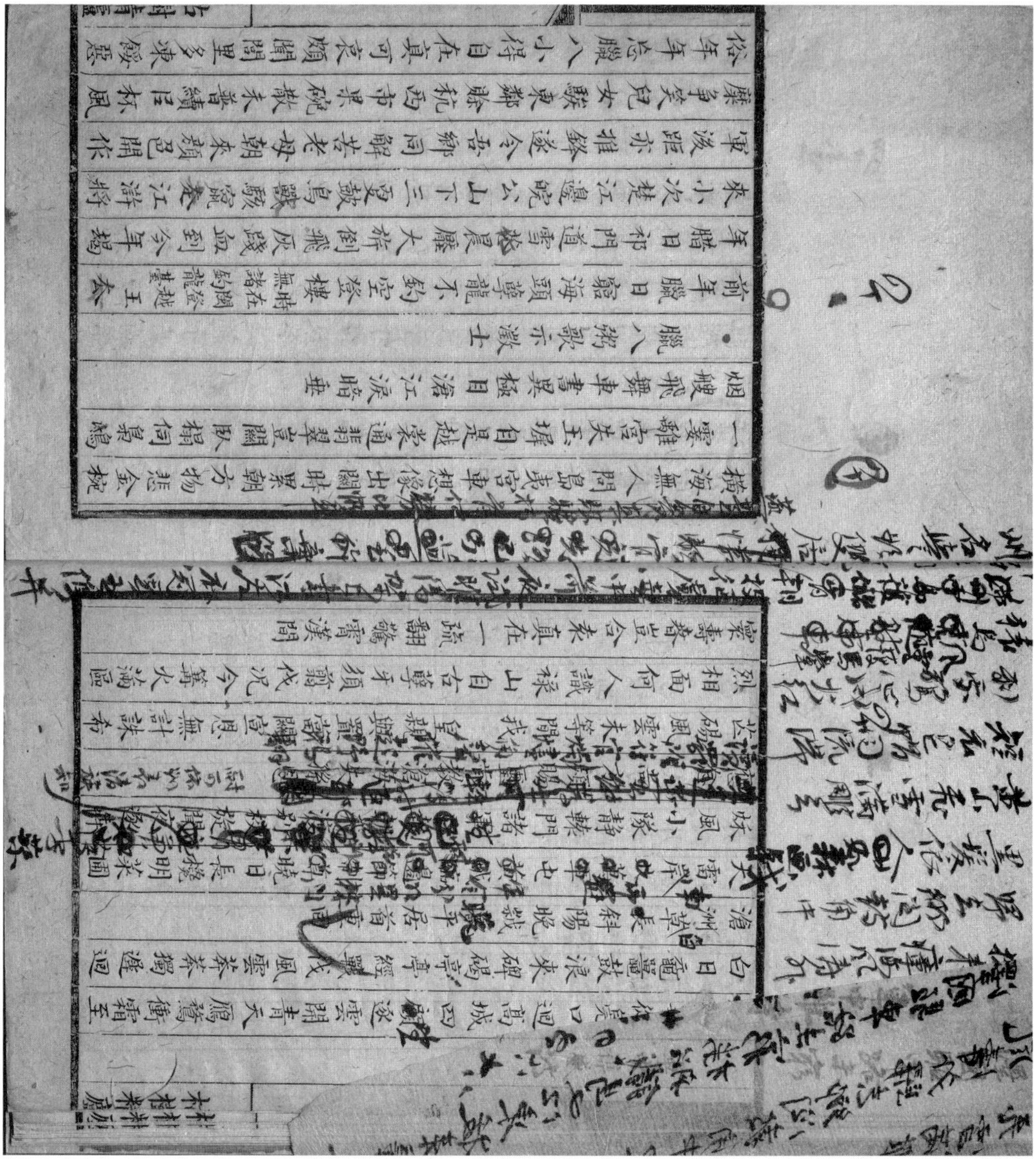

口迴高城四顧逐雲開青天鴈鶩衡霜至

白日鼉鼉鼓浪來碑碣亭亭經戰伐風雲莽莽獨遲迴

滄洲草長斜陽晚戢[illegible]平居首重回

天雷岸[illegible]屯黃[illegible]曉日長欃明菜圃

姝風小隊靜轅門諸[illegible]

茈碣風雲未等閒我皇親與罷當關宣恩無計誅希

烈相面何人識祿山自古孽牙須翦伐況今篝火滿區

寰壽眘豈合袁真在一疏翻蘺霄漢間

局部圖一

横海無人問島夷宮車想像出闗時累朝方物悲金椀
一霎離宫失玉墀自是越裳通翡翠豈闗卧榻伺梟鴟
烟艘飛舞車書異極目滄江淚暗垂

臘八粥歌示瀓士

前年臘日窮海頭孽龍不釣空登樓（時在閩登越王臺無諸釣龍臺）
年臘日祁門道雪花晨靡大旂倒飛灰踐血到今年竭
來小次楚江邊皖公山下三叟鼓鳥戰駭竄去江滸將
軍後距亦推鋒遂令吾鄉同解苦老母朝來顔色開作
糜爭笑兒女駢東鄰賒秔西市果碗散未普績呂杯風
俗年年忘臘八小得自在真可哀頗聞閭里多凍餒惡

局部圖二

四十重

風一過骸成堆吾儕果腹各安坐廪餼雖薄非嗟來安
得空中香飣周窮崖
・旦赴幕飲茶戲作示枬岑敬甫澂士
朝暾藏水霜似雪秃䓊有聲雅脚折老兵縮頸時一逢
令鼓催人忘飲歠甕底水渾昨日餘強澆舌本讀簿書
坐思茗味憐好友滌罏屢空今何如顏士風流亦清迥
抱經守緒望匡鼎夜當為君呼釋奴令從龍子共湯餅
江夜
江夜樓頭望青天月正圓一星寒近水雙嶼遠浮天有
母依官禄無家問舍田行藏殊未卜飃泊又三年

感懷人

春風無意到深山傲骨崢嶸自往還四面雲峰帘不下
一逕花雨户常關漁樵我已忘尋侶撰述公應手自删
種菜讀書如有地相從不待鬢斑斑　朱魯岑先生道父
邱壑佳期歲幾更老臣林下久忘名山川應自憐無恙
風水猶然咽不平富貴常時憂還族亂離此日苦逢兵
江湖浩蕩容漁父白首然忘報主情　光遜園升㬋聰諧
悵望烽烟又一時相逢曾記在天涯鄉閭無那人同感
滄海何知事更悲共惜劉蕡狂不第獨憐張籍有遺詩
墓門宿草今應長定日刊成奠一卮　張亨甫世文際亮

克七。

夫八。

真九。

張儉無家更失途十年尚記共携壺帆檣出没三巴路
風雨縱横八陣圖祖帳我方思蜀道招魂誰與到中都
何堪儒世交期盡遥媲青门一束芻 張竹廬表丈绍
窮海離懷十載過宦亭南望盡風波人間路只東甌遠
天上星依北斗多已刻舟來淹歲月獨憐書去又關河
高堂噩夢纔連磬兩鬢縈霜可自摩 從兄慎齋
雲物驚心萬樹紅蒼茫身世感匆匆八公草木餘風鶴
百粤山川認雪鴻猿敵莫輕劉越石漢家新得竇安豐
射蛟臺上雄風遠江水年年自向東
好是朋儕各安坐放歌縱酒落花邊九霄風定星垂野

十一〇渡江 撫閩趨杭 晴春 母隨姊之

慘淡風塵際浮家一葉停

大江春不綠燕子雨還青

前路愁豺虎殘躬慰鶺鴒

蒼茫[illegible]尚在[illegible]蘆岸

十二〇谷來閣 鉛山處地

[illegible]

五夜山明月滿天道路間關殊未已兵戈阻絕自頻年

艱難濁酒有餘味記取一樽村社前

十〇別從兄心田

後會如相近寧知此別離[illegible]天外續淚到夢中[illegible]

道東江湖遠愁心風雨寒親朋盡零落[illegible]酒杯寬

十二〇河口別映文

容路又揮手征誰拂塵有家嘗累汝薄命怯依人野

水初[illegible]海濵金城風葉落頭及時理歸棹應慰倚閭親

秋曉

雞聲未斷曉月隤階下芙蓉寒不開海雲初上天日淡

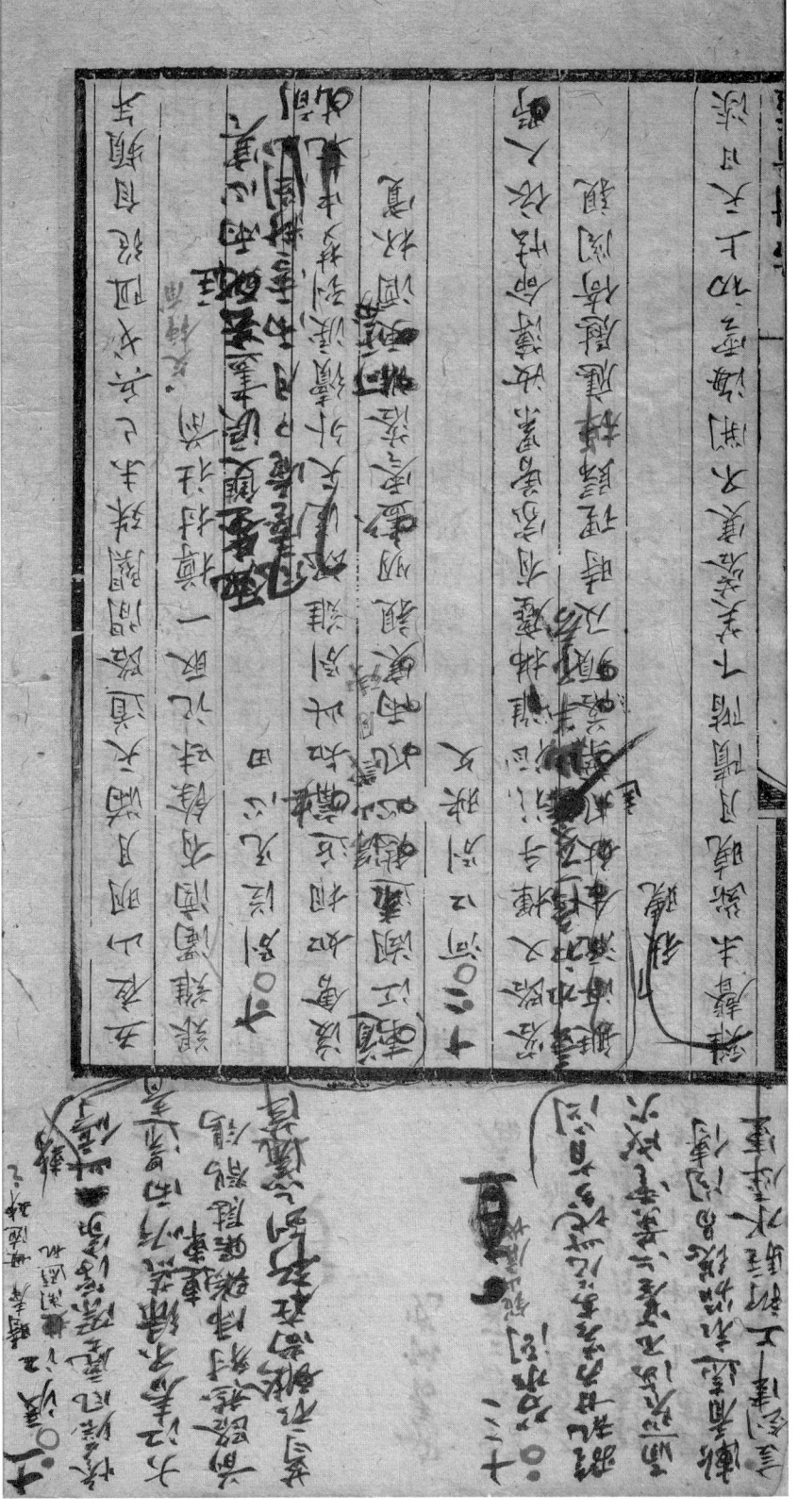

十七 竹崎関
蒼茫滿天地衰病[氣節]時將寒
猩聲拉開月波搖層皮山
一家團諫果孤嶼長
種爽三載江湖家何
舟表隨覓

廿八

廿九

木葉亂飛風雨來蕭、青山誰是主蕭、白髮已相催
便當把臂向大阮登車聽盡窮途回

曉雨寄懷友人從軍

有醉不知曙起聞疎雨聲檐風入單袖進樹落秋燈海
氣環神甸江雲接皖城昨閲故園信戎馬尚縱横

〇 新城道中

石田隨山開人聲出木末良苗亦已種牽牛乾方脫披
帷月滿戶種芋雲生磵眷彼在山泉羨蕙不可割
晨茇近山邑巍然見高峯、而竹樹多黄鸝鳴其中烟
霏來淡白雲谿生微红居人各閉戶行子何匆、山僧

破曉出欲聞驚晨鐘

變徵四謠

晨霜被草山連白枯楊不見风威烈游子淚盡裳沾血

吁嗟賊騎漫充斥舉聲一號石爲裂嗟乎一歌兮歌聲

悲巫咸不下天無知 右晨霜痛旅殯也

赤山〻水何滔〻玉鞭白馬徒游遨爲言堂上萱初凋

時艱日短不可恃有地何不營蓬蒿嗟乎再歌兮歌聲

苦慈烏繞樹能返哺 右赤山之水念母老也

日黯〻雲茫〻弩絃聲急雁聲長夢中有路搴我裳閭

闕千里來何方嗟乎三歌兮歌聲短側身南望甌閩遠

右日黯、思女兒也

君不見江水之深、莫測黿鼉鼓浪翻龍宅五老排空邀太白我呼不應聲愈悃罡风吹折垂天翼嗟乎四歌兮歌聲長迤、者地天蒼、右江水自答也

曉發示偕行友人

廷去休相惜時艱去住非風塵淹歲月雨雪阻芳菲有毋遲烹菽無兄和采薇同行知不遠回首獨魂飛

與林若衣夜話

海内文章誰作者蕭條眼底悔蹉跎半生傲世故交少竟日惜花春雨多未辨芒鞋從子去若衣告養即今車轍向

誰過白雲蒼狗亡陳迹且盡今宵金叵羅

漢廷宵旰未攄憂專閫功名賴借籌壓軍令不聞瞻馬首薦章已許賜羊頭某公卹皖南事無才匡世且絶口有暇著書真解愁雁宕奇峰在君户卜鄰或向浙東求

送人之湖南

君去衡湘間花遝馬蹄落莫更望江南春光滿寂寞

班竹臨江岸桃花夾舊津如經武陵路爲謝避秦人

大孤

一點湖上青西風吹欲落白雨暝秋濤寒雲終日閣

贈楊藝芳

生不願封萬戶侯但願輕世肆志舉世不低頭男兒墮
地骨相薄便當偃蹇荒山邱胡爲終朝踡跼向人愁綠
水陽羨田青山皖公樓江深海濶阻相望命駕忽失龍
與虬我愛楊子挖璞不彫鎪隱若砥柱當中流三擇忠
厚論氷雪融心百熱收長林大用尔偶尔閱世豈计迴
萬牛明月在天杯在手與君且盡杯中酒

十四夜牛渚獨泊

嫁雲莽莽生殘[illegible]晚泊孤洲[illegible]櫂[illegible]蘆葉久鳴[illegible]岸

電光時見隔江山永裏高詠追前哲何必靈犀照世間

想浔[illegible]閒遲游子[illegible]輪常照客[illegible]還

偶題道傍廢宅

小桃無主開猶笞巢燕知時宛不歸正是綠楊芳艸日

一帘山邑送斜暉

寫意

春艸滿原白[illegible]人文不行怙風交曠埜荒水斷官程飢

溺[illegible]援手流亾及我生簡書兼祿薄俛仰媿余情

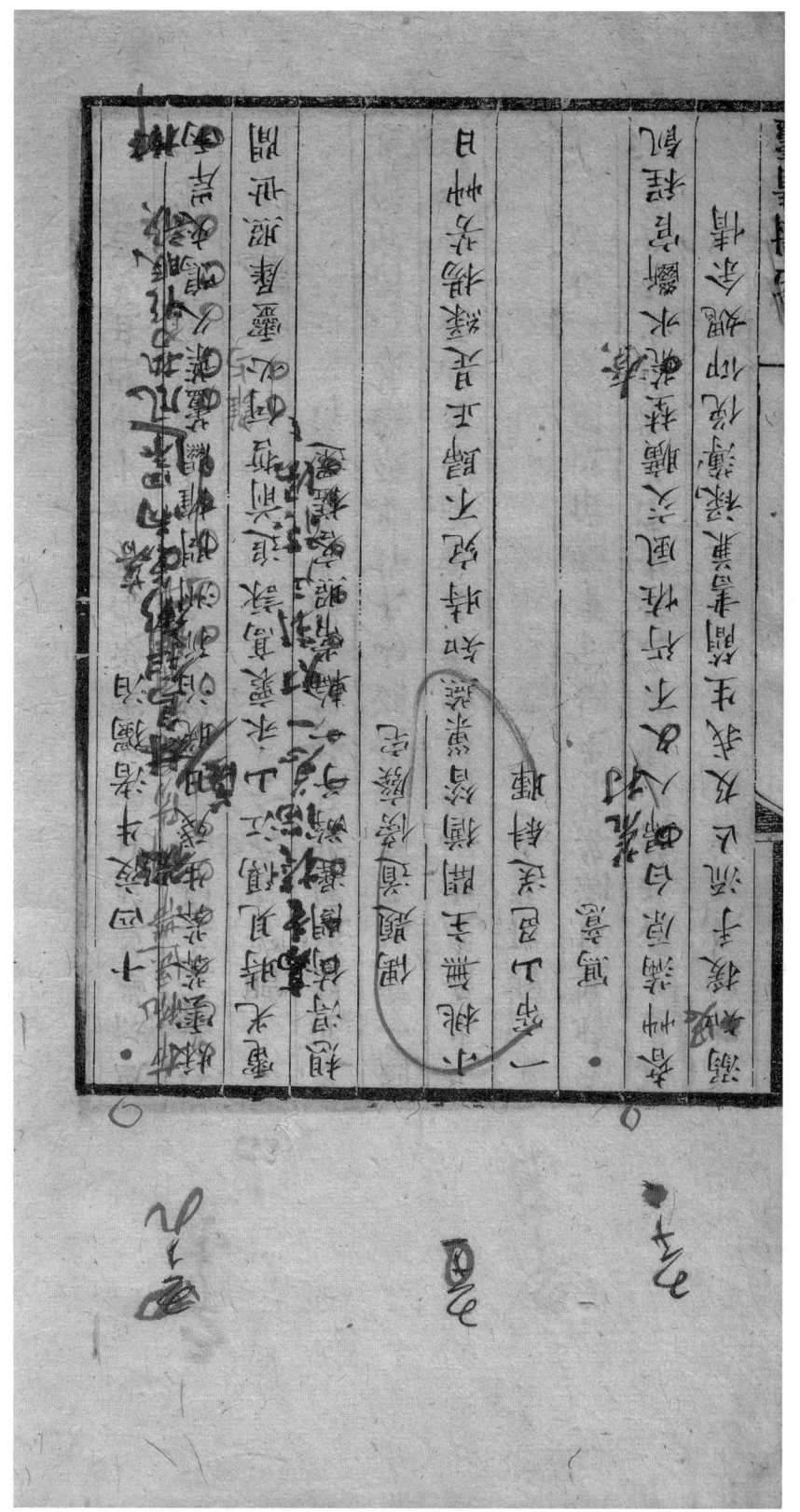

辛壹

贈吴石泉

短蓬三過此清酒暫留連投老逢多難謀生逐少年江空時見日潮落暮生烟官事頻催迫因君一概然

贈孫琴西

先生意度自嶔崎早歲聲名動帝畿兩疏中朝悲請劍一麾江左會搴旗湖山未許安張翰幕府猶宜借退之近想疏櫺晴日好胡床獨坐選新詩

贈若衣大令

往年江上别歸客正離羣又遇永嘉亂還從皁口軍寒風低壘草落日變江雲漫作升沉卜重闈且羡君

桐樹精廬

五十四

五十三

黎尊齋以詩送別既就道郤寄酬三首

與君生殊方宦游亦異地浮雲一聚散後會那可致出門望大江悲來不成寐蒼茫客子心六月動寒吹自從子病居日夕縈吾思別緒款話多只恐君憔悴僕夫已命駕寸楮贈言至上言崇明德下勉為循吏字字盡千金豈直一縑類離別已勿道願守平生志

束髮上巴蜀遍冠入甌閩縱橫八千里求友心常殷娓非稽呂儔不足來高人壯年歷交游一見得子真古人重志節意氣何足云隆中未遇但以抱膝聞同甫苟斂才詎遠朱陸倫此意匪論篤俯仰今誰陳君有久要

言况與龍門親
楚水接沅江迢迢更西上青鳥久不來高望煩結想頗聞餘寇掠連邑絕輪鞅萬家聊自保充臆到櫟橡又聞阿兄賢布署安耕紡男兒身許國家事如塵坱况君有賢婦應足供俯仰善保七尺軀詩書可自廣秋風從北來為君一慨慷

雜感

聞道淮南北烽烟入夏多水犀朝入隊銅馬夜橫戈朝寧隆專閫飛章議築河應看漢飛將早晚定風波

西望皐蘭道胡沙晚八城堙煙隨地少角語入秋清上

初至湖口題壁

祁山渠里事如何異代境風欲共料我到芙蕖
凋思種秫一湖秋水月明多
清霜信未至一雁聲何苦坐思江闊曉寒共裹
裏雲帆挂海日雨路繞梅如何由燭明月夜
夜隨我懷

廿讀情親丱角時風塵回首廿年期外家至寶欽韋述

將勞籌筆孤兒自結營我　皇宵旰久應有凱歌聲

天塹失波濤沙羡走海艘鄂城戍不易滬瀆守應牢

廟算天人鑒羣公節鉞操中原漸安息莫便解征袍

故鄉人遠至翻益客中悲長話無懽慰開緘只亂離喜

人魑魅過當道虎狼馳為問成皋令含情憶杜詩

新秋雨夜懷伯卷

空階起逸響枕簟生微寒雲流墮疎雨風轉輕素紈所

思近何許款采芙蓉殘誰能任搖落強結新知懽

與方庸盦表弟小飲

共讀情親丱角時風塵回首廿年期外家至寶欽韋述

中表同居娩慶之已分黃花揷頭遍漫憎白酒醉人遲開樽好記西山色深恐明年事更移

寄江待園

故人江海去遥路苦難尋家室近何託貧交誰為深天涯同寂寞佳句纖沉吟消息無由得因風一寄音

答張湘谷

聞説山公在帝畿窮經力盡髪先衰埋琴地下交三世贈縞人間又一時上國兜鍪同似夢湘谷與余俱曾從軍名山風雨好相期傅岩墓木今何若歔詠新篇有所思

家瀓士兄來安福小住三月將歸以詩送之

秋風獵獵釀寒天欲送君行意屢延往事悲懽春夢過中宵風雨對牀眠知無妙術謀生計幸有佳兒慰暮年升斗稍營且歸去萬山深處買松椽

曾納門前長者車廿年迴首渺愁予此生敢擬知名士後死應傳未佚書艸樹迷離鷗起外雲山迢遞鴈來初龍眠岩築知修少肯待宅時雨鬢疏時刻先世遺集且有耦耕之約

張伯海於庚申歲赴金陵余送以詩　先大夫寄諭云如三四一聯則妙矣幼年初學未敢存稿行年三十餘一無成就默坐澄思泫然欲涕全詩不能記憶因補成一律

君太昇州菊正花布帆疊疊夕陽斜秋風何事催行客
江水無情撼戭華一抹樓臺江揔宅六朝煙月莫愁家
遥思勝地還惆悵白髮朝餐𩟔勸加時先大人在金陵

早發太山村

寒春村外起雲木帶平田野氣宿殘雨山聲爭亂泉時
艱勞計吏俗獘憶前賢來往風霜裏深知媿俸錢

廬陵道中

墟煙帶雨斜封屋喬木連村遠過山閑煞溪邊老農圃
鷓鴣聲裏閉柴關

由縣赴郡舟中雜詠四首

發棹山城遠微吟倚柁樓霓光低到水蟬語欲隨舟風
岸稻花落江村津樹秋行行更回復含意下中流
行路難如此何人獨早歸高天不可問直道未應非小
店藏深樹長堤護晚菲老農家隔岍媿爾闔柴扉
泊舟將落日坐久趁微風市火摇閭井繁星動遠空愁
心悵多壘生事入孤蓬消息淮南北兵戈十載中

口占

芭蕉風過常疑雨絡緯聲多不度墻籬落輕黄瓜蔓好
卧聽兒女説田桑

夢回

四鄰寂寂歇池蛙几席生明月半斜秋夢初回欹枕坐
時聞窗外落蕉花

旅寓感懷

蕭齋寂歷斂秋光百如感潮欲潰防往事塵埃淹白日
逢時天地肅清霜元雲垂樹生寒色錦樹迴風起暮涼
惆悵章門開府地牙旗依舊憶登堂

海嶠江關接薊門廿年蹤跡没蹄輪亂時聞見增懽少
執友文章竝世尊闕月未收孤塔迥寒鐘初動一燈昏
山河迢遞旌旂滿欲賦東征未可論

旅夜讀張亨甫先生詩因有感於芋仙椒岑穀甫

諸君慨然成韵

清才牢落幾人憐讀罷遺編一愴然供奉疎狂人欲殺
嗣宗痛哭世空傳要知神驥難銜轡自古羣飛總刺天
不信蒼涼今昔意孤懷觸迕又尊前

夜眺門前清景可愛明日寫此以示芋仙也

風宵佇寒薄澄景媚冬妍水明澹疎木月地生微煙短
籬吠犬巷遠火扨魚舡車音何方來佳人不可延

豐城阻風寄強甫庸盦

江城寂寂楚雲隈竟日孤舟看鳥迴野霧欲沉風乍勁
寒波漸起雨初來沙頭白鴈深宵過夢裏黃花昨夜開

七十八

七十七

七十六

此別離愁更何極白溝河北是燕臺

江行口占

五老香鑪杳靄閒晴湖百里水灣環曉來江上東風熟

又看匡廬側面山

曉日烘江似蘗脂長空窈窕挂帆遲無多乞與天公便

祗借南風半月吹

東流除夕

我行近鄉國[illegible]

便風入瓜州口遂至揚州

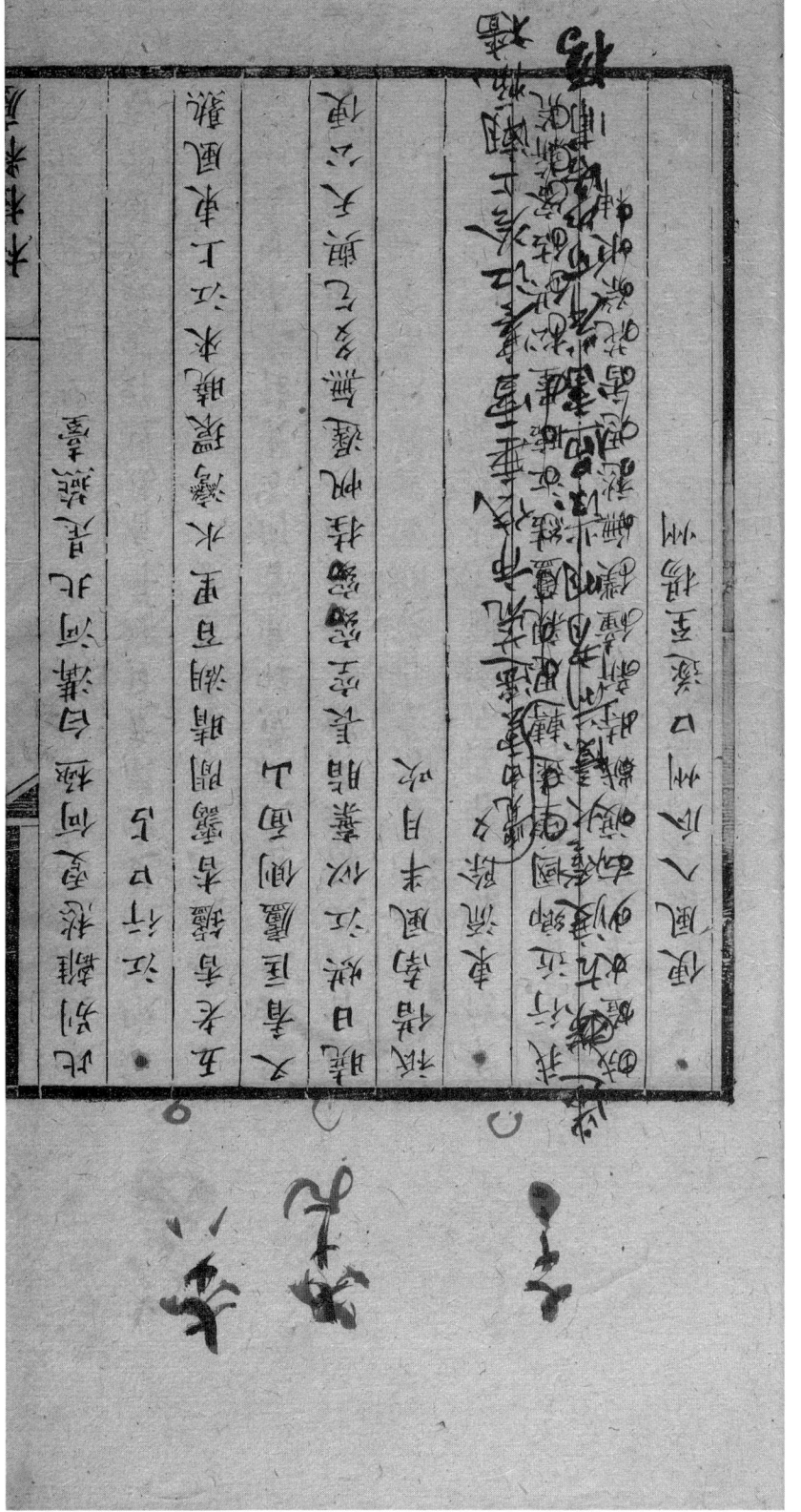

一夜東風蹴浪鳴掃空特地送朝晴節過雨水知衣暖
路入邗江喜浪平寂寞春潮迷故道依稀賸木點荒城
不知梅嶺隨隄外絃管樓臺又幾更

野廟

野廟臨荒渚停橈一訪尋湖煙晴后沒江水到門深
一松僧去後傳短塔殘僧骨寒爐古佛心何年斷碑碣
拔蘚更泥吟

倚樹任苔侵

權維春岸前村落照横
犄角閑城

絶岸風城起歸人欲渡喧亂鴉争獨樹墩收遂孤村落
照含漁收網平蕪捜濯園田畑時闘壁閒悵鳴鵲論

古樹精廬

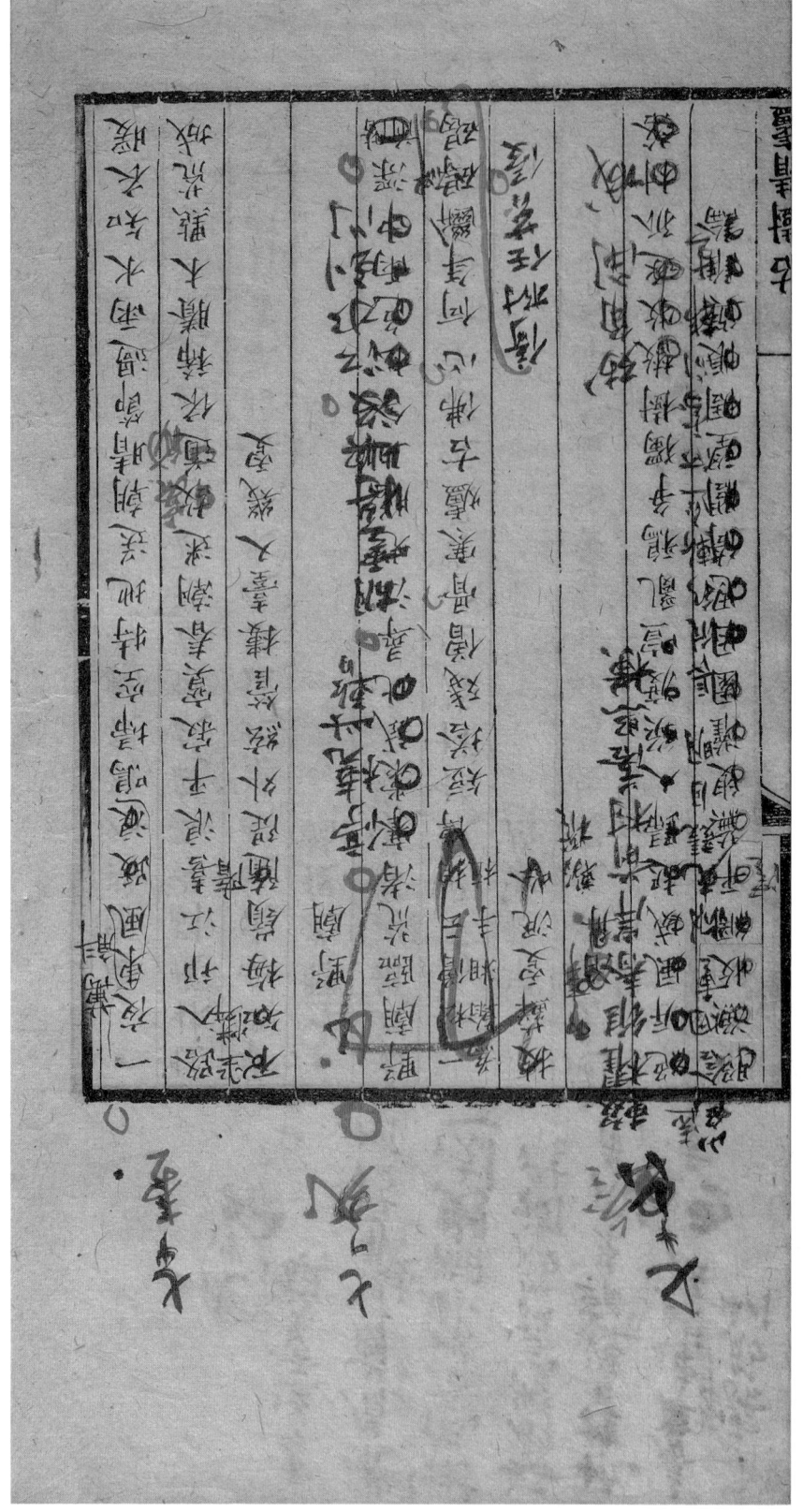

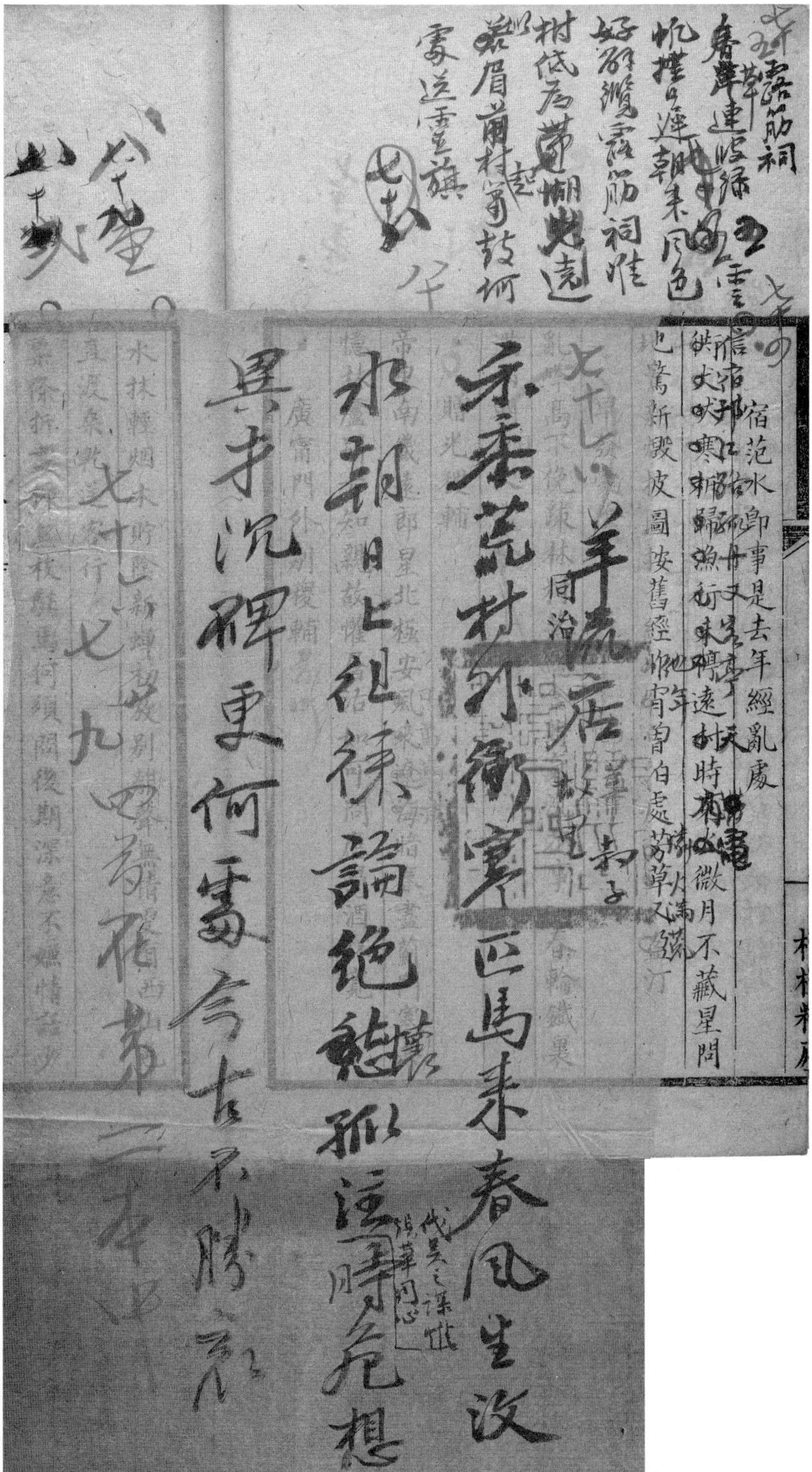

亂峰高下倚踈林村落迴合野
滿山朝夕又蒙陰

贈光稷輔

帝里南畿遠郎星北極安風來遼海暗春盡薊門寒共
憶林廬別方知親故懽屠沽如可問應覺酒杯寬

廣甯門外別稷輔

八十四
出塞

離亭相對又移時

水抹輕烟木貯陰新蟬初放別離聲無情還自西山去
直渡桑乾送客行
柔條折盡猶無枝駐馬何須問後期深意不嫌情話少

八十三 過邯鄲有感

趙目平蕪(沙)接白塵逢場驅馬感(慨)真西河無
術争胡服東海何人郤帝秦渺渺關山空沉
伯業蒼蒼城邑見遺民一杯村酒空調瑟坐
想當時頗牧倫

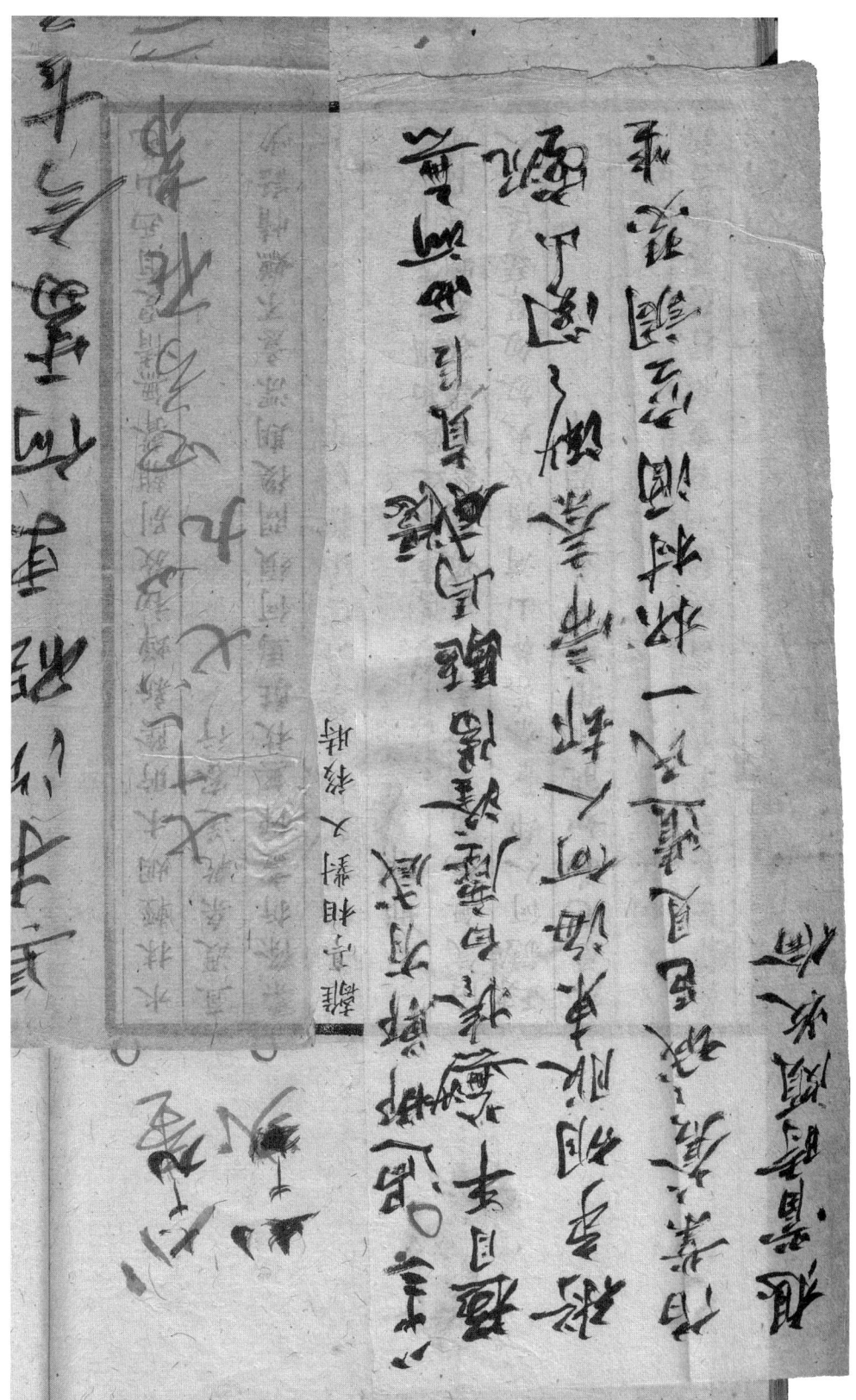

水抹輕烟木貯陰新蟬初放別離聲無情更有西山色
直渡桑乾送客行
柔條折盡柳無枝駐馬何須問後期深意不嫌情話少
離亭相對又移時

邯鄲

伯氣無端自鬱伸（時衡舊事感逢辰）平原遺塚幾經春（南朝大厦）鐵衣老將思臣趙
東海王孫何人郄帝秦莽莽山河猶戍火匆匆琴瑟送佳人
九原毛遂如能作攬轡停車欵問津

初得家書

荒雞飛夢三千里春繭纏愁一百重祇抒恐憂無吉語

古樹清

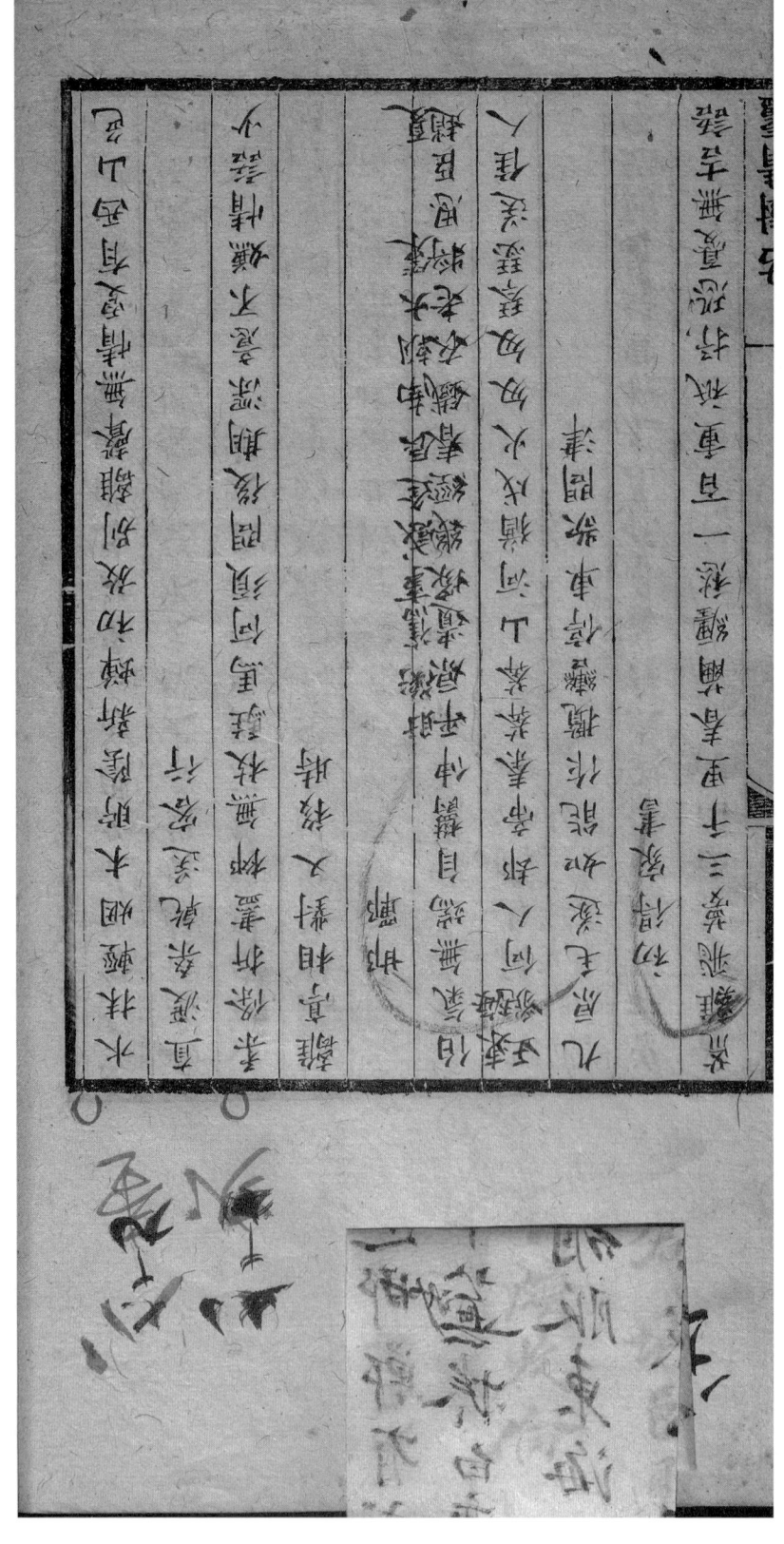

每臨細札怯開封
曾將琴鏡貽徐淑未許蒿章枉彥先撿點綺箱翻錦字
開緘不信是今年

潁上晚泊

潁水迢迢艤櫂孤白波吹月墮菰蒲風前老樹秋相似
天外遥山淡欲無把酒憶曾陪北海收身誰與乞西湖
短篷明發淮陽去雲木陰森謝豹呼

寄別何鏡海觀察馮子良太守

兩度征飄別豫章又從文水望微茫楓林帶葉收殘暑
江水含秋送夕陽曾記量材思借尺即今舊吏再依棠

鏡海權巡吉贛時余方宰安福山公東閣能容膝惆悵何年到畫堂
束髮能思長者言蓮門今喜過高軒憂時深處常虀坐
坐酒吟成歎閉門子良致仕數年矣藜杖久知安寄圃子良僑寓章門
布帆聞道別山樊鏡海時方奉諱將之金陵謁曾相晋公若問當時掾
寮落青袍霜鬢繁

舟中遣懷

開歲日及五行李出邑門宵舟宿村語懽夢栖歸魂曉
榜發川未晨光被山樊樹煙澹在杪潭石清見根始春
艷陽薄積雨微寒也我生飽徒旅夷險常覆翻豈味諳征
昬暫茲別凄朝昏宿心累簪紱終孤揔拙隱言

還縣道中作

草茅變原色潦徑起晴堁風噫曳餘寒田梳待始播方勞首塗慮夜膽風浪破披拂元龍床顛倒王恭座平生惜喜怒虞緣一擲挫刓乃棄天親懸瑟蘄孤和攢心逝發駕落日臨水大廣笑侏儒飽黜省翳桑餓

送篠塢弟歸里兼問徐穀甫

爾攜湖上匡廬色瀉暑懸飄日向東遣興六時中聖酒披襟一路少男風鑪邊往事屠龍狗澤畔今誰集雁鴻今年久雨江漲田廬有漂没者為問南朝徐孝穆可應嘯傲舊時同

酬馬仙樵即送之貴州軍

火風嘵日火雲垂花落山城駐馬時萬里蒲桃曾轉戰
五溪薏苡任羣疑君與人禦賊撫州賊自它處入君獨被吏議何人瘖口争
金幣往事傷心憶皷鼙道光庚子辛丑間君從戎于江廣辦吏務有聲劇談間意氣猶壯
聞道夜郎勞上將看君矍鑠擲南夷

早發

月地光欲微雲影凝不變促駕即泥塗屐滑驚偶援吾
生久行役甘苦倍經鍊追昔馬争途感今鳥知倦宵輿
殘夢續屢呵不能欠野棠絓幰過飛雨時著面老樹合
重陰天光讓一綫情來與送將境往悲同餞行行眩朝
暾攖世敢安晏

酬馬謙谷官齋夜坐之作即用其韻

牢落天涯廿載餘親朋幾處别林廬卜鄰自分心難遂下榻聊欣約未虛閑閣吏人催署字放衙官燭照攤書坐思絳帳請談日茗迹猶堪問舊居

書事

滄海無端羽檄紛驚心　國事儻傳聞竟要粤使歸三葉故假虞途起二軍周德中興茹獵犹漢廷上將集風雲更聞　廟算隆諸葛銅柱南天定勒勳

贈鄭容甫至

賓館悲懽二十年舉盃重喜到南川平時論字推丁廙

十載延師得鄭虔故里雲山淒往事高城燈火變寒天
買鄰千萬應何策已負南村數頃田

胡慎思歸里營葬既別感賦

不信人間有巨卿六年空負死生情日斜村徑聞狐兕
草合棺題沒姓名華表鶴歸應恨晚麥舟人去正初晴
白楊蕭瑟通幽感夜雪寒燈夢儻成

登望湖亭同彊甫任庵

十載南天一客星扁舟五度宿江亭清笳聲已迴天地
濁浪威猶走電霆杳杳帆檣雲際白溶溶山色雨中青
仲宣大有登臨感七字吟成未可聽

九十三

還至桐城居二日輙復南去留别戚友 戊辰

田塍過雨日初斜眼底青來識白沙廬墓故諳靈運墅親朋交止嗣宗車乍歸成客煩供帳久宦如僧不戀家此去郵程應未遠不須書扎效秦嘉

過馬命之故宅

蔓草連雲故宅荒寃魂誰與問穹蒼當時鴻策紓家難一夜烏聲痛國殤大野秋晴蘭圃沒高城陰雨櫓旗

可憐野老攜……祠壇寂寞松楸

歲暮遺懷

萬木凋枯絕障開高原極目恣徘徊天清五嶺雲霞出

日落三江風雨來遠道故人書久絕近時傳語事多哀
相思戢晚空蕭瑟況聽寒鐘入夜催
汲黯高風已寂寥漢廷桑孔亦雲霄募畊舊族無三戶
徵餉新章下百條南徼兵戈淹日月西征弓馬賜嫖姚
請看飛輓連江海壯士魂歸未可招

奉寄滁生相國

十年伏節奠神州更領河山表薊幽梔鼓秋清三輔盜
竹鍵春障九河流諸生此日誰爭長部曲他時半列侯
聞道津門集烟舶籌邊應建海東樓
東巡碣石臨滄海西渡滹沱見太行十郡壘空宵掩雪

九邊烽靖曙凝霜定知禮樂能興漢共信安危久繫唐
玉燭調成收戰伐黃扉想見鬢蒼蒼

憶昔

春來杜牧鬢如絲醉後微吟憶昔時匹馬遥尋樓上客
雙蛾争進席前巵長宵合手彈胡拍半醉凭肩品竹枝
湖海一尊車馬散中天又見月如眉

葑溪

筍輿高下趁荒雞細雨生烟路欲迷村市自成雲木外
板橋知在粉墻西孤花出澗紅初綻凍麥依山綠未齊
馬足暫停時問訊響泉聲裏是葑溪

• 懷李芋仙大令

古寺無僧積葉紛高齋獨坐感離羣寒風入樹宵疑雨
薄瘴生山曉似雲幕下記曾容謝朓座中争許謁田文
祇今寥落江湖遠回首章門一憶君

• 自題清夜聞鐘小影

車鐸尋誰空地鳴悠悠遥夜惜平生一千里外愡中月
十五年前飯後聲永憶妙香魚磬寂徘徊秋樹斗參橫
柴桒故態猶無恙又費丹青勸耦耕

• 初度次日湛士兄治酒招容甫庸庵小集

撫鬢頻嗟歲月更暫將花事遣吾生當階種竹逢新雨

傍石移花喜放晴海上鯤鵬空自化梦中蝴蝶謾相驚
親朋健在年華老百榼傾翻未許醒

刻張亨甫集成以一部寄其門人李鳳儀明經雲詒復綴一章

冠絕閩才五百年天南一綫幾人傳竟無明詔求遺草
曾見諸生守太元此日青箱煩後死異時朱履記前賢
廿年滄海同多感烽火無端又黯然

葉松亭歿三年矣其子桂山茂才自里中至商所以歸葬者且索先大夫集感令悼昔泫然成韻

化鶴千年事杳冥坐思故友淚常零生逢朱邸推名士

死别青山尚客星有子能傳靈憲術向予遥問太元經
天涯回首仍多難話舊停觴未忍聽

送桂山赴試金陵

片颿遥挂火雲紅送爾扁舟别武功山色晴開雷岍北
潮聲宵滿海東陵三秋風訊思王勃仍是世天官屬史公
此去倚閭應有喜坐看鷹隼擊霜空

題張亨甫先生博陵登眺圖即送其孫心葵歸里

送爾南歸出近郊可能三徑有衡茅文章無力驅窮鬼
世態何人廣絶交四海昔游冠劍盛一時圖畫姓名淆
摩挲蠹軸成真刦風雨扁舟泣夜蛟

寄江侍園廣文

先生桂席向滄洲彈鋏吹竽近十秋傳道銅章方耐冷還家錦瑟頓生愁雲山擁樹臨荒圮風雨連江入郡樓此日相思殊未已大觀亭上月如鉤

送鄭容甫

秋城霜色斷晴暉八月天南未〔雁〕飛簑裏疏章長太息尊前風雨送將歸帆開渚北逢寒露木落淮南念授衣自有休文識劉勰莫教心思感芳菲

生死論交未許同離筵何事太忽忽詎應驪唱由窮鬼儻是蛾眉忌國工（君夫人不欲居此）山色朝開三楚遠濤聲秋

撼大江空闊河從此音書異夕少淒凉入夢中

・寄懷徐茱岑

天外相思一千里篋中書札十分愁江湖有地容陶令朝野無人識馬周見説歸來松菊在關心別後稻粱謀閉門種菜英雄事謾為聞雞更倚樓

送人歸里

送君返鄉國轉惜未歸同膽氣客中小人情亂後非客星争月瘦寒雨減花肥不為黃華住相憐社燕飛痛飲終何益開筵總黯然長為百里客休買五湖田樹色來時路濤聲夢裏天江神應恠爾此去又三年

柏樹精廬

溪山夜興

樹杪上烟月溪頭獨夜歸㚥松疑鬼立俊鳥逼人飛山遠寺鐘動竹深鄰火微誰參元妙理即此發清機

農家

吾愛農家好沿村長薜蘿柴門無夜吏社鼓起鄉儺樹瘦風烟少塲開東穗多東鄰新釀熟竹徑一經過

會真觀

破閣挂土塵何年玉座斜開門山鳥鬧題壁綱蟲遮桐葉凋經苑茗茶足道家源頭有活水不用借符賒

西鄙催科值雪

朝牖斂風寒開門霧如積匹練墮方塘不知堤草白既染陌上林漸折櫓端柏萬籟寂無聲坐失雙山碧顧瞻室宇中寓輿無簡策民職昧常供吏道慙俗革文寒下危坡蕉竹凍全塲萬里閉戶深獨契孤松遼遠媿袁公卧將從楊子宅

開歲三日宿雪未消往叅郡守途中復雪舍輿而舟示同人

東雪出郭門積素平如掌碧縈溪一綫白眩光萬丈村嚴閉人跡禽寂絕籟響乾坤潔白塲振策獨來往雲際忽寒開風中旋翳朗天榆散新英罥鶴落餘氅鷀眉壓

頭過廻磴緣氷上陟圯理違今東帶情感曩將毋謝役
夫遵渚理舟檝

無題

小時閲閣識雲仙珠箔初紙未暑天剩得猲衫餘浣在
祇今未敢信當年
墻花欲暝掩重門蘼徑依稀認印痕二十年來春夢過
碧牕燈火又黃昏

浣花

浣花溪畔錦城東百尺朱樓欲倚空十道湘簾隱簫管
夜深和月動天風

南去南臺路更西礙門蘿薜與檐齊相逢記在春風日無数飛花滿碧溪

戲題庵壁

瓢笠如雲任掛罫出山猶記在山寒只縁未受荷香戒誤把拈花當色看

寄懷客甫

爾去客鄉國雲山好傍誰人來傳語少書到隔年遲江路黿鼉出長淮虎豹饑高天數歸雁何處寄相思

迎春東郊

迴盤萬樹倚晴天春杖遥依驛路懸溪水半圍明粉堞

黃溪汗漫

板橋一道簇花鈿山容繞郭猶含凍柳意沿湖欲化烟

歲竟係名知下考幼農久慨奉積錢

春日漫興

積雨纔晴冷未收無端官閣動春愁乘時事業輸青史

多故年華易白頭犢角出墻將裂砌花光穿檻欲登樓

思來好景請游去宴敍嘯奇懷呈共此

四十初度在郡城映文為置酒召客輒謝一章

客裏逢初度清尊慰鬱騷斜光下池柳春色借鄰桃閣

望煩頻語鄉心釋吝勞不緣深宅譙誰解素情高

有感

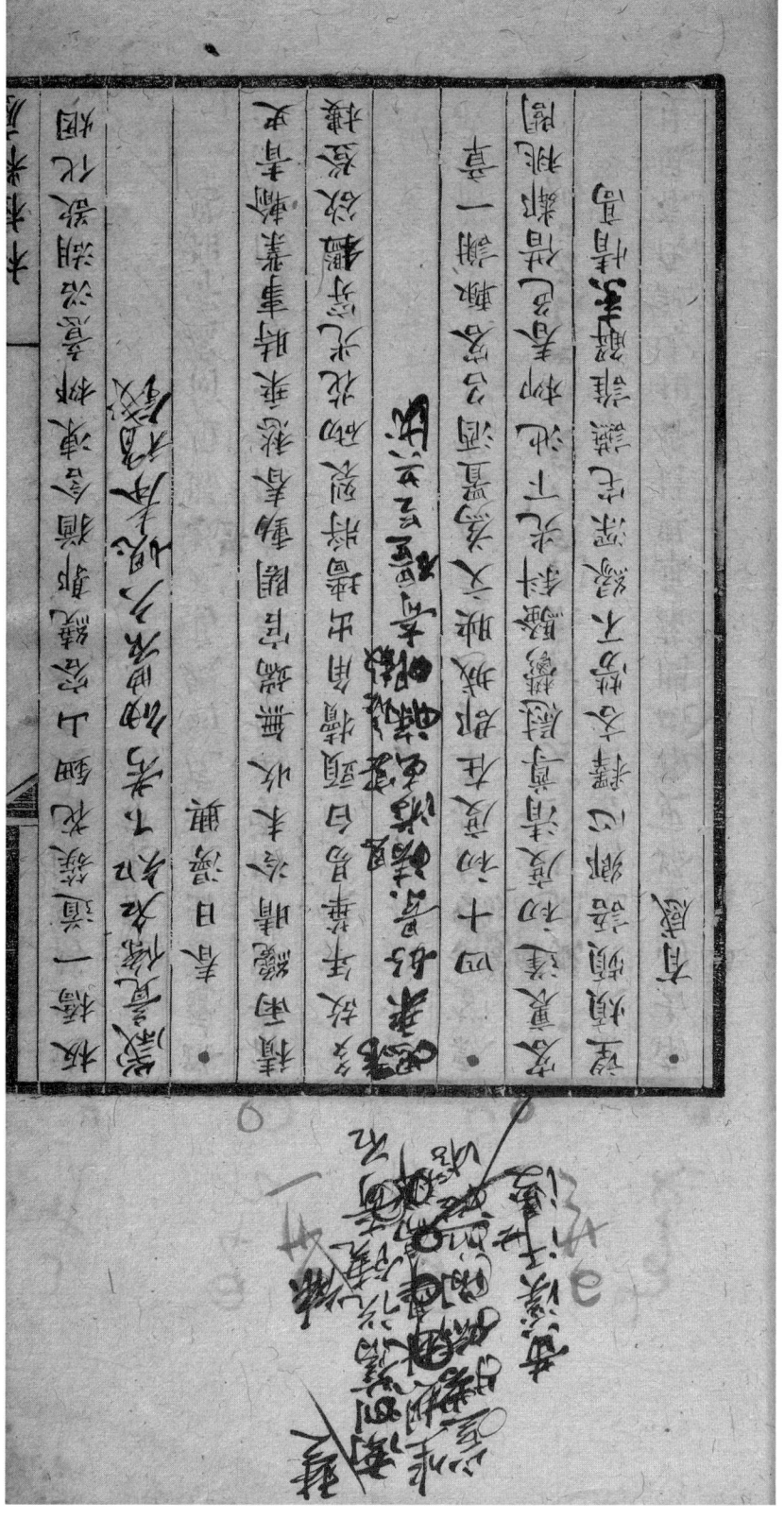

晴苗飲雨夜懷新坐對溪山媿此民高士通辭思拔薤

昆戎習俗易移人敢輕世好嗤求富自昔高賢樂食貧

便擬抽簪趁秋水棕陽江上問垂綸

送客

久宦如雲展碧空年年送客任秋風寒江不共歸心斷

依舊東流向皖中

海上成連去未還蒼茫獨立對青山恠他艇子無情甚

載盡離人未肯閒

周引之齋前其孫插柳一株今來成樹矣而引之

亡感悼成詠

五十四　五十五　五十六

坐見柔條碧漸濃小齋無日酒盃空風流不復逢張緒
憔悴人間一禿翁

南郊吟

南郊稻粟登塲早黄雲垂野霜色飽葢藏已了吏心安
政拙不求租賦好可人楓葉染寒山眼明官裏掠餘閒
已知運會扶持亟且喜身卑進退寛君不見漢廷計吏
盈朝會課租惟有倪寛最

醉題

男兒四十鬢如霜底事尊前太息倚劍清淮憂市虎弢
弓海上望天狼一時風尚和戎論舉世誰尋結客塲舊

習未忘君莫笑短衣杯酒勝銅章

寄懷沈中丞葆楨

天選儒臣　詔起家樓船嵬嵔壯中華河源奉使通安息海上推鋒繫呂嘉從此魚龍收駴浪即今翡翠怨清笳籌邊大計經營苦坐見奇勳勒海涯

秋色無端動遠思茍香坐接十年遲吳公已去誰應薦劉勰初來記見知綿邈予懷悲祖道蕭條民氣異當時斗南悵望思投筆短劍摩挲兩鬢衰

十月望夜

九霄大地都無礙一片虛明萬象空解道天心來復意

[illegible]樹精廬

最高寒處正當中

當年鼓角下神州素影涵江入戍樓等是團圞照游客
一庭幽冷勝中秋

曲罷霓裳又此時羣仙不赴廣寒期嫦娥自耐清寒慣
孤絶人間總不知

人天一氣本相通法善何勞設幻工記向吳剛思借斧
杵痕著處至今紅

木芙蓉

舊圃依稀花事沉殊方景物且登臨金閨酒壓三分醉
玉沼霜寒一夜侵蜀國譙游如夢過西風欄檻又秋深

病夫久入維摩室更散天花恐不禁

山如容甫各有乞茶詩贈湛士大兄因戲為一篇

老兄臨窓試火爇能識野鶩守家鷄舉頭罷筆睡魔苦
花甆點注煩彝奚故山老樵擔頭摘小囊捲口浮春碧
披雪寒瀑不論錢借抱軒前澄擅石廿年渴梦椒園遠
谷簾雙井同愁損是誰遣此一窓晴溪水濺濺車出阪
藏神疏圃牧猪羊可憐亦與澆肥腸請兄愛茶如愛璧
出山之泉渾莫汲好友二三慰良夕

答庸菴

一冬不作雨雪計山氣竟日連天沉驀來水面作微響鳩

摩翻鉢倒萬針雲師不到日車處孤輪停礙膏脂深方子温如絃在琴時能域外求好音為君火速追清景卻憶蕉聲枕上尋

邑人趙存之招飲席上賦贈

趙公四壁不徒立插架萬卷多兒孫偶然留客出飣餖纖鱗飛雪棃棗繁法曹供帳非步兵想見襆被開酒樽十年厭嘗大官味谷口晚聽漁樵喧劇談狂飲江河翻奇氣能令室生温況釀寒霜不成雪東皇歸去留春痕官下奉職懃水渾抱兒拔薤君當言握盞縱橫放大快可能赤子皆飽温脱帽停觔三歎息公應齒冷腐儒論

星斗壓檐光入座酣醉一笑忘出門

● 舟發有感

平生心事百分違欲話私恩意總非曉放扁舟更西望洞庭湖畔亂鴉飛

● 送人

武功山與白雲齊為送君行憶路蹊十幅蒲帆千尺水載將春色到湘西

連朝煙雨春晴乍二月山城謝豹稀此去莫教春意老畫梁春燕待人歸

大江北咽前朝恨匡阜南埋隱士琴料得歸裝佳句好

一船風月載清音
君乘湖上桃花浪飽挂天涯楊柳風爲問故人劉子驥
武陵清興與誰同

酬羅花尹

春來檐雨常侵座喜得雲章意頓開江表新交羅願少
洛中佳士陸機來共看蕓蕿標文采漫爲風花惜酒杯
明向長君問消息定知詞翰出蓬萊時令兄同官于安福

曾滁生相國輓詞

閶闔嵾嵳欲問誰無端消息哲人萎一時婦孺同垂淚
半壁東南定圻維憂國早知筋力瘁匡時永動廟

堂思天涯更有邛山痛孤負諸生會葬期

湘江衡嶽鬱英真閒世天生社稷臣議禮竝迴三殿詔
提兵坐埽八州塵樓船親見推楊僕旌節翻宜借冦恂
一事未忘蛟鱷在怒濤應共海雲屯

無復金沙共枕戈艱難往事憶如何囊中奏牘乾坤繫
帳下英才將相多為我延師親鑒駕負公雅意望鳴珂
平生處處存風義不待西州掩淚過

憯澹山城噩夢勞衡恩淚濕舊征袍劇憐三語蒙清識
獨許儒生署末曹報政有書遲簿史餞悲無路攤溪毛
招魂思賦空吟望風雨無邊碧落高

富池寺

一月官輿十迴往谿山笑人空鞅掌富池寺前老農語
今年賤粟何由長深林蕭〻薄日平野水澹〻烟暝生
前途更借蠟炬明居人開戶愁雙鉦

詩社分韻得秋蝶蜻蜓

亭館花稀柳欲衰雙飛草底夕陽遲新來勝事遊人少
舊逕名園老圃知到眼畫圖思帝子關心金粉付紅兒
腐儒亦有莊生夢衣扇飄零又一時

蜻蜓

芰荷風起柳圍橋檻外離魂未可招點水身疑隨絮化

入林翅恐共烟銷高寒玉沼饒清露浩蕩雲程任碧霄寄語江南小兒女膠飴絲繳莫輕調

送方山如就試江甯

少日瞻依名輩過天涯談笑後昆存二年賓館如兄弟五世交情憶祖孫海内憐才風義在禁林棲翼露枝繁讀書食報尋常事射策歸來子細論

詩社分韻得十八夜月

霓裳舞罷秋容倦姮娥羞掩三分面人閒兒女惜破鏡天上秋期已再變前宵羣帝醉簷諸玉女笑墮金銀釧拾挂扶桑待斤鑿媧石歐金三日錬從此西皇闕廣寒

纖阿漸掁冰輪轉愛惜天香怕染塵花鬧不許枝全見我來琉璃宫玉山倒寒殿西風三日吹酒醒瘦損清光猶可戀回頭却望金蝦蟇剥蝕欲半留一線仙人後甲呑靈藥顧兎先庚同一片流光納户牖盡拓窻四扇清宵三十一夕圓弦满須臾看脱箭乃知好景不常有今古天心珠在穿人生閱世如乘傳烟水霜山時一眄前日罇罍今日詩三分明月二分見即此嬋娟意欲闌猶将火速追飛電安得晝起八萬二千户七寶修成夜〻照清宴不然典守弦期解道危造滕曲室閤許掾

秋夜雜感效梅村體

五十七　五十八　五十九

湘簾畫上帝車横雲物初凋夜氣清桂露驚風珠錯落
竹泉瀉月玉琮琤微茫葭菼思秋水慘慄江山冷故城
聞道漢廷　明詔美江湖廊廟不勝情
玉軸丹書出鳳宸山東父老淚潸頻彌綸工事風雲會
僕累河山日月新閶外有人争運甓都亭無復見埋輪
八溴從此看波定不用煩憂到小臣
曲江風度望難希機鑒當時四海歸坐上藥籠洩勃具
囊中蟠木朽枯稀深源北去名猶盛安道東來事已非
幕府誉髡遼海濶高秋鷹隼莫空飛曾滌生相國開府南北辟薦闓廣今昔直省疆吏留心學問推舉習日趨幕府之士半爲公所羅致

又半皆

古樹晴靄

緩帶輕裘列闘升餓麟饑虎各攀登五侯鯖餜傳樓護
四海龍門望李膺相國合肥洛〻郊原披褐盡茫〻江漢
濯纓曾獨憐高士南州去秋舍追隨語未能合肥徐異甫孝廉浩
然歸
隱
吳山楚水澤寄身偏老去誰當訟異賢二項破田何允宅
五湖秋水米家船滄洲且喜干戈定容路何妨藥石捐
最痛秣陵風雪裏扁舟書卷對江天莫邵亭夫子被徵不出求得曾相檄
編訪江南遺書戊辰春予過金陵同阻雪于燕子磯三日別去遂不相見
剌桐城畔浴樓鴉隔座飛觴笑語譁裏葉檳榔春並蒂
傍釵茉莉晚交花早時魚藥留皃舃中夜人琴感鹿車

知否板輿曾有約秋風葛帔念西華己未庚申間客泉州與孫子春別駕觴讌甚歡孫有板輿歸養之約余來江右孫丁内艱旋亦殂逝今有一子在里中

早歲携囊過梵宮碧梧疏雨寺樓空黃梅上座推神秀絳帳經師重馬融丈室有階巢野鴿佛堂無壁吽秋蟲相逢健在還惆悵經苑茶寮說字功弱冠就表兄馬命之於大甯寺常泰和尚方丈學書寺燬後命之殉難於舒城而常公亦入涅槃

芙蓉墻外近銀塘小客甌南未十霜齊贅天涯逢敬緒難兄人世見元方潮生壯蠣添盤味雨暗桄榔長夜凉鼠臂蝨肝兩蕭瑟可宜回首少年場乙未避亂福州依張伯海姊夫時伯兄慎齋亦先在閩深得急難之助

一自妖星照上游無邊戎火逼天愁三年木榻栖遼海
五夜彤戈枕歙州馬鬣蒼皇悲道路貂蟬寥落負兜鍪
祇今衰白風塵際敢向人間問菟裘

嗚嵴吹角散榛蕪鄉夢關心菜子湖陌上賣花金谷地
壚頭沽酒梵宮祖宿名江左恩龍躍耆舊襄陽失鳳雛
最是金盆仙井畔不堪秋雨憶王蜀

潎廬舊倚夕陰街捲幔秋來爽氣佳栗里已虛眠五柳
瀧岡空憶植三槐分深指宅雙珠耀故宅借與子襄篠塢兩昆季鬼
訝營方一笑偕宅燬於賊者大半每欲營之無貲而止元亮未歸句漏遠
年年明月滿高齋

破車殺馬成虛誓聊欲弦歌作經資換縣賞恭慚並治
（余始以湖口與安福對調）審能蘿稻竟何宜稷鉏箕帚秦風惡神鬼
丹青越俗疲木葉亂飛人意倦宵深匡坐憶蓴絲

八月賓鴻未渡河無端秋色動悲歌湖山西道遊蹤少
故舊南州藻思多野馬影中心護落荒雞聲裏歲蹉跎
興來拋却窻前鏡叉手行吟若解疴

八月十五夜與同人西郭泛舟至一覽亭遲方任
菴庸菴不至歸柬同人並二方

依辰秋魄渾無事怪底人間競遊戲老子清興亦不淺
絕江一櫂琉璃碎朦朧樹色隱微峯雲波片片青芙蓉

王平一 四十二 四十三

夜深不作小海唱恐便驚起龍宮龍
橋欄東人如半暈千頭萬手相摩進長年亦解愛蕭瑟
投篙疾過秋鷹迅石寒水落魚阻梁輕舸忽瀉溪流觴
息肩息足兩何利娓此蒲船明月光
大樹交柯如鬥虬小樹列岸人對愁清空無繩繫孤鏡
湛〻欲墮鯿魚舟蒼山數轉坐超忽谿光沙色望不歇
但添葭葦綴菰蒲便抵吾鄉練潭月
微風織波纖鱗輕吹船著岸沙頭橫良朋隔城望不到
燈火徐散蒼烟生迴船陳迹已如夢酒香未歇絕茶香送
十二萬年同刹那請君行樂莫教空

曉起

芭蕉作雨聲熫月驅夢覺雲意緶宵風蘆懷萬里溼起

視階前露微寒生布幢嫣然牆陽花探紅入屋角

鵲噪

我生若風萍古卤聽時遺渉世馬脫銜寸心飽在炙如

何雕陵鵲連翼摵宗廇起逝方兩三絮語徘徊又化鵬

信有得感鵬誑成呪得失兩同幾商雉亦虛雊安能壓

巢耳妄埘羣兒詬

秋懷東湛士

萬籟日有聲馳陽欲無色崴與古人遠生爲來者惻掩

卷出前堂雜樹招疲翼老蕉閒芙蓉風韻天然得日習
衆化中郎事欣在黙推懷樂難同測世情易迻方将謝
輕裘安問顏與稷

同人分韻得孫夫人

柏舟憫共姜截馳恼許穆世亂健夫眩丁會况嫚淑夫
人閨中秀帝室允鳳卜大計失歸吳窮悔痛殉蜀眷西
杜鵑血沉東精衛木至今江上浪聲々與淚續節重遼
海甯才憐當塗戟管內詎乏策湘沉同可哭撫事憶風
人萬古淚一掬

百花洲荷花盛開集同社避暑同賦

山色帶城遠湖光浸閣多宿雲淡疎木朝日艷新荷永
憶斯人往還欣勝地過競傳舊臺榭風景更如何

蓮社分韻得陳蕃榻

千載東湖一片水洗盡洪都千萬耳感人獨有漢陳蕃
好士風流今莫比憶昔五馬來豫章西山南浦雲霞長
廉泉一掬欲招隱餘事不復開軒堂高風當日欽徐孺
閣雲落〻時留駐郡齋坐具真絕特不許豎子同幽步
勝概還〻二千年幾人信古青簡編蓋嘗已死平原老
我來不見空流連流連光景嗟遲暮美人迢遞不可渡
波徽湖水逗秋生弔原那識長沙賦吁嗟意義陳迹都

梧檻精廬

塵埃徒合後世摩挲遺物生悲哀酒酣望古不可階拔
劍起舞石爲開傑哉二子非凡才

蓮花絕句

曲塘隄畔路東西野水深深没岸泥菱蔓已生瓜正熟
清香一片月初低

輕搖艇子小橋東萬蓋亭亭綠暗通收拾釣筒歸路晚
一船明月藕花風

風送微涼到檻亭朝暾映水欲生雲一雙白鷺銜魚去
飛入花叢便不分

仙露明珠出鏡湖此生端合老菰蒲揭來底事煩纖腕

清簟疎簾伴玉壺

蓮社分韻得秋燈

兒歲琴書意味違漏聲初永雨聲稀關河難結思鄉夢
鍼線平添寄遠衣冷露一天侵戶牖悲蟲四壁下簾幃
空堂獨坐頻挑草只恐明朝燕欲歸

疎窗懸火亂流螢小閣深深掩畫屏九月衣裳添夜線
四圍風露讀殘經徘徊壁影頭顱白自昔膏焚汗簡青
霜氣入帷蟲語急不知涼月到中庭

蓮社分韻得李廣

有相詠降論兩支文皇曾惜不逢時安危七郡誰書最

擁

回遠孤軍豈數奇生擬侯封慚從弟死傳鹿觸痛孤兒

引刀幕府真男子長史何嫌上簿遲

和方竹如用子重陽東湛士詩韻見和疊韻酬之即送之汴梁

計在安成日驪歌聽疊三春潮上汀渚秋葉下江潭客久知津館歸頻識野庵無端又霜雁催斷夜深談

權卷窮山海揚舲按水經八荒歸斗室萬里起中庭問世頭空白逢人眼共青莫因懷刺倦不肯獨為醒

官舍多同里情親暫艤舟坐無寒具手味有晚

甘侯萬壑飛黃葉千帆起白鷗相逢復相送海
内有羊求

浮家少長策老屋近官齋别圃分花藥寒
門問米柴牛羊山下路雁鶩水邊厓令弟相思
處遥知動旅懷

重陽柬湛士兄

節序逢重九清游憶再三霜楓下長壑晴瀑瀉秋潭載
酒寒知閤烹茶漱石菴至今行樂事付與老農談
四海滄桑後吾鄉祗再經菊籬留井砌苔徑失門庭草
没荒城白山童借雨青天涯各回首未覺夢魂醒

古樹青

好是秉秋水辭官放釣舟有田堪養母無骨可封侯朝
事思鳴鳳生涯狎鷗誰能同此意何點與何求
惜抱軒何在言參拳理齋溉霜谷口樹斜日杖頭栄以
我輕前業送老返自居何當元亮井佳日一開懷

● 村東

羅秬齊收野色空晚山如畫小村東林煙淡帶寒流白
霜葉深含返照紅拔薤人歸過犬茗賣魚船泊傍牛宮
臨風獨立看生暝清景依稀故里同

● 除夕

酒〻官舍晚不覺歲時深風裏迎春雪燈前餞臘心兒

恩補在此

安成侯代四首

在第三本內

童看長大親舊幾升沈埽却鄉園思掛盤且盡簪

悼亡

無復衣香送板輿高堂白髮慟何如時方引疾常悲死別拋

官舍竟不生還入敝廬謝豹驚寒春夢斷郭公啼雨夜

雲虛牀書壁劍仍無恙又見篝燈照綺疏

碧落黃泉兩不聞夢痕兒女說紛紜豈堪弱質禁風露

定傍家人返水雲歷歷來時江上路離離去後檻前裙

自憐芳草能相傲尚待王孫共夕曛

想像平生事總差長生虛約此年華秋風窮谷鳴鴻樂

春雨離亭挽鹿車桑土心情悲就木蓼蟲身世更空花

可憐六載丹爐药悔未同求勾漏砂

衙鼓隣雞獨夜遥殘燈挑盡雨蕭蕭傷春愁重誰相慰

恨別䰟銷欲自招不信少君能致鬼剩憐弄玉枉吹簫

無情腿外親栽樹依舊亭亭緑過腰

與振甫曉吾夜話

玉露生寒月挂檐劇談鄉事覺愁添高風記見劉真長

薄俗還思李士謙萬里梯航方北拱千秋史冊起遐瞻

名山大有關心事凶吉何勞問尹占

湖海蒼茫極望頻漫漫長夜憶天民雞聲到耳原非惡

龍性為人豈易馴梁地故交思劇孟桐鄉山色属公麟

破車殺馬君休惜試向瓜田一問津

聞詔 蠖濩蜵蠕 棱鶺棠龢

圓明園倚大行東井幹神明累聖功太室晴空開周洛神嶽

璧邑黃河春繞漢離宮木蘭不見金輿返禁籞猶驚玉治

空近道 至尊天下養九州梗梓一時通

贈趙鶴秋

我年二十作文字遲鈍如縴上水船立思行吟坐更起

猶恐訾顡遭師拳解牛三年漸不見謂當天路争後先

武昌城西一聲鼓滄海横流遂十年春花委地襯白骨

秋月當空照鐵鋌懷璞悽悽向楚闕君竽我瑟空流連

古樹清

揭来洪都奉毛檄六一流風空寂〻山青水碧忽遇君似得懸藜與結緑乃知至寶果有真自笑王門空下泣君家江南琴溪傍我如朱邑愛桐鄉盈〻一水遥相望春風秋日照帆檣坐客人〻期玉堂豈知皇黄帝東游（元珠）失象罔求不得乃在文水陽文水陽皖山北投子鐘殘我方去章江秋至君勵翼文章有命售有時聖主而今方側席他年駟馬過荒村莫忘相逢下車揖

彗星

廟戰神威軼漢廷八荒貢楛見盈庭侍臣禁苑争裁詔飛將天山盡勒銘歷〻玉繩依北極迢〻銀漢向南溟

腐儒別有悲時感暑夜憑欄看彗星

暮游東郭外同曉吾

青山御日照城樓共踏暝烟過渡頭雲濛濛(意)将作雨樹聲窸窸不成秋天邊月起光猶淺江上風平浪未收無限清游誰識得芰荷香滿白蘋洲

・廬陵行

廬陵城西山陂陁村舍落落人不多老翁語(揚)肘語鄰媪今年官吏追呼早豚子在圈雞在塒詰朝坐看跕如埽我聞駐足問老翁老翁欲語雙睫紅前年縣尹逢李公催科雖急民情通豈知命薄事難料昔日狐貍今虎豹

東鄰翁媪哭呼天豪家昨日奪民田欲將一紙公門去先費寒機數日錢數日錢誠辛苦天意亦有厚薄時南村苗枯北村雨公家有程敢怨嗟但令無觸班頭怒我聞未畢不忍聽穿林避日還入城城中衙鼓聲彭〻堂前敲朴後吹笙匡廬仙人黄白侶夜来不郭當闗豎大者千金小銖桼要津有路通尔汝日暮傳呼新樂舞明日令君壽小女

●送方介三

人言丈夫不得志歸卧南山側君獨鑱驅走四方縱欲歸卧何由得六月炎荒飛火雲日氣蒸溼如垢氛正疑

帝決銀河水浸倒洪鑪世界焚昨來一夜疎雨過竹簟
生凉添睡課謂當踐約入青原酒鐺茶具圍僧坐當闗
報客清晨來乘輿跛屐容顏開船旗謖謖布帆飽櫂情
别意相兼催人生不如鴈有信春去秋來難自定高門
豈易論親戚卑枝始與鷦鷯稱君今揮手去莫攀我亦
乘時返碧山男兒有志去住同一轍豈必歸卧十畝閒
嗚呼豈必歸卧十畝閒

● 聞日本寇臺灣　詒起沈中丞往辦

赤嵌當時大帳開卅年絶島靖塵埃如何重譯通朝日
翻起南閩上將才部曲弓刀環海立藩人筐篚出巢來

遥知宵旰頻東顧待見懸車到馬臺馬臺倭夷所部

次韻桂靖如茂才見贈之作

長城知擬受詩降況聽高吟落貢江南國才人稱百六東京名士號無雙檐風送月凉生几竹雨含秋碧瑣窓想得横經罷咕嗶金羈玉軼賛鴻龐

江頭飛雨暮雲痴繞郭雷車逐電馳少日王孫曾作客秋來芳草更依誰相逢待倒中郎屣展卷懃題幼婦碑早晚長楊獻詞賦好音應許到安期

雜詩

秋來駈暑退一雨覺凉深悠復丗悠〻夜滅燭倚孤衾

殘燈耿旁舍流光照素琴欲起彈哀曲絃絕不成音之子去何鄉鉛華未消沈徘徊徧房櫳曉風開我襟愁深多好夢、、斷愁愈亟壁燔黯猶明殘照空牀得宵踊發遠響檐溜續餘滴霽風送流雲懸月時一白固知達莊理未易遣宗戚我躬亦委化將為逝者晰

・次韻孝先兄同游青原之作是行思禪師道場

皐壤清緣每恨慳身閒暫得入名山拓開塵網尋思去恐墮真金瓦礫間一徑風煙成勝界萬峯迴合閟禪關倒荊卓錫尋常事狡獪何須動四寰（僧人或傳倒栽荊樹為思公勝跡）

藥樹堂前古栢垂壁間斜日照題詩鐘魚彈指無傳響

文字諸方有護持舊國蒼茫餘短塔僧寮寂寞自穹碑西來妙義興亡感禮罷空王欲問誰順治間吾鄉無可大師説法於此歿後瘞衣髪於思〻塔右

北風

又是天涯叫早鴻月明無復挂秋空六年同制思鄉淚獨向江頭灑北風

野泊寄孝先

荒村人煙斷維舟獨問津寒風一夜起愁煞欲歸人征鴈與天遠遥波共日淪江城好兄弟怊悵自經旬

將至吳城先寄程敬生

匡廬時在眼風水滯帆歸朝日湖光灣遥天樹色微别

來憶樽酒此去掩荆扉明發高堂上應憐萊子衣

宫亭湖漫詠

積水生寒霧匡廬色有無南風起陽月挂席向江湖秋盡烟雲重江空島嶼孤推篷奉慈母時一問前途

金神墩訪蘇強甫

故人掩扉卧殘雪滿荒林隔岸青山遠當門碧水深近聞為善好有子慰君心萬事方摇落誰知松下琴

曉望

推篷乘曉望霜色滿寒山市語汀煙外雞聲溪水閒烏沿村樹起犬逐客車還廿載飄蓬人歸來一解顔

清寐軒詩稿

乙亥開歲六日雨雪不得出用陶公游斜川詩韻

東容甫

澹宕空逸

首春氣猶塞雨雪無時休峕〻大觀亭咫尺不得游霧宇飛晝屑風檐寫宵流澹此室中侶曠彼江上鷗塵綢胥將紀長懷鼜與卬出處勝今戰人鬼半曩儔陳盃展書卷獨與古人酬但懷去者意遥契兹不情檢素閱良朋同解平生憂江山曠如此慎作亡羊求

江樓獨坐用高常侍人日寄杜二拾遺詩韻寄湛士兄

十載屢上公家堂，逢春但覺非故鄉。無邊戍火亂節候，有酒何處傾肝腸。初歸未許豐暇豫，登樓下覺心無慮。遙山天際展螺青，去帆滅没征鴻處。老大方知解愛難，春得閒猶恐玷風塵。豈知又值乾坤圻，念尔山中蘐屈人。

牕前盆梅花盛開因詠一篇

春風江上來，綻我牕前卉。微和散清寒，自得讀書味。掩卷一俯仰，暗香時到鼻。孤芬不可尋，還復悠然至。有如澹蕩人，幽意與古暨。草木得本心，不借山水寄。奇性興發晴，朝淡忘松柏貴。

課兒輩讀書　此篇多稱字何可不存

閒庭風井綻春芽晴午風和晝課加香爐偶穿書角字茶珠微濺墨腰花誦聲隔座參音誤筆法連行正體差市酒園蔬田舍米張燈捫腹講南華

收三字無深意便似隨手填湊汝編

喜晤馬蕤園鑾實即送之天津

脩德不位稱天與人事殊平生聚散處亦復異斯須親情憶先日風義師友俱反馬附麒驥相期騁長途妖星起西極流芒照里閭欲將活國手坐使家難紓豈謂詩書力未當建旄旟天狼不能落奮身當戚弘道申忘已屈壯士雖嗟吁西風凋萬葉見子祁門初生麐赤手縛忼慨一世無青冥失縱靶我西子南趨擇木舉翮越綦

髻碣石隅相知有李相亦曾我沫濡榆枋安蜩鷽北溟返鯤魚揚烟散鼉旗舉帆拾驪珠鼉磯與鹿島曉莆傳飛艫春禽滿江樹花柳縱橫舒久別憶相親斗酒爲促娛高談瀉河漢小語鳴璜琚釣游忽廓廟雜亂無徑途却憶青燈下竊聞陳孟猛志在稷契相頏輕陳徐風雲失其會掉首同驚呼乾坤新日月舉室依皇都至孝在善繼何用較行居孫注得其會馬辨梟與盧悠悠天際雲滃滃海上見歛翼我鳥倦振翮子鵬圖枯楊各蕭瑟存者白髮疏十年一相見復能幾相於男兒桑蓬來自得非世模禍福何必惡絕勝毛錐麤邂逅遠苟得貴

賤皆天。衢何况心神閒炎朔同比廬出處念努力所望存素書 情韵深美樸艳瓌逸率句縱横舒於法度 沈编

● 龍眠展墓歸途有作

午陽壯春暄笠影抱溪往山杏發村光天風亂澗響壁斷舊青紅中埋峯擴新緑上十年廢展埽壙冢增疇曩訪主。田舍易問鄰兒童長。三歎不能去遥色動莽蒼雜花開自得禽語時三兩畢禮念歛悲心對兹失慨忼乃知愉戚爰天意殊漭瀁尤既杞柳戕喜亦尋尺枉任事闔棺已訐功隨所啟斜。光入諸有風定片雲。養徘徊松楸閒矚懷一俯仰 深警微疵旧繁衷先 沈编

九十七

春雨（次韻）

不覺苔痕溼時添屐齒雙微矄鬆草帶輕潤上花幢墊角行將學隨車意早降麥畦知漸綠坐想鹿門寵

九十八

送春

華巔白雨兩如絲小住江城又一時鄉味風光榮草木宜情花事到荼蘼兒時遊賞吾廬在早日繁華老圃知喜我先春解歸去不緣時卉悵將離　後半氣機生動　故編

九十九

夜聞布穀

同是催畊意清聲一倍饒城頭微雨歇屋角夜雲消書味嘗新蔗詩情長暗潮終須歸下瀨蓑笠過門招

起凡近次論

二百

二百一

雨後登江樓呈子襄湛士

萬古舒州郭登樓幾醉醒江聯湖水白樹補斷山青閱世思甘雨端居望客星萬方希解甲長為憶滄溟

春去　情玉文生當與潘郎齊駕　次論

春去庭雨歇月出宵燈微如何芳意滿俯仰生凄洏固知死生理萬化同一歸情來不可界觸處皆成悲嚶嚶蓍雀動呦呦壁鼠飢輾轉發朝光好夢無由期

贈孫琴西廉訪

座上聲名前輩竝甘棠擁節一時尊庇寒士任吹竽濫執法人依解網恩晴午圖書淹晝寢春風鼓角靜轅門

二百二

二百三

二百四

胡牀便許高蓋造餘事文章或共論
平生奉教羣賢地十載歸來喜再過隱几江聲三楚盡
入樓山色六朝多露章早見貞臣槩風采今殊法吏科
巔合江淮齊上頌八州仁氣徧巖阿
衣鉢人閒有代興名山事業亦沈升交游孝綽思任昉
聲望慈明御李膺四海求師憐我晚一時拔士只公能
會將追趙西歸意長向醫王學折肱
● 春色將還無端興感風前花下率意口號彙而錄
之得十一律 此移陶公飲酒用之七律不僅規橅秋興也比編
雷驚露斷燕飛還意興無端似轉環三月春陰山閣暝

五　六　七

一庭花氣華門閒片雲孤出難成雨野鶴閒飛易返山
底事流鶯相喚急故園歸到又江關
長隄照水柳藏雅憶訪名園繞郭斜雨後萬釘黃脚菌
火前千點白毫茶雛、、旁舍曾生穀穿、、平田尚種瓜
已是太平清晏日不妨樂事問桒麻
皖伯臺前壁壘新天門軼蕩轃蹄輪座中攬勝三千客
帳下田橫五百人已見封樁傾蟻鼻更開廈屋似魚鱗
江淮本是聲名地誰布東皇有脚春
金鞭寶馬出天衢甲第連雲耀路隅白刺獻瓜東土客
青絲沽酒霍家奴先炊煉炭原非異有壁鳴銅未是愚

忽憶少游鄉里日，獨騎款段逐春鋤。

先帝英姿鼎盛年，退朝開閣進羣賢。中興伐叛過唐憲，家法崇王黜漢宣。豈謂深宮留玉輦，翻憐複道照金蓮。小臣舊事瞻閶闔，獨抱春心望九天。

祆祠高與白雲齊，安攘諸賢盡種蠡。海市舶已通遼水北，烟艘敢過皖城西。山開瀛霍連三楚，江挾巴渝出五谿。終是聖朝無外日，治兵端不廢羌氐。

舊日梁園諸友散，雞豚後會倍關情。維摩道足偏多病，梁倚才高解外生。脉脉花光春色薄，濛濛雨脚暮江鳴。何當卜宅南村去，烟舍雲塘事偶畊。

十一
自別龍眠長薜蘿天風吹綠下槃阿徐陵文字東游少
般浩聲名北去多鳩欲依人難擇木燕知得食便營窠
曉来聞道村沽美且上江樓倒叵羅

十二
長衢羅街闞清虛門席深垂斷客車尊酒落花兄弟健
晚風微雨故人蹤牀頭回夢聞烹茗簾角留香起課書
為憶阿戎官裏去相思應寄武昌魚

十三
諸芳擁綠上閨幃花意闌珊春意非無限愁心鶯獨語
有痕春夢燕雙飛蘼蕪香冷輸金鴨楊柳風生憶錦駙
誰信粧臺斷消息壁燈猶照彩雲衣

二百十四
出郭行吟望渡頭宜人雲物麥將秋一春好雨依時節

四廿

三面晴江抱郡樓，遠障斜連澄渚曲。片颿遥帶夕陽收，
漁人不識論醒醉，自逐桃花放釣舟。

二百十五

道中雜詩

首夏日有威，客行仰屋息。山蒔雜塵土，絶勝闤中得憩。
身似歸蹄發，步齊驚翼皷。揚盖落風，登頓輪嵽嵲。危日
墮湖水，蒼肰烟墟色。投旅擇餘房，張燈撿所食。解筐見
母慈，一一皆手餙。咫尺若千里，思與俱邐迤。歸夢阻晨
光，隔墻喧馬櫪。

二百十六

大鈞無私覆，積歲乃乗除。物生自甘苦，雨露同一濡。出
門望四野，春晴接夏初。良村好渠堳，溢流棄不瀦。高田

中年慣征役水陸無安者

二百十七

遠水力駢足翻連車歷壠上泉原竭塘成杯杅轔轔聲
未斷軋軋復前畬却憶五年来汚邪湍溝渠賤值不獲
易囷廩猶今儲低昂在天理人定足鍬梳水利尚畝澮
即此参洪鑪農政古所敦旨哉牧民模
高霾障前山近堁没牛馬苦吹三日風雨脚澁未下中
年慣征役水陸無安者捫鼻氣不舒摩耳塵可把猛壓
輿却步傍衡帽須捺亂雲疾鳥過灌木驚濤瀉橋疑折
柱欹旅防墮瓦撫事楚水秋追景燕山夏氷雪待壓檣
烏戰劇號野官忙薄俗豔居宴羣兒哆顛倒不知怪何
異風中豬感歎對村農媿彼泥没髁振袓土銼閒餘威

二百十八

摇壁灺

送族弟曉吾之江甯

飢士習江海，得失常各半。聲交偶相市，十游九受謾。官籍日在胸，幕楦時垂腕。世路厭求頻，親疎易氷炭。向來笑時流，豈謂吾弟[illegible]。吾弟慕讀書，遲誤絓憂患。平時杯酒閒，悔語發深歎。貧驅贅妻子，活計神親串。囁嚅燕學語，偪強駒受絆。在昔孟聖人，傳食六國槩。慎辨道直枉，善會情真贗。豈必咽井李，蓬蒿没門閈。金陵游俠地，得意可遥斷。念世未平理，放手觸屯難。苟得即須已，毋令勞久盼。去結絶高時襟未逋之句 汝綸連日苦雨偕湛士兄登江樓還賦一篇。

積雨奪陽暄衣裳生夏冷檐庭劆蕭颯耳目不可靜蝸涎交扉迒皆色動壁影流漿湍房闥階竈栖蛙黽飲水腹漬疾開戶步𫷷騁讀書苦悒暗默廢三日景坐思江上樓縱眼接巴郢胸懷一蕩滌似吸波萬頃兩涇牛馬迷百怪蛟龍逞想見疏鑿前滔天方割猛岸遠山若浮渚沒樹如荇危舟下中流定失千里永令兄有竒興曳踵出闍井眼明軒檻外果洽意中境相顧豁沉憂頓割膏肓青回首涇雲際微赬不成暝暮飯臨前除更祝宵星耿

君實繁簡條達經營次編

樂飲陶襟龍山萃楚選幽想涉古遊千載卧若踐
積雨秋同深遂情處空繾晨風闌宿懷覗色奏穆扁霽
暉耀澄流餘陰沉疊巘磴阜抗高館墉址拓脩畝江漢歷
城來湖水側遂轉紳阜光南垂幞帽翅聳西展柳含識溪村風
篁蹊澗覓蘚翅安同歷重冠緬異撰樂知吹帽讓情興襟九開
華焙恫興來與古賓境往僚今餞臺臺挹甫病尊是膺兀寰
即理樂吾欣依辰俗娛遣方將解雉樊明旦共遊衍

二百廿一

九日偕秦吉帆方俊民家粵人兄樵兒輩出登游大觀亭

容甫病中作小詞極意爲幽冷之趣余不能詞戲

仿其意作詩示之

幽氣慓肌膚暗風響櫺椽走葉動牆隅孤螢出庭草積
痾蜕寒魂弱步夢中倒聞見乍有無東西難自考不知
空林外露溼誰家道千里結新懽咫尺無故好昏黃月
未圓寐歷霜猶早鄰鐘警歸魄泣笑同如婦凡齊意方
兩鑪藥素灰槁推衾就牕明默坐還枯抱

中秋日微雨同臨川湛士凡游大亭同賦

疾風行有聲潭雲捲將變獨樹搖秋枝勁草卓不援江
山發奇興慨想斯人見舉俗重秋中繫子亦游衍好山

即理樂己吾欣依辰俗娛遊方將解推樊明旦共遊衍

二百廿一

九日偕秦吉帆方倚民家兕人兄姪兒輩登游大觀亭

斛清湖水邀同薦波起鷺低昂霧濤山隱見翻恩蔭雲游適曉戒過電不知明發懷復此誰憂杯風寒絕足音坐久僧不面乾坤並冷地振衣有餘戀慨然墓磴間萬籟悲同感

詠秋雁即送竹如表兄之上海揚州

春歸未穩又征南泥爪翻憐道路諳繫帛飽經書月苦眠霜難為抱秋酣幾回弓影思荒徼一片砧聲動蔚藍若遇來賓應作主江湖菰米足肥甘

題邢子膺南湖草堂圖

常藉人清游勝譁譙蹋巔若扳佸攬遠思隨畫江光萬斛清湖水邀同薦波起鷺低昂霧濤山隱見翻恩藤雲游適曉成過雹不知明發懷復此誰憂忭風寒絶足音坐久僧不面乾坤並冷地振衣有餘戀慨然基磴間萬籟悲同戚

詠秋雁即送竹如表兄之上海揚州

春歸未穩又征南泥爪翻憐道路諳繫帛飽經書月苦眠霜難為抱秋酣幾回弓影思荒徼一片砧聲動蔚藍若遇來賓應作主江湖菰米足肥甘

題邢子脩南湖草堂圖

二百廿一
世外心情久未忘南湖烟雨變斜陽十年清夢秋江上
冷却當時舊草堂

二百廿二
江南風景太依稀無限苔痕上釣磯向晚西風吹浪起
不知湖外幾人歸。

二百廿四
憶過南郭日初斜獨樹維梢傍淺沙天外一聲清磬落
隨風和月到漁家

二百廿五
放僑餘事自横經繞郭青山共醉醒他日午橋魚尾長
不須更羨少微星

・題馬慎菴獨坐獨立二圖。 妙有悟境 冶緗

二百廿六
我生如山徑擁懷塞茅蘦冥默亡言説象流宕淮變枳偶

二百廿七

從宴中坐豁若喻拳理隻手拓天開洗臟照明水洒肤火宅離隨意丹霞燬乃知吾我相在識真吾裏煩思結茅居共證素心子得歸披君圖何殊車就軌至法本無說饒舌非要旨因業偶相遭圖身何彼此行見斷文字冥通一脉耳請看天邉月詎為秋張弛苦剖無隱心得月已忘指

奉送孫勤西擢藩湖北奉命入朝

國病重宏儒時危思忠靖去作天下公留為一方幸淮南久凋敝鋒鏑免俄頃民氣疲南疆獷俗倔北境綱紀念誰操實計賴久永古以人事君公如符契併翦除豪

二百廿八

二百廿九

奪吏直視不回頸，仰窺飛鵬翮，俯見哀鴻影，情為斯人
深語挾私交迸泛泛，望大江不斷憂心怲
滔滔長江水，高浪沸艘烟，鳥語通卉服，鬼面布金錢謡
巧干王度詭，思毒中天，如何活國手翻避衛律賢位卑
慮空高無由貢至言，江漢會南紀，二別開晴妍，巨鎮折
其衡勢鈋亦處咽，懸知上高殿，上奮舌動龍顏，入獻有長
告出身奉　國艱頗念旌旆發或遲，統朝鞕
先人障海波，夙抱和戎痛，藩撤長城隳，豈知事愈閧淩
夷及小子，漫忝巖疆倅，文書騷獻納，詭教煽隣衆，偷肰
起鱸思，敢竊折腰頌，奇遇喜歸人，屢進煩僕從，異書勝

二百卅

壺觴時許白衣送秋風發好懷移陽開楚霧固知借寇
私佇待徵黄用所望廻節旌連圻楮厦棟

金陵返棹走筆呈容甫湛士

腐儒食籍蘿貯黄百不得一繫千羊人生飲啄亦命耳
豈得藉口遺羹湯我生殉禄萬里强日抱治譜空長望
得歸幸喜驚俗眼攘臂甯復登虎場黄金用盡酒肉薄
脱畧清節翩然翔烟輪砰訇風琅琅旦辭皖水夜建康
雲山萬叠隨襟袂花柳千村入隱囊弓刀肅肅列兩行
階前賓客備四方貴人高踞虎帳坐一擊不中千里颺
涉世但如網在網魴鱮鯿鯉隨所當或獻君相或私宴

一例際遇不自量君不見江邊漁父風浪狂萬魚賣盡無宿糧

容甫出示和人韻詠雪詩漫贈一篇

萬山隔水沈江霧天風漸與雲俱凝高下一抹眩遠近但見萬木皆生稜迴看碧水杳無際天地自沍江自澂獨坐人間景清絶欲賦才難廢寸鐵訪君發篋見元珠不晴已覺生眼纈廓然堂前碧鸛居持盃不飲索雲腴九霄勁氣穿重壁斗室微温起坐隅秖今紙上落咳唾骎歸舊事來須臾顛湖故實君能說禁體千年誰與埒官衙寒具亦多情何似聚星堂上雪

二百卅二

二百卅三

除夕示湛士

萬竹參差裂城壂，一火入雲起無所。見時爆戲水留痕，又向燈前鬧兒女。歲人兩暮心不知，後堂絲竹前堂詩。十年肉食不闌夜，每祝明年勝此時。而今江郭驚春雪，封斷袁安門早閉。對床笑語歲聲遥，鬧味初回夙腸熱。關心民氣卅年中，萬室蕭條南北同。爆竹聲稀燈火少，可憐老丐不呼窮。

送蕭敬孚

皖江秋浪洗血箭，商芝秦桃滿下縣。不緣鄭驛廣招賢，世有蕭郎何由見。卣彝出土鼎傳周，元珠湄川璞不鍥。

二百卅五

二百卅の

胸辨淄澠口淡字品藻時出日懸秋江城一别三千里流星掣電十年矣忽然名字落吾手狂叫不及復倒屣颡士風流未逐貧布帆春水度江津西州華屋仍花鳥回首龍門更幾人

● 冷水鋪望殘雪。似山谷經滿　洽编

立春未旬雪初釋野色含意欲變碧小山天馬旋五花大山腐儒頭半白身閒心逸發興奇耳目有得人不知忽思蜀道三十載氷雪天外相撐持

● 桃符。小詩乃發大議是作家蹊徑　洽编

貴家桃符紅拄楣白屋力貧亦續扉豈為羣兒作意鬭

二百卅二

欲避鬼難登皞熙憶昔仁皇全盛日童叟夜行不嫌獨
猛鷙遠藏蛟鼉徙妖王魔女亦臣僕百年塵埃忽四溟
有弧不張鬼滿軨神荼鬱壘長繩絶矧越萬祀空具形
君不見九鼎沈淪求不得當晝魍魎爭人食

二月十一日夜大雨雷電 奇偉似学万步洪但記與微不及 坡了 汝佈

四十三年掣電過較雷豈若餘聲多薇花樹前一尊酒
風箠疾雨珠翻荷赤螭銜尾繞屋角天鼓下逐如鳴鼉
橫空忽震天地破落日一綫生雲窠仰睎鄰木盡照耀
俛眎庭水如秋河眼中光景變臺榭旁風上雨空摩抄
指數花石失欄楯意象髣髴交庭柯夜窓坐覺風動紙

二百卅七

雨脚所到沙投泝初聽車輪碾山谷懸崖萬手砰争磨
近城漸繞摘山鼓忽抉雲漢追羲娥天姥應嫌世界暗
連引雙鏡驅么麽流光逐聲破檽入斜雨浸卷甌生波
明光宫中埋銅駝人民城郭非舊料先人五十有此屋
顧我雨立理豈譌何時築室聲隱空樓起平地臺生俄
電光斜掣不入户廊深壁挂笠與簑窮鬼不敢旁笑呵
雷起電滅非吾痾百壺春酒看滂沱

贈徐樹岑即送之揚州

起為蒼生居捫鼻揣摩之工歲月異北山誰使枉移文
卿相由來在布被風聲一律天所驕卅年南朔生同條

二百卅八

豈知城北徐公美家火亦借凡鉛燒憶昔秋堂看過飯
先公意氣傾人遠笑談與世殊白科一念坐覺神猶宛
黄州鼓角催夢空壯懷怨斷天門風至今大策饜人意
天留驥子才追公印水東環烟水數黄金力厚輪蹄走
衣冠各趁瓜步風鼙鼓誰憐武昌柳舉世無由俗君身
雄心驅使汨風塵奇書十上劍三尺始信蘭陵有替人

● 庭中西府垂絲海棠盛開

客庭春色巧鬥妝就中艷發惟海棠十年南土飽風雨
一日入眼雙明璫憶昔尋春故山郭名園相倚不可疆
花搖碧水波成綺樹颭晚風山吐芳出紅入紫如蛺蝶

二百卅九

桃英藉草疑鴛鴦鼓鼙一聲般江表飛花舞絮同飃揚
人生稱意難自量邂逅往〻非所望荔支龍眼斷春露
亦有芙蓉拒秋霜簿書戎馬雜夢寐雖有清興誰能狂
豈知王粲歸吾土江介還堪共舉觴飛仙天艷薄脂粉
貴姬出檻垂琳琅曉風朝日動光彩竟欲長卧名姝旁
四海禾麻猶半荒華清宫裏長山桑百壺倒盡翻惆悵
豈獨興亡感舊鄉

偕吴摯甫方俊民家子椿姪携檢樸樞三兒子尋

披雪瀑即送吴方二君北行

堆案簿書麻縷縛偷閑不肯忘卭筇勸農催賦亦有情

走馬看山欣出郭而今身閒得婆娑青鞋踏徧蒼山阿
名山咫尺藏奇瀑有約不到理則那朝來好友發清興
賈勇同尋披雪徑丹青神鬼舉國狂斯溪猷向樵夫問
誰夢鈞天在帝鄉携壺逃醉人閒藏至今山鬼不敢取
側立破甕流天漿深州故守腰脚好方子奇情滿懷抱
相携絕頂謝時人颯〻天風動懷抱（襟縞）源深境絕亦何窮
豈必前規勝軼踪君看崖上題名字水穿石泐難為功
由来適意莫放手那得更計百年後藉莎据石茶烟中
走馬撑船亦何有須臾暮色起遥山雲木相望各渺眇
歸鴻正北君方出官裏良時莫教失

·子規

二百四十 暝烟遥下鶴飛還，送客歸来自掩關。寂寂春城明月夜，子規啼過木魚山。

·送竹如之晉蒲州

二百四十一 君過梁苑逢賓客，爲問相如老不曽。想得單車更西去，榴花開盡度風陵。

二百四十二 中條山北古河東，汾水猶環萬歲宫。自昔幽并豪俠窟，莫因羌笛怨秋風。

·題故慈濟寺壁

二百四十四 盋飯香消師座微，竹轝嘔啞款禪扉。無端樵唱青蕪際

驚起一雙白鷺飛　二

二万四三 嶺頭朝日動鳴禽溪水依稀記竹林欲訪山僧何處是
亂峯廻合碧雲深　一

● 和答湛士兄食茶蘗餅絕句兼柬俊民

二万四五 小庭過雨綠陰加晴午生香逗碧紗無限春光吹不去
分將花韻到山家

二万四七 為惜餘香恨晚風殘香收拾付廚工不知它日龍山下
更有何人憶落紅

● 過大龍山

二万四八 異時蠟屐別江津西走梁益東甌閩峨嵋武夷不入眼

何論龍舒幾點塵十年舟楫九廬阜八公大別同逡巡
盛年奇氣壓湖海要論形勝窮垓垠自從喪亂少意興
每到勝處思隱淪入林便憶隔溪廩擁醉夢作由東鄰
吾鄉秀色江淮濱一拳一勺皆奇珍自從三李謝時輩
山川寂寞無精神有如世胄忽中落頤指自貴中羞貧
孤帆落處近龍山爲愛澄江遠故關親舊已非元髮換
只有腰脚飛孱顏山前練白三巴水江外螺青五管山嵐
江海無烽烟自晻中原北望何茫然暮歸茆檐飛蝙蝠
風溪環佩出深竹老翁旁舍荷長槐疑是龐公或匡俗
月明清夢五岳閒卧遊未改名山局彩鸞已去文簫老

欲共漁人武陵宿

• 題方小泉詩集即送之建平時余亦將遊鄂

二百四十八 廿年坐上談詩侶死散無端不可論今日江山無恙地

揀花風裏遇斯人

二百四十九 誰從碧海挂緡絲放眼馮徐未是奇欲把龍吟問淮水

滿天風雨讀君詩

二百五十 瀟霍歌聲動勃騠又攜餘興過春溪銀箏綠酒分題夜

知在嚴山雲水西 我欲攜舟向楚原 縱教 彩 樸

二百五十一 白日螃蟹林塞昏西風無地報人恩姻波萬里荊江水

何處青山是鹿門

二乃辛二

將赴鄂州先寄孫琴西方伯三十四韻

翼軫分天統，江沱劃地維。八州風化轉，一路福星垂。廟算隆羣牧，儒臣暫典司。上游資坐鎮，南紀奠華夷。憶昔龍顏近，常隨雉尾移。寶書森武庫，金匭冊爍文詞。捧日心恒切，扶天力獨支。真宜操斗杓，坐待掌綸絲。已見徵三策，翻令悵一麾。江淮流浩蕩，天地色凄其。皖國逢超卧，淮陽借寇宜。諸生瞻祭酒，十部仰軍諮。賤子依劉表，當時遇陸倕。荀香三接幸，樂顧一鳴悲。東邁烏私斷，南圖雁影隨。三年瞻馬首，萬里會鴻儀。潤麥江南景，清槐薊北時。亭臺猶在眼，文讌有深期。帝德旁求俊，臣心

老不衰倚天長劍在拔地豫章奇日月輝簪笏星辰上
履綦懸旌迎竹馬弭節協元龜壘氣侵閶闔妖星動昊
曦沈憂原杞妟痛哭豈途歧舉世懸希鮮惟公道不虧
才將看　國法事莫惜身危調鼎方儲用辭官轉自疑
出原將勵節歸不待焚貲理縣慚龐統追塵法趙咨擬
穿遼海榻難下廣平帷西望思公切東睠戀母慈褒裒
遵楚渚慷慨即江湄欲就饔飧潔翻令鄰士木姿郭舟
容太小袁竹問何須勳業華公盛行藏季主知萬方且
多難何處問商芝

● 至沂羨奉贈尚齋方伯時督鹽沔口

二百五十三

署移前

十年仗策貢經綸，轉為儲胥董要津。白舫夜飛夷路雪，碧幢朝擁海波春。湘西此日猶歸蜀，河内當時已借恂。幕下久知多士美，論才誰是出羣人。荊門以西唯南郡地為蜀中久假不歸，迫欲規復尚難定議

○安成侯代示署中諸子　追錄甲戌年作

當年嶺海走江皐，南省軍儲正驛騷。雪積關山開萬幕，水生湘漢下千艘。搞文五夜攀龍尾，奉檄三吳見鳳毛。壯志銷沈元髮換，孤城空憶角聲高。

海嶠江關各晏清，乘時端合事歸畊。春寒縛日冰遲解，雲意經風雨杯成。鄰寺蹴鐘秋閣晚，當門喬木暑陰轉。故園風景物真堪老，況是高堂白髮生。

二百五十四

鳩飛笑鵬飛雨未忘乾坤放眼又蒼茫曾聞天上愁能
寄不信人間醉有鄉海色夜通江月白河流秋接塞雲
黃不堪歲首春難徧忍向滄波問釣航

巖谷春來氣摠寒處堂稀更凭欄功名豈真鷄肋
世事由來畫里瞭分邦國因棟起離亂草積雪殘
廿年出處從頭計萬卷隨舟好細看誰從湖海泛安瀾

● 程尚齋觀察邀同劉小雲茂才游月湖遂登晴川
閣

月湖千頃漢陽北倒攝山光作秋色朝來一雨洗長空
鏡出塵匣收不得程公發興携我遊晴日照破玻璃秋

蛟龍蟠屈波中樹鴛鳥交橫水底遊樓伯牙臺畔舟容與

流水高山復何許世人共嘆古風高誰抱枯桐向閒處

粉牆修竹是歸元　流水平橋又一村老僧出定茶烟

起胡雛迎客開風軒迴舡縱目晴川閣吳蜀風帆取次

落湖江興廢兩何如二十年來事猶昨江山不夜金碧

明白日照耀天為清撫今弔古一邱貉後人何似今人

情眼前真感無時盡物外風波到處平等閒莫易樽前

樂白骨如山換此行

• 漢臯泛舟登黃鶴樓放歌

我昔西登黃鶴樓高浪駕天、為浮風馳濤聲走神鬼

倒入窟穴搜蛟蚪扁舟渡江值風雨落花一片波中揉
偶從雲罅見墻角萬桅束筍不可抽我翁携客八九人
笑談舊事東溟漚登樓鷲定欲豁眼霧重如著碧紗幬
須臾一綫放斜日樹色歷、雲悠、二水源長望不
盡疑從天上銀河流未秋何河伯已自樂南北誰辨馬
與牛通來三食武昌魚每況樂事覺愈憂樓臺遠近幾
興廢賈[儁]客十難一二留但喜沿流壁壘靜清江漸見鼉
鼉游雲山寂寞紛在眼人世蒼茫誰掉頭磯頭鐵笛來
何由胡爲笙鶴不再游飛仙下視隘九州巾履偶墮遂
千秋正平玉簫鸚鵡洲委骨豈計誰當收乃知古人已

二百五十

與不傳去競借糟粕稱毫酋何不肆志青崖放白鹿廣
成卧處訪清倚他年一笑更過此笛聲鶴唳知誰優回
舡試問鄭交甫漢女當時會此不

喜晤方符穀即别

往時師門避聞戒一幅烟雲嶺頭挂池裏銀鱗帶雨烹
籬邊玉版沿村賣重來人地兩凄凉入眼山邱華屋壞
空餘雙桂認前廳相對難爲出情話不覊如子慰吾師
橐筆艱難養母時周南春樹三年滯隴上寒雲千里遲
朝來罷食聞君返倒屣相看慰我思差欣有地埋憂骨
正復無田奉母慈西江病宰近差勝百戰不肥空自瞿

有囊但貯函谷書拂衣羞顧孟敏甑諸生會葬竟何期
爲憶門前桃李徑路旁揖我意惓、後會三年更十年
輪邊又碾淮肥月襟上猶留嵩少烟時危去住無長策
試問當年河上仙

遲湛士不至詩以迓之

牕前梅意人不及老屋如延高士入空齋把卷不敢眠
竟日無人雨聲急龍山百里雪何如未得袁安臥後書
郄恩東閣同茗椀共對寒流夢五湖

雁

十載江南送雁北今年江北看鴻南不知人雁誰無信

二百七十

那復東西可自諳閩城九月霜信阻湖海蒼、芊鼙鼓
随陽自是閩天性歸思終難忘故土共知清瘦總高飛
不用銜蘆避赤羽

馬貞女辭

瀟湘之水嗚何悲君無言兮妾心知妾知君兮君不辭
欲挽湘水待何時一解　發女光寒動衡嶽下落照黃泉
上碧落天廚黯淡酒醬漿空一夜罡風斷煜熗魑被兩
髦出吾宗未謀君始遺君終石爛海心安窮二解　玳瑁
之簪明月珠昔何窈窕今何朧塵妾膏沐為生蛛母心
斷兮兒意紆意深若深隨雲散九嶷山頹湘水斷

馬通伯屬題冊子

二万七千一 奪席談經事莫行五官技在足縱橫崔駰奕世文章貴孫盛當時記注平寂寂瓜田迷往陌蕭蕭古木識憶平生自憐疏放慙姚合未許旁人說潤清

題秦吉帆九思圖 圖作蓮花九鷺爲

二万七千二 漢漢蓮叢飛白鷺鷺穿壁誰通菱湖路焚香坐久水風生清景由來起緇素鳶飛魚躍會者稀拈花說法聊相師眼明心折此深意爲憶香嚴上樹時

敬題莫先生影山草堂圖仲武世兄囑

二万七千三 先生昔同居皖城對我常稱草堂好四圍修竹碍山光

一角時來青不歸先生以此樂貧居經義朝摩夜在抱子姪壺觴兄弟筆那知人世成茂草烟塵一別各天涯十載還流到襁褓花柳江湖紛入眼草堂不見吾今老只餘好友贈丹青他時更念誰相保聽終詞說共淒然敝廬亦有桑麻田自知世亂難歸隱不尚向邱墟更問天憶昨扁舟共風雪波濤三日篙櫓折罷酒猶自約前期題詩尚待先生說豈意朝回未三年往還細札纔一徹種依我已服先疇收骨公翻歸舊穴竭來拜母到昇州淒涼圖畫空長留蚌胎自有昇霏氣雁陣橫當鷹隼秋盤河（江）之水東去休獨山山色不可收竹梧風檻藏新

月蒲稗春池没野鷗楓林杳、魂歸不筆端纏未相思處留與兒孫作菟裘

二百七十四

烹茶

烹茶埽地小成章歲月從知物外長為遣詩情常貯墨恐侵花香氣不焚香雲開嶺月寒窺枕雨過山嵐曉入房獨恨春泥難補裂殘雅哀雁滿江鄉

二百七十五

見邨報張子衡康訪引疾知其落、之况康訪於余有一日之知作此寄送其行

文山百尺照江空憶上歸舟謁謝公虎豹胃屯梅嶺北魚龍春化劍江東十年人返陶潛宅一夕塵飛庾亮風

二百七十四

更爲蒼生思再起莫因清嘯滯湘中
發篋行吟馬上詩長林深谷見公遲清談豈必三言中
廣座曾蒙一字知地濶洞庭終浩、天高樞斗自離、
含毫寄送翻增感悵望崆峒有所思

二百七十七

追悼胡慎思
長途不復望騏驎誰與招魂過贑濵生有沉憂傷感憲
死無文字誌元賓天涯冷骨埋荒草故國秋墳斷瀾蘋
慎思自其祖以下無次丁 若向蔡家問書卷春來王粲更傷神

二百七十八

徐穀甫輓詞
瞪眸伸足古賢蹤每向諸公卿侯座上逢迹滿關河真老馬

筆迴天地是神龍草堂有約嗟吾輩泉路何人更汝容
先子墓門殊未遠霜前月裏定相從

二百六十九

兼旬雨雪兀坐無聊漫成一律

合影分光動積旬雨師汎灑又江濱誰從歲暮清寒地
換得人間自在春墻下水添看活潑檻前梅瘦白精神
坐思閶闔飛花雪知有東風到紫宸

二百七十

寄蔡蓴齋

晥山一夜雪擁樹如脫青衫披氅素北風吹日海上來
爲念故人寒斷渡憶昔同隨丞相軍旌旗捲凍凝生靨
教下西郊監蒙昧嗟來歸去那容許君言作官要節鉞

車薪可決銀河注手摩管樂口諸葛坐儲萬古匡時具
河嶽春消磎鼠氷乾坤夏潤神龍澍自知才力崔孟儔
對局惟嶄邊角護十年携客上青雲一日思君頃百顧
謂當屏處聽風聲冬日春花滿郊路何期一紙渡江来
自說清寒如野鷺斷卻平生湖海心稻粱爭食隨鷄鶩
騏驥坂上自遷延龍鳳老死無攀附旋節紛紛走山海
皂蓋朝回車夜度但將榆杏日邊栽鄉識人間須雨露
同學由来裘帶多貂蟬何定儒冠誤一邱一壑不論今
虎步且當從我故水底銀鱗可將母花時村酒行堪酤
一行征雁海山青萬頃晴波花鳥暮況餘錙算一分寬

二百七十二

終應然粟能濟鮒卧閤無嫌風雪深春還自解乾坤泫
皖江重到轉憐人東閤無因覗故步歲月從来物外多
勸君且傍江関住

·聞說。

聞說淮揚道哀鴻徧陌阡録名開内籍轉粟罷緡錢朝
著思量粥都亭熟理饘江干又風雪對食淚潺湲

·聞華齋随郭侍郎出使西國賦此送贈

靈旗烟艦絶裨瀛列帳賓僚盡漢卿坐使毗騫皆北向
直窮王母更西行九州自怵人皇治兩字寧煩富弼争
獨有封人憐毋老待將機石問君平

雪中檢兒携新婦歸有感作此示之

二百七十二
鹿車乍聽雪中音悲喜無端一晌心三歲素衣憐汝少
重闈白髮望渠深繚燈錯落圖金屋銀蕊參差起玉岑
從此高堂潔晨膳漫依慈竹歎蕭森

二百七十三
舊德宗風望汝儕饑寒温飽任安排但令廬下能擧案
莫惜田間自曳柴緑徑依依思五柳朱門寂寂尚三槐
西京少府年華老風氣還應足散懷

丁丑元日試筆

二百七十四
嚴霄風積垂白雪旭日烘雲萬里開一片爟聲江郭曉
最清寒處看春回

二百七十五 二月十二日夜枕上口占

依〻舊事見曾騰，迴合雕欄幾曲憑。夢醒忽聽兒女話，夜深風雨灑寒燈。

風雨

二百七十六 旗亭曾記看雲烟，旅館重逢落絮天。等是瀟〻江上雨，春來風色異當年。

清明出遊遇雨柬許子良

二百七十七 爲惜春光發興頻，街西桃李暗芳塵。更看江雨停歸策，差勝山陰訪戴人。

客有以乩仙詩索和者依韻應之

雨色連山潤遠空城頭常挂碧玲瓏鶯語圓流牕外樹
燕翎斜翦江上風芳林著露櫻未熟小市驚雷筍可籠
誰惜青春去強半獨騎白鹿訪仙翁

偶興。

遥山無片滃晴光朱塔周遭護緑楊廻環我上江亭望春水
不知何處弔周郎

高樓夜口小病藻常艱登江樓賦此言别。丙子秋作

江流遥與落霞齊秋水長空夕望高樓暮靄迷天拓星文猶拱北
地廻山勢欲通西淋漓壺榼忘新病顛倒裳衣感舊題
強醉不須懸離别風波平處更相攜

道中雜興

二百七十九 山光不共曉烟收湖水將嵐欲上樓兩月嚴城閑風雨
不知麥氣漸成秋

二百八十 野田春水没牛蹄餉榼遥穿綠樹西驚起睦邊雙白鷺
和烟飛落白沙隄

二百八十一 百里經年數往還停車慣向綠楊間當壚滃茗茆簷女
爲説清泉袛在山

二百八十二 隔湖野氣籠山起深樹晴鳩近水鳴明日津頭雲結處
定知風雨殢人行

二百八十三 草色波紋一望同野桃紅處畫橋通湖壖近水無喬木

春眺

二百八十四

卜居　二百八十六

初至山中夜

起見月

二百八十七

二百八十八

二百八十九

萬頃平田柳色中

雨過溪頭漲未消老人家住碧峯腰看山興好忘前約

不覺携笻過板橋

春眺

灊岳已開三祖寺皖山猶繞二喬家旌旂城郭雷池

近簫鼓樓船鵲岸斜二月江流天上水萬家春色雨中花為

憐今昔風光異杖履相携惜物華

……憶題

晴庭柳成圍東閣网

見遺詩

雨憶湛士

雨走千山白雲吞萬壑青遙知老居士閉戶少人經

屐齒引孤笻林端識梵宮隔溪不可到犬吠在雲中

羣澗響山泉橫流當戶前只應晴日好荷笠入林烟

春晚 二百八十四

二百八十五

卜居

初至山中夜起見月 二百八十六

二百八十七

二百八十八

萬頃平田柳色中

雨過溪頭漲未消老人家住碧峯腰看山興好忘前約

不覺携笻過板橋

椒岑書来以待園遺詩屬寫感題

碧峯破如舊漲痕遲千里書来發篋時庭柳成圍東閣閉

一天晴日見遺詩

雨憶湛士

雨走千山白雲吞萬壑青邊知老居士閉戶少人經

屐齒引孤笻林端識梵宮隔溪不可到犬吠在雲中

羣澗響山泉横流當戶前只應晴日好荷笠入林烟

晚風忽入簾雲物漸蕭爽迴照將餘陰雨在西峯上
新水滿稻陂無人見孤鷺何當幽人來山茶一甌注

• 入西山謁方植之先生墓

靈巖官旁崩連岡欝楸檟深稼媚廣壠縈洞委秋瀉既
見愜猿鶴亦允藏輪馬水涉石犖确磴升泉飛灑洞岫
既城羅林場亦桐把識薦關芷檗神期還礫乱平生跂
先疇思傳欲曾假郢逵質徒存火在薪何捨口珠世好
同商歌表靈家成佛我瞠後生天公乃且雲翼起遙岑
遠色蒼然下撫墳獨遲迴愁焉懷大雅

• 至舊宅

竹逕交新陰疎花發舊壤連雨過芳庭秋草似春長鄰館感山醉童嬉數衰往倏忽營方思弥禪但俯仰霞宇殉晚空風竅觸宵響露深薄海同抜然跂厦廣拙疾事安今華志過車囊慨念人已閒撫景息夜養

秋日偕湛士兄攜檢樸樞三兒散步遂訪呂生於胡家坂

含秋散晨衿遵澗繚脩嶺林稀山氣疎水落石梁懸遠跡人易親寡用晝知永既聨渺步興亦遂宣舒請懸梯掇晚果瀹茗汲秋井翠巘當戶深雲竇觸村冷平生愜幽期靜緣觀天幸浮游苟不迷彌杞同俄頃曠覽日謝

二万八十七

暄發噴燭思東疇偕采藥人長此畢形影

初至山中夜起見月。

濁梦謝城喧野守發山響泉懸識谷幽室明知月上搴扉螢亂流坐樹蟲獨紡篁徑散微陰林光宿餘朗竅籟觸遙思山韵生秋想秉燭無止行竊樂有解往宇宙亦何寬寂寥胡獨賞心遠楡枋高物輕襟抱廣即景各脩然欣樂忘皋壤

二万九十

江岸晚眺

雲峰極天長霽霞与江既秋重易為陰川陸皆蒙氣落日暫流光一線耀萬彙昭曠物中賞淡泊人外味

江樓書感

西風吹露下嚴城獨坐危樓百感并地險還須江作塹
星高時共月爭明天邊宮闕艱難造海市樓臺嫵媚成
且喜滄洲頗無限扁舟尊酒恣縱橫

山行有懷

歸山 二六九十九

二六九七

歸山

懸裝別江潭振策陟崔嵬山翠近晚深日氣
當秋淡

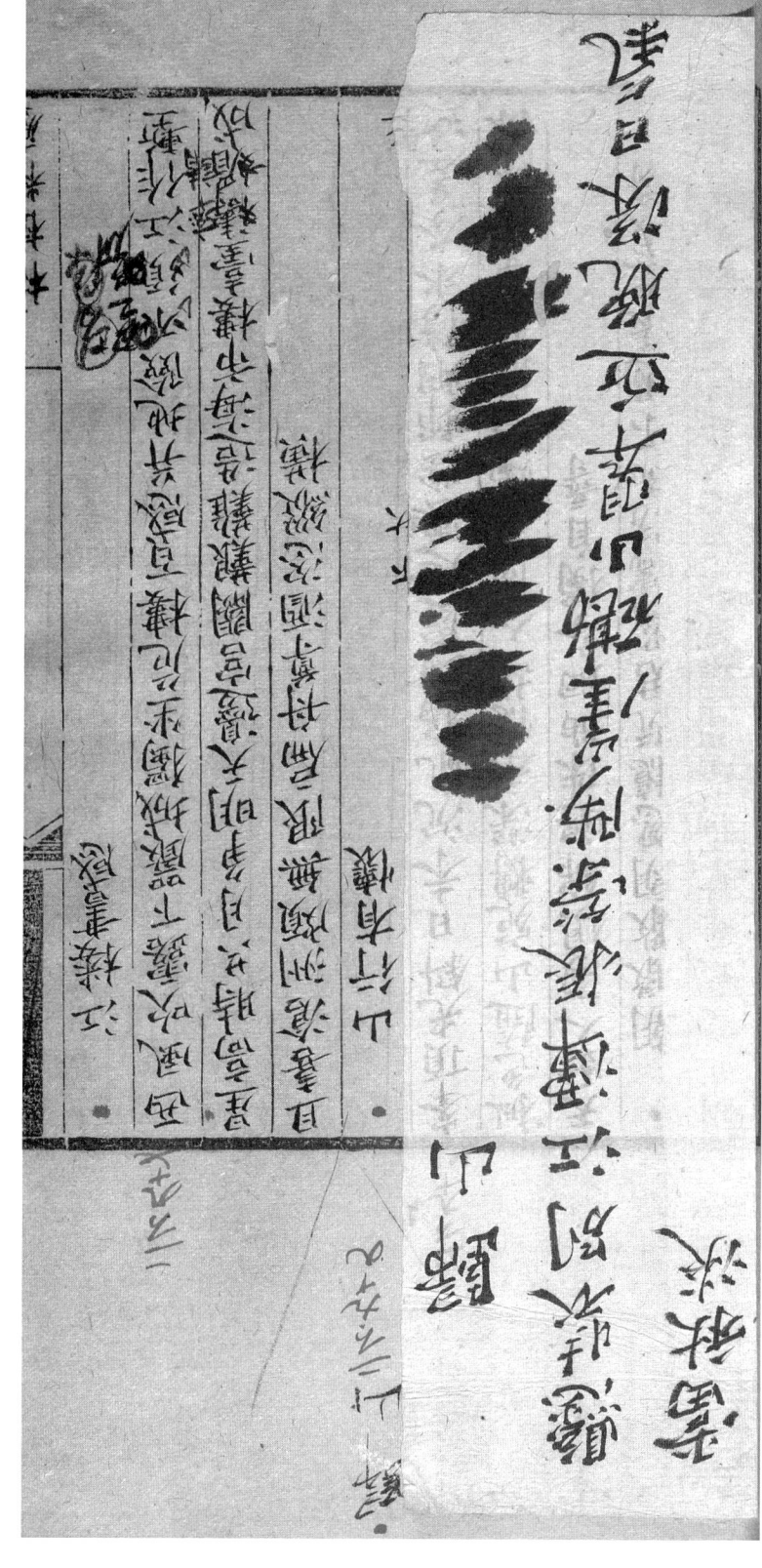

江樓書感

西風吹露下嚴城，獨坐危樓百感并。地險須江作塹，星高時共月爭明。天邊宮闕艱難造，海市樓臺[illegible]成。且喜滄洲頗無限，扁舟尊酒恣縱橫。

山行有懷

峯頂光斜日未沉，亂鴉歸處起雲陰。邨烟傍水參差遠，楓色隨山宛轉深。永憶故人同夜燭，當時勝事賸寒林。天廚人海俱綿邈，珠岫珂岑獨自尋。

朝暾散朗忽憶阮君薪儒訪而不遇悵然成詩

朝日發東崖，景物倏開耀。氣逐天宇疎，心与諸有涉。生

三〇一

謝廣代成蔽敞任殊照乃知高遠奎流景匪意召阮生
雲表人遐訪協蓬藋和完草木欣修婞塵壒摽謂當乘
日車雲龍逆光曜閑扉參道源窺牖展談笑陟巘擬聖
迷升堂失孫嘯霞色散天風雞聲下雲嶠林巽山梁遊
霜穫秋塲眺為儒子薄偽學稼吾甘誚終懷太史奇寄
抱任公釣

雨中柬秦吉帆

久晴絶泉脉一雨響衆瀑流交奪崖徑逕轉漾堤木屛
居罕人事觸眼見乾軸物通受地平氣達得天鬻潤色
入荄深生意當冬復鄰墻送竹青圃牖上蔬綠雲蔽色

化空風林聲遞續纍吟惜楚芳隱采感陶菊瞻彼雙老
栢滄熱自如宿

三万二

三芝庵雨贈石峰和尚

山氣彌天萬壑沉禪關一夕變晴陰雲煙上界疑如此
雨雪人間覺漸深百世松楸成色相六時鐘磬自清音
無端却憶支公榻元度頻來未許尋 未謂一心禪師

三万三

翌日仍雨 老母遣力送衣感賦

天地恩何狹難將比母心衣裳千線密風雨萬山深犬
小依禪榻鴉寒戀舊林門閭三十里愁煞梵天音

再訪蘇靏甫因贈

三百四 槀筆歸來又過春菱鄉風味有鱸蓴平湖萬頃門前水

叶(看)載蒲帆送遠人

三百五 丹林碧水好棲遲可(轉)為清霜起遠思千古江山一輪月

泬漻天地我來時

山居雜興

三百六 秋夢徐回午閣眠山茶活火手親煎從容拄起東窗坐

萬頃清霜稻熟天

三百七 買得青山入未深薄收柿栗有園林扶笻更欲穿雲去

無数寒蟬起暮音吟

三百八 碧山飛磬上寒空野寺雲遮石澗東門掩僧房誰布奠

欲將流水問圓公

三百九 霜後風林雨後山老農扶醉過溪灣蒲鞋藤杖夕陽黃葉歸何處
知在青松流水間

三百十 西峯獨上暮雲收擁項常含萬里秋欲指京華何處是
北條山盡海東頭

三百十一 故人相約到幽棲紅藥黃花共醉題窗燭未殘忘夜半
雞聲和月過峯西

三百十二 晴日朝朝挂短檐霞光隨燕入疎簾五更枕畔聽山雨
料得窗嵐翠可拈

三百十三 山外微雲晻夕陽柴門風過晚生涼不知何處秋成雨

一夜溪痕没石梁
三百十四 乘興隨僧下碧城野亭無客露初生白雲黄葉歸山路
又見松梢挂月明

● 遣興

三百十五 沉陰深不散霽午日如曛遠屋封餘雪危峯落凍雲林
蹊懸閣見石出細泉分君問榮枯理無生未可聞

● 戊寅元日試筆

三百十六 經亂歸來百事殘版輿差喜得磐安從今放眼乾坤裏外
無數青山任意看
三百十七 山意漸含雲意活天容微趁水容和遥知薄海春齊動

書憤

三五十八
三五十九
廿
廿一
三五廿二

一夕東風解凍多　頹墻壓髁幾折阮心如馬通白來視詩以謝之
和刖駘尊各有因嵇琴单虎未宜論方將鑑井憐多事
却為停車感故人大勢巖墻難久立吾行郤曲更誰親
把杯且喜磐阿穩腰脚能過莫厭頻

午日贈寒人

深谷榴花少溪塘蒲葉肥為驅夔魈盡不用掩柴扉
記得西遊日楓林屈子祠山村似今日寂寞祇君知
嶺雲飛不盡林雨釀難成高臥空山裏翛然又此生
我喜終南士能驅鬼物還為防成捷徑擔負入深山

三百廿三
三百廿四
三百廿五

寄懷篠塢

物外逢痾得小閒谷深鎮日閉柴關無端忽起懷人思
萬樹流鶯日滿山

午夢依稀共酒瓶天風江雨是新亭田歌驚起凭牕坐
秧色平分柳意青

近傳

江東戰骨未收全絡繹儲胥二十年天上近傳哀痛詔
人間自急榷征錢金繒西去魚頭艦兒女南來燕子田
終是周京同苦瘦苞根無事怨寒泉

丞相

丞相威聲動四夷經綸馬上足安危但圖回紇收京功
畫詰懷恩入塞時閱寶由來傳楛矢楚材從昔有荊尸
腐儒自笑談修攘強把麟經作導師

望雨不至

黑雲垂屋角轉電忽東還風勢如飄瓦雷聲尚隔山遠
燈懸水際野碓響松間物外一何樂豐年好破顏

翌日雨至

亂峯雲際暗飛雨破空懸山氣沉喬木谿聲受野泉水
光膝界沒苔色屐痕穿坐憶河南北含情欲問天時晉豫旱

飲酒

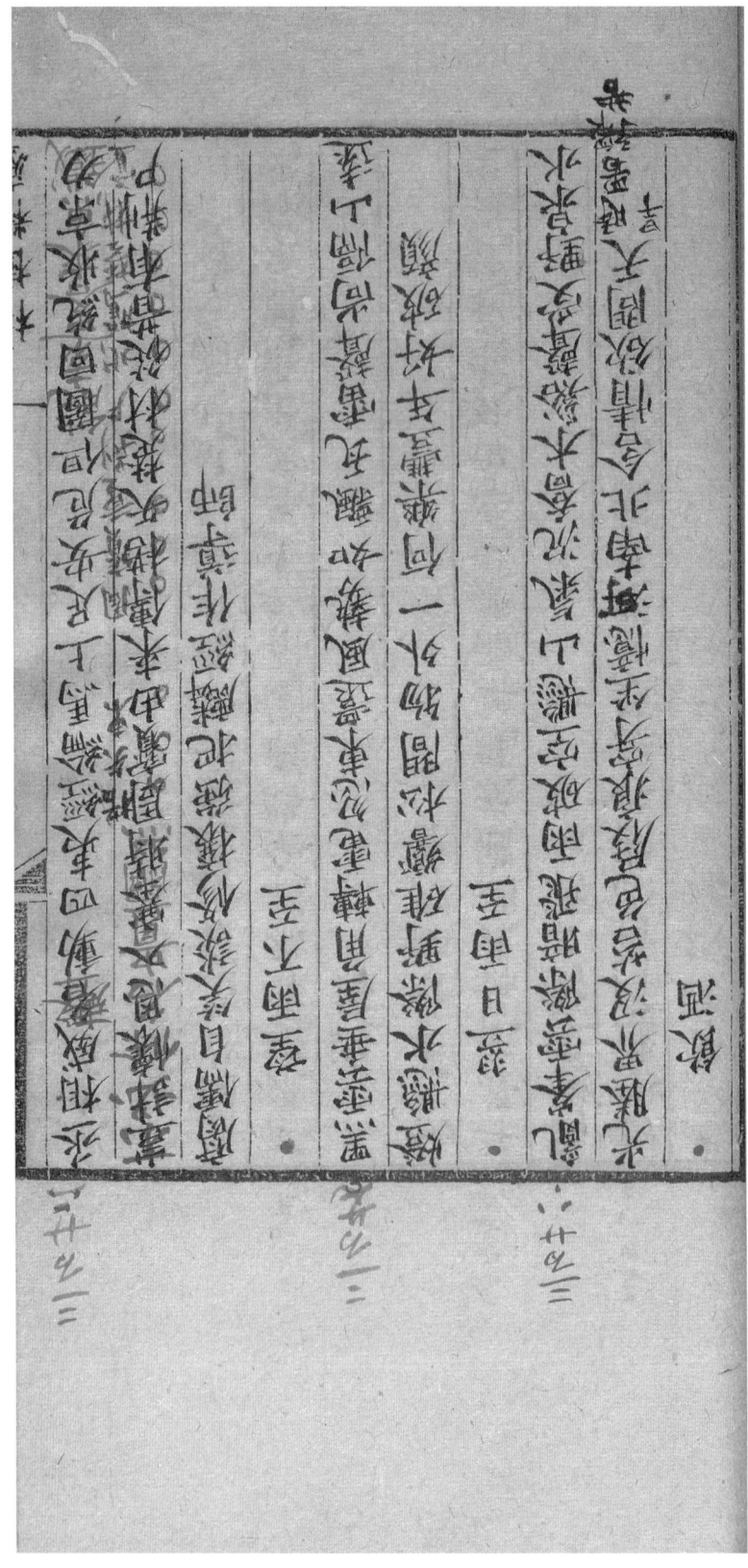

三百廿九

養拙山居好陶情飲酒難麥嫌村釀燥梅似市酤酸菊徑穿雲白楓林挂日丹及秋還種秫九醞與衡寒

三百卅

答人

欲識幽居事憑書寫寄君溪喧村後雨日澹嶺頭雲白鶴新巢徧蒼山舊路分麏麚不相避向我若為羣

三百卅一

轉輸

聞道流亡地深關北闕憂轉輸寗薑尾拜爵異羊頭廟算三旬格羣生廿載休東南空杼軸終是主恩留

三百卅二

閒眺

流水潺湲外柴門眺望頻疎篁雲際屋孤笠雨中人寂

寘漁樵事蒼茫戰伐塵漁舟尚在否未忍問前津（陸明知有偶）

三百卅三 曉晴

山中三日雨向晚動晴霞萬壑來泉響孤光入舍斜微風歸乳燕深水亂鳴蛙借問經行客何如五柳家

三百卅四 夜思

松月照餘滴四山清氣多我心與流水遠夜共澄波好道饔雲石參禪證薜蘿追〻不可得掩户一長歌

三百卅五 山中貰雨不得酒戲題

曉日峰頭霽色閒餘陰漸合又風雷雲如碧嶂千層起雨近朱陽一線來坐任年華忘驅遣寧妨朝暮慮粗猜

人間雲狗倏遷適我貴何須宣把杯

三百卅五
病起同沉王携兒輩登檀香巖

石徑盤空外僧房擁翠微門閑松子落卷幔洞雲
飛聞有高人蹟乃主寓道機何當聞丈室安坐問癯
肥

三百卅六
土地嶺

朝行此山頂古木冒霜濃削壁石支麥歆崖泉挂松僧
歸黃葉路鳥入白雲峯借向樵人問仙家何處逢

三百卅七
至郡

霜樹關門外寒江遶郭長平蕪孤塔白驛路晚山蒼樓

閣深燈火旋旂捲夕陽如何逢候吏未許戒心忘

曉渡

曙色蒼茫際征聲聽渡河朝光開野霧斜月下湖波寒日禽鳴少清霜雁背多誰將遠遊意遥溯五噫歌

枕上偶成

燕寢清無夢虛窗夜色開雞聲和月起樵唱入雲來以我陸沉意甘同世棄才谿頭風景好申旦與徘徊

都中雜感 補戊辰春

遼河北辰蚿龍滾碣石東開虎豹閽元老車騎周日月名王帶礪漢河山五陵石馬雲中下三苑金輿塞上還

四首移前

三百卅八

三百四十

自埽宫廷清禹甸六鰲從此奠人寰

鳳城南苑校旗分曉散龍媒十萬羣天策自開唐六府
九我不數霍將軍擊犛古塞眠秋月射虎平原冷暮雲
十二羽林環紫極太平神紀挂龍文

仁皇廟算極天聰七政咸齊日再中何意鼎湖千載後
坐看文軌萬方同長鐘賓館蒼龍曉午夜星文紫氣通
太息九童薪火絕遠求失禮到西戎

扶桑曉日照西溟有地齊通海氣青萬國樓臺臨漢月
五都燈火雜胡星中旗開府追王會銀漢浮槎格不庭
寄語　彤廷諸大老莫因仙草冀殊廷

三百四十三

三百四十二

十一月初雪用陶公癸卯十二月中作與從弟敬

遠韻詩寄[illegible]通伯[illegible]寒人

立身無長遠貴與俗殊絶時隨冥會論道共剔靡闇愚生三季後如立風中雪詎不思兼善聊得一身潔天地布形雲無觸獨廑設語默苟適情風雪亦可悦春和豈不美未勝勁氣烈古人非固窮何以安素節披冊仰芳蹤忻然堅我拙託意竟誰知相思惜分別

己卯元日試筆

諸天一夜走風聲曙色纔通霰雪行薄海寒衣思亦出一時擁篲望重明開[illegible]冊雲合把酒春冰隔座生稍喜

三百四十二

三百四十四

河淮通五版不須持節問貧氓近年王輔早澇民就食江淮甚衆

題方小樓雪夜課經圖愛經於阿

君家旗鼓半清標五夜年華老翁我卅家

先仙聲望動雲霄 嶢嶢龍之笑 丸榜歸裔 木風煙塔後起

萌芽經史繼前朝 中箱舊業披圖在 山海英靈入夢遥

惝怳江村風雪夜 定知擁卷泣冰綃

方鞠裳比部見訪山中留之不得歸寄一篇

鐵馬銅駝迹已陳 烟霞餘意自相親 坐思泉水盟新往

誰向青山訪故人 殊勤不停銀燭夜 金貂空買玉壺春

知君魏闕閒情重 湖海元龍未是倫

為亡内卜葬地感賦

三百四十七

去住何嘗定是非，人間天上兩依稀。向來壯志如鵬息，
未死閒身似鶴歸。秋井蒼苔殊自分，深松茂柏女誰依。
青山滿眼吳緣好，絶頂携筇悵轉揮。內歸終屬必合葬

三百四十七

贈張芝生印送之甘肅扶櫬

歷編邊躔老欲歸，莊嚴深靄養清機。晝爐鑪鼎乾坤小，
夜枕須彌海嶽微。萬里羊車猶客夢，一尊馬酒故人稀。
可憐四奏楞迦義，叨利天中説是非。

三百四十七

寄贈方存之大令

聽瘴鳴琴已十秋，心和為政自優游。向來霖雨閒天下，
莫使雲流滯一州。

三百四十八 憶過趙野近春々穠李花開憶酬不是東皇能作雨

無南風景勝江南

三百四十九 鮮組歸來近六年烟霞深處正翛然尋山嵇阮增

趣莫問何地仙

三百五十 山行口號

近午衣添暖尋山日漸長竹節纔過穀雨處處炒茶香

壞斷渠流合林開路轉斜隔谿聞伐木知有野人家

三百五十一 讀疏感賦

埏埴鎔金萬品舒先皇渾澤無端一疏傳江

介始信當時衛史魚

宣詔分明出禁庭，書天衣痛感舉靈異，一時中外府

翹首扶杖寡衣掩淚聽

三峽栖遲百拜蕭雲陽山木未渠憐衹今明月青山夜

獨抱深情聽杜鵑

玉陛金鋪徹曉烱鈞天一醉夢難長誰知十部龜茲

外別有人間萬寶常

題張子剛詩冊

幕府山前悵落星斷珠零玉滿寒汀江南此日開重卷

無限秋聲不可聽

海上詞

將歸過金陵筱隖弟招同張鑑亭吴子寒夜飲醉

登天門山有懷晚之舊師

中賦別鑑亭亦有滬瀆之行予襄筱隝皆依官無

定居也

滿目看秋盡深盃不可辭相逢皆客路何日是前期江介嚴風夜霜城警雪時明朝挂帆席雲樹各離離

通伯及檢樸兩兒應鄉試不薦歸途作此示之

國是無真賞家風有別源世才求豈乏宿好且同敨客意三秋盡襟期四海存向来清白徑應未亂開門（杜甫誠卿公莫亂開門意）

天下滔滔日安居幸有山九霄寒月近千嶂碧雲開鵷鷺殊疏濶麏麚自往還飛騰付年少助我慰衰顏

即事柬澂公

愛日冬晴好山家午韵佳翦蔬將酒進炊黍惜分釵梅綻慈親喜茶香小女偕何人知此意開徑迓予懷

三秋倦遊覽行李及冬歸老樹紅仍脫寒流淺更微天涯知己少年暮弟兄稀每欲披衣約層巒又幾圍

阮心如別揚州約先予到家經月予歸而心如未見還詩以訊之

自作邗江別沿流惜路分往來一千里竟月不逢君秋水彌荒戍寒山下凍雲何時一樽酒爐火與論文

伐木

伐木夢山夢虛牕納日紅門開霜勝雪地迴樹生風萬
象歸玄化寒聲背皂空昭蘇殊未遠雙屐待人同

芙蓉仙闕紫金魚都是先朝壞地儲官史
若傳調護事吳宮前有廣尚書
三万五十三

驚起愁心四十霜
無限寒光碧海中

海門東望雁初飛紫蟨螺舟負短衣新漲鹹沙三萬尺
等閑看種木棉歸
不閑江山萬里遙曉辭燕市晚吳船傳來諫草緣何事

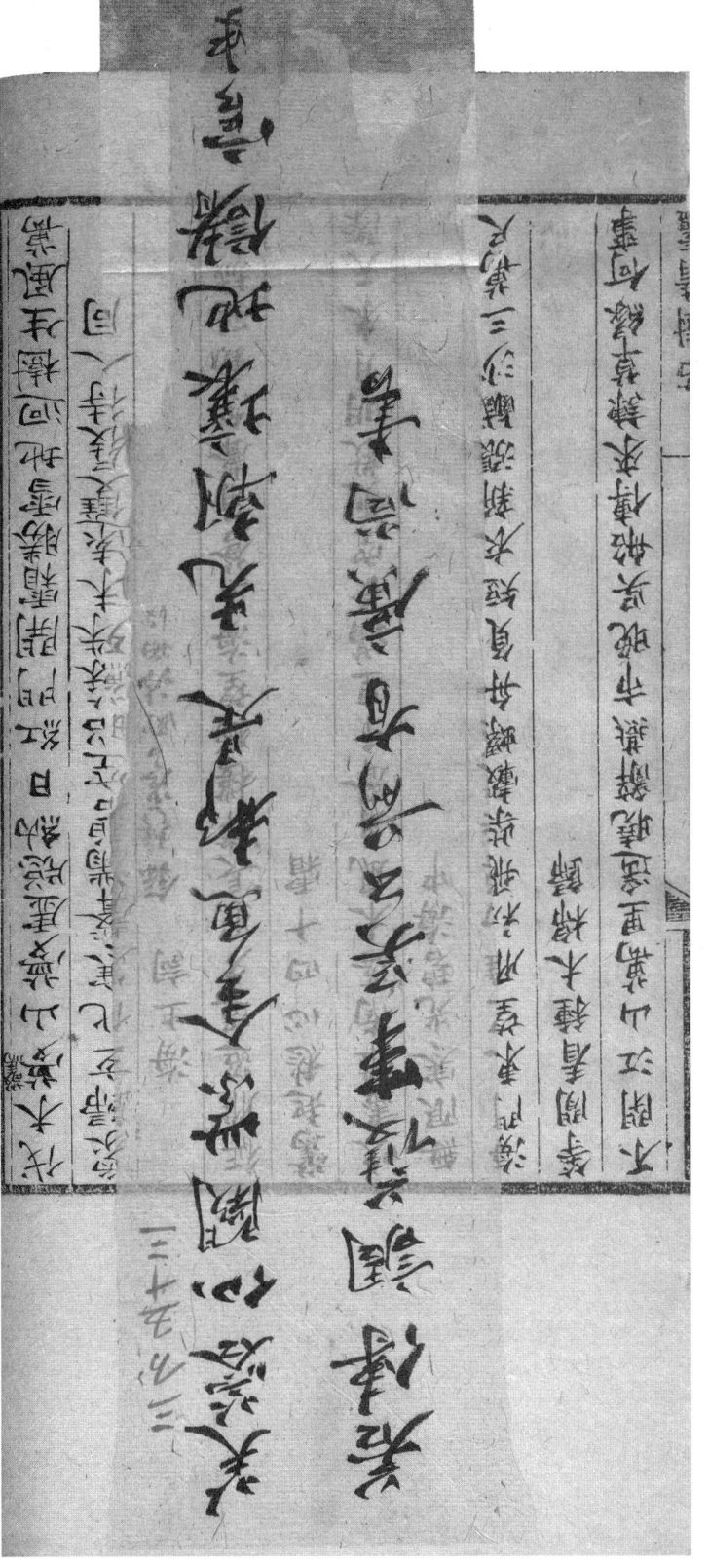

伐木夢山夢虛牕納日紅門開霜勝雪地迴樹生風萬
象歸玄化寒聲滿碧空昭蘇殊未遠雙屐待人同

海上詞　錄孔淺子刪詩冊後

征雁迢迢夕照長津樓獨望海山蒼角聲忽動孤城閉
驚起愁心四十霜
吹盡淮南落木風角聲千里滿長空更教明月來天際
無限寒光碧海中
海門東望雁初飛柴轂螺舟負短衣新漲鹹沙三萬尺
等閒看種木棉歸
不閑江山萬里遙曉辭燕市晚吴船傳來諫草緣何事

為郤單于不受朝
漢朝宿將舊如雲瓏北關東百戰勲雅坐投壺又分閫
不知誰是祭將軍
鐵甕城東接浦江樓船舊部本無雙沿邊不是無胡馬
未築三城已受降
江南花鳥久凋残誰向桑田拾玉丹閑道重樓起天末
海風吹盡不知寒
身出淮陽舊將家腰弓臂箭聽胡笳無端獨上狼山頂
射得孤鴻落遠沙
封山鞭石兩無倫千載雄風顯海濵但使之罘能刻石

不須斬木怨秦人

津吏傳呼放曉關一程十泊海頭灣漁翁貫住知潮信
直挂蒲帆過福山

冬曉入城于馬慎甫齋中得梅花臘梅數枝

微霞動峯東曉月挂樹杪遠際色籠寒孤往人荷蓧雪
消白若增夜來霜被草懸知微茫外碧湖紅日好官橋
間水竹落梅應未埽銖衣出寒門明瑠下瑶島扶妹磬
口黃淩波帛帶縞園翁昨附書林生被花惱懽心聡喜
睼箯輿首塗早度石起雪漲穿樊讓氷潦懷新野艷遥
思往林香橋欒高嚶朝禽谷轉谿晴昊瞰落散榛蕪過

市嚾秫稻向來把洒處逕歲成叢蓀城西忽眼明豔色
恣傾倒有如張與范久别逢遠道心遠境易輕情深物
自寶俛仰槖簷閒聊冀畢吾抱

庚辰元日試筆

雨雪連山動積旬歲朝風物萬方新太平原野宫聲起
五色雲中日一輪

山居雜興

卜得山居似一枝幕巢葺挂各相宜炎光漸逼思裁柳
野色能寛不築籬花至盛時珍蓓蕾水當漲後見淪漪
南榮久樹忘憂草更不頻煩鄭尹著

列嶂遠岫吐朝曦起視林花露尚滋早挂蘆簾將燕去
自藏斗酒聽鶯遲春歸不俟詩人餞老至難教烈士知
鳴劍在牀杯在手更誰揮麈話商芝
植援當墉小趣成年來生事近躬畊東籬采菊心能遠
西澗鳴篁境過清不速午風如惡客先封甲坼欲爭盟
可師更有跳珠水流到門前自在平
偶買山田學老農借人耒耜又添傭有兒何必辭擔糞
失婦誰當解饋舂秧點平疇星倒影渠分春澗水朝宗
即堪此境終裘褐已過蘇門竹實供
小園朝爽絕淄塵天放疎慵不自珍心澹易忘新句好

骨殭諱說典衣頻喜晴芥蔙争盟夏迎雨茶蘼欲殿春
乘興拂衣想禪悦清波釣處有金鱗
市門路遠難徒步村巷棲幽少客過往日豪華空氣壯
近衰年歲覺情多定知菌溷随天巧豈必杯螯落舊窠
花雨自肰成眷属清風明月滿山阿
節欣立夏逢時雨一宿生晴起斷霞樵徑晚風歸掠燕
水田斜日亂鳴蛙叢花過好疎方惜近樹無多遠亦嘉
寄語弟兄各相待宵分明月滿山家
行散因風趁菜香漫携筇竹過隣莊山深穀雨茶猶少
春盡松花菌未嘗囊藥屢題防己字養花兼得樹人方

翛然腹果渾無想水石清泠每坐忘

解印偷閒轉得忙山林城市費平章因風簡素招南阮

帶雨蓑輿慰北堂近夏百花空爛熳不秋孤月亦蒼涼

關心事事思巢洗不為高談爛火光

乾坤憔悴曜重聯自撿平生枉幸全　先帝龍飛懷綬

日小臣蠖屈墮弓年蒼梧何處詞陳墓湘竹曾聞淚灑

天虎豹守關雞犬墜護他衛史報恩偏未調吳公可讀

大白曾肴曜日中長衢萬口祝晴空春秋未辦陳災異

主客誰知驗吉凶梅福市門憂太早莊遵卜肆意何如

近來噫氣乘春發坐想京焦問八風二月八日夜大風拔木毀屋有死者

丙子六月晦太白經天

上將西征久不還壯圖萬里過陰山連城七十朝齋下宛馬三千夜未班豈謂旃廬歸使節翻令玉塞失雄關聖明終是如天日赫怒風雷七鬯閒

一别黄姑掩畫屏維摩室在一燈青直須桑土防陰雨底用衾裯待小星萬事早知春有夢百年誰肯酒邉醒相思雲海天風際或再吹簫到幔亭

寄懷李芋仙

孟嘗舊事不堪尋消息惟君感獨深一紙記曾煩鴈足六年空復憶龍吟江通灧澦勞歸夢月傍微垣動客心聞道起居忽相信鄴書賣盡到嵇琴

秦吉帆宅大風地震

二月八夜大風起拔木掀廬二百里始從西北一綫来萬馬騰空山谷裏須臾吸破土囊口鳥獸伏號人意死雲雨扶天〻若傾金鼓撼地〻欲圮有聲不辨雷與風動几摇窻人相椅但覺虛舟駕海濤那復鄰人問何似或云𦍑季之世揉臧否天維不張地維弛雷震戫躍富媪驚怒拔鼇足理或是憶昔東到無諸城惡風佐雨蛟龍爭海氣黑蒸白日墮天鬼下瞰青燐驚壁磚檐瓦委街術溝泥潦水盈坳阬晚踏殘霞問媧友曝衣拭几書縱横東西南北日歸好訪戴佳處開酒鎗豈知樂極憂

落花
一雨寒收柳岸風等閒吹盡枝
晚山空棠門空去春無意
落盡鐵花了紅

思集擁衾到曙猶伏聽整駕催歸慰母意入眼破碎皆
茅衡停車坐店問父老巖墻昨壓東鄰生嗚呼少陵屋
破思廣厦八百孤寒何足訝太平經國古有書當使五
風十雨成康衢人〻安坐廬吾廬

晨光

天際一星留平蕪露未收宿雲孤樹杪初日萬峯頭烟
火通旁舍雞豚散小疇晨光動清興吾欲下滄洲

雨霽

清氣滿天地柴門雨過初華雲流月淨良夜與風疏山
韻合諸有林光動太虛明朝秧色起新漲響溝渠

夏日喜雨簡阮仲勉沉士兄蕭示通伯及三兒子

雨勢西来忽北走雷公鞭龍〻回首黑翻太陰沐日車白倒銀漢洗山垢瓶滴無私馬振鬛龍行有路螺旋紐雲駈風止意本閒澤徧人寰亦何有跡林讓日一綫明山自還青石自黝人生稱意但可偶策十誰能常發九君不見老農十日望青天舉眼朝〻寅至酉

戲爲長句責蛙

雨歇渠田流滀〻萬籟蕭條聽寂寞雲月深涵水意華谿壑清音自肰作鼃人意與老蛙聲落霞未盡已閣〻初惟一二隔林塘什佰漸起雅投柞我昨城中三十日

市井羶腥聽爭博城南又見少年塲酒肉謌呼動鄂鄂
敢云皁櫪同馬牛無乃室家爭鼠雀拂衣掩耳歸山来
謂當聊絕登肰脚豈知車止又途窮人世蟲魚同一壑
西鄰村童縱橫坐與爾晝夜互前御兎園驢券尚有以
爾獨胡為不自度水深苗長夜無人排窟臨風舒吻膆
清興斷絕不成詩夢魂攪亂何曾著昔人胸未淨荊棘
鼓吹猶當兩部樂我歸豈復問官私持較鳴蟬猶倍虐
直將讒罰擬青蠅那得清聲比猿鶴或云天地生物々
用博稻破有螟蛙大嚼吾儕耳目圖清空何如萬吹自
已一聽芸生樂東方欲白斗横斜手罷爰書同大噱

神功

前山雲欲盡殘雨復東来霧氣微通日谿聲殷似雷神功殊窈窈地寶自恢恢為語芸芸者吾將戲九垓

登天門山有懷滌生舊師

四度天門杖一節無端秋盡又飛鴻片雲忽送瀟湘雨落日徐生滄海風牛渚䡨舡空故實龍驤戰艦憶前功高懷徧歷知難再剩有江山興未窮

書憤

瀝血何曾到杳冥我朝九廟自神靈桃林放馬方周甸木葉青蟲忽漢廷湘水蒼筤前日碧平陵松柏異時

青怪来地坼崩天日椅較平居未易瞑

適伯以荷花一枝見示口占一絶

……前浣花路

……水清力

……鳴

生甘草　南蒼朮　北細辛　白擅香末

乳香　各一两

伏天加石羔一两　冬天加硃砂五分

共為極細末用紅棗肉半斤為丸如

龍眼大陰乾燒之

去瘟方

悄悄……落秋陰託

世懷知足前賢或會心昨來有宵夢推枕不堪尋

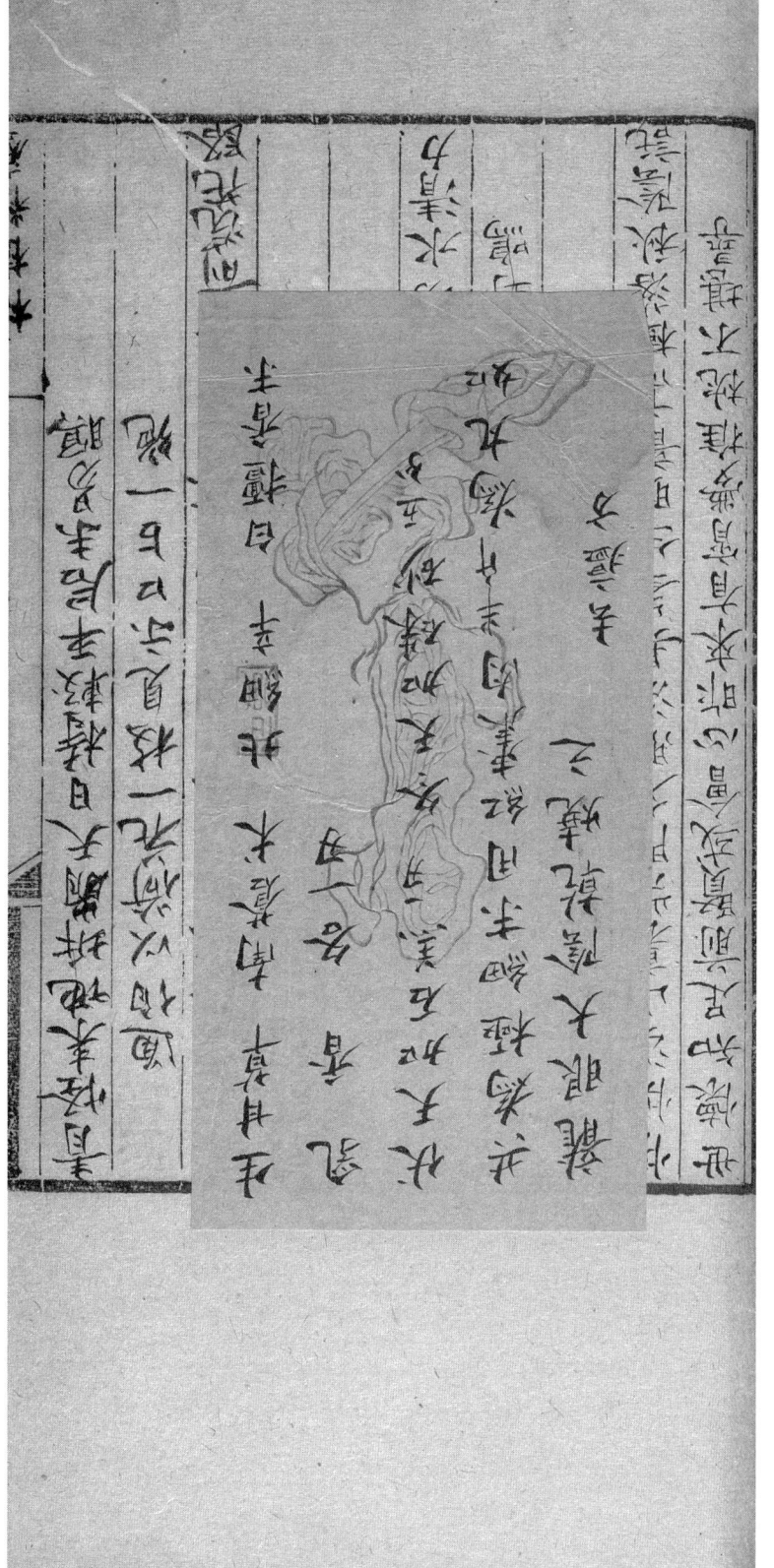

青怪來地坼崩天日椅轂平居未易瞑

通伯以荷花一枝見示口占一絶

湖船清興欲携誰忽剪明霞動遠思三十年前浣花路

曉風初日武侯祠

寫意

涼朝疎雨歇處處覺秋生竹響摇空上林光切水清力

增雛燕羽寒入晚雅聲良夜悲蟲急誰聞在野鳴

溪山

憭慄溪山裏柴門夕照深異峯生晚韵高樹落秋陰託

世懷知足前賢或會心昨來有宵夢推枕不堪尋

寄懷張廉卿孝廉

舊歲龍江別思君去復還秋心三楚澤生事六朝山軒冕忘青瑣文章動赤寰後堂多弟子應覺鬢毛頒

天下兵連動誰紓北顧憂旌旄羅薄海杼柚盡諸州坐憶山林宴長懷天地秋幽叢託高韻何處足淹留

歸山偶感

雲沙莽宕壓城空涼燠無端十日中秋色不緣人事改夕陽烏桕兩般紅

開歲二日山行有述

恆暘燒大塊山氣蒸成垢斜日射游氛流光赤諸有空

色雲上元野夕陰生黮喜心企滂沱準擬屈數指亙聲
雜雞鳴萬里潤枯朽憶從秋雨斷斗運五轉紐觀化人
事呈逢辰我生負虓艱交抗夏草冠齊座右海市敝遠
養黃鍾讓鳴在夜叢芽感昧人食肥貔狗狐濟暘失之
龍戰惡遇九僭感近百年徵遂卜貳答　王言溯思皇
人感見天受坤天定品彙秋月春花柳正物天地寬衷
位群生阜曠望邈黃農栖遲惜豐蔀

夜聞虎聲有作

積威生廣勢動物貴天鷙虎行安其常一嘯風滿谷崖
撼太陰墮葉飛罔毋伏物性有固然人理何反復平生

壯思多入耳風雲逐秇性感顏詠操焰堅孔躅蒼茫萬
古心蕭瑟跫肰足晨光谿雲牖餘抱挂山木

正月廿六日雨雪交作口號

疾雷破山〻氣宣長風生谷溪湍烟雨行交空泉挂屋
雲封不盡峯在天憂農八月至正月傷廿十年更百年
甘露醴泉未殊遠蒼茫滿眼吾誰鎸

漫成

林烟山氣望成凝空谷春寒睡起遲出岫閑雲思釀雨
避人野鳥欲移枝近來病待金鎞解懷古居將土窟宜
滄海茫〻吾道在天高日暮又何之

出山自嘲

林雨花風展日長蓑輿大好戴春光嶺雲欲盡見山閣
谿水初生沉石梁漸喜[illegible]田浮麥氣正宜烏几受梅香
如何猿鶴頻相負枉著生涯在醉鄉

即事

幽事經年未許尋桃岑柳曲晝陰陰風迴花隝紅無數
雨歇山堂翠欲沉天半明霞無際遠嶺頭春雪有時深
怪來溪閣添清思萬壑晴嵐展霽林

遂徽湛士及見輩詠之

墻隅梅根棄置三年矣今年忽發三花精神具足

畫閣久無意空山只自芳豈緣深賞絶不放歳寒香玉檻新情發村籬故態張植根知好在晴雪兩相忘

余將有江右之行與沉士閑話因贈

與君四載鎮相依勝事茅堂未覺稀露泣晴花生異彩霞烘雨嶂變餘霏僧巖茶迸雲根出山觀鐘搓澗練飛正好槃阿終老地肯因拭涕悔東歸

五十年來百慮收白雲蒼狗各悠悠心如化鶴思還日身似歸鴻近早秋四海誰當文舉座平生曾薄仲宣樓即今邂逅逢親健或避時人買沃洲

雪中戯柬沉士

雪深山氣勁晝室冷侵眠木柱枝頭介冰垂屋角鞭書堂傳午飯鄰竈上遲烟爲憶袁安事方知解脫便

夜話

頭顱已禿氣縱横把卷誰知誤此生四海登樓王粲賦十年懷刺禰衡名時非遇主空垂綬老不能侯負請纓今日雪深談往事夜闌寶劍匣中鳴

憶昔

憶昔扁舟海上歸江東戎幕鎮相依朝乘赤水風生箭夜度黟山雪滿衣萬里壯圖輕鴈塞十年好句付魚磯文饒前死孤寒在擇木知難鳥不飛

題大甯寺壁

妬雨疑晴古寺偏柳花爭放杏花天無端妙旨思宏忍五葉金襴不更傳

暮雨霏微燕鴈遥寺鐘初動掩僧寮一聲驚起林間鶴飛向寒空不可招

衝雪

芳院生垂柳茅亭放杏花爲防春色老衝雪到山家碧雲起春澗半没谿邊樹微雨上西峯山梅落無數

雪晴

又見青山送雪晴仙姑井畔斷鴻聲蘼蕪何事催春老

覃莒無情對客生具理花光經凍合偏提酒力著寒輕
湘靈縱底能調瑟不向緱山問玉笙

目疾初愈雪晴散步

雲光湛霽朝野色深春秀衆顏各懷新吾廬亦清奏素
志四海營證病一葉覆晨愬閉景風夕尸眯遥岫但聞
雪折枝空愁屋喧霤懸瞰入雲扉走月窺風竇困慧化
天和重閬抱清晝陽景焙村徑陰潮推潤溜日耀萬木
華雪消千峯瘦山氣易生寒花發常過候亮志之東平
妙懷緬句漏夙心既云申隅憂聊自右長抱巖電光散
懷嶽雲覯

雜詩

春風何泠泠桃李芳亦絶物序悵平分端爲山閒雪樹
烟束雨帶風日挂雲纈幽人不可逢長憶江湖别
我本泥塗人因風胃雲表向日偶垂光握霞盪昏曉視
下海山蒼喁曾生日杳觸景起倦懷一墮若飛鳥閲澤
無玩薄霄有新瞰知涯閒中遠生事物外小
檐帷涉荒澗頎我入蒿萊雖非車馬喧眉宇何偕來平
生同門親一握顏爲開剖符尹赤邑修具返江隈逶迤
成都田峻耀午橋臺趣金樂心廣製屐救齡穎豈信黔
婁窶曾貽萊蕪埃

昔予入京華載瞻諫草堂古墻衘連牘人重物爲芳牛
斗耀劍氣山川含寶光誠深達物領理感生精芒揮資
贈墨本僧意亦何長宏血永民稱邑經安足方門前足
車馬瞻拜徒相將
鏊駕出皇都休輪湯陰郭側聞精忠人神宇于此託蒼
蒼喬木陰莽〻燕雲薄至今風雨時戈甲聲鬧作精魄
盪乾坤流氣振河嶽展禮瞻前輝撫時慰六鑿
勞塵邯鄲道息踵望神仙精光久蟬化榱桷胡巍肰岳
陽醉樓客毘陵賣墨丸至抱自深心寡識阻帝先夢枕
直金針璃宇亦空筌横目千萬人歸墟在其間吾道契

希夷窈冥軼長年
樂餌閑心宮雲山消神舍自爲孫寶詘屢輟張扶假湖
西崖丁秀政緩屬多暇招邀曦露初暢遂風篁下巖軒
納月深洞邃懸光乍觸石紛奇繪裂泉走幽壑蹊峯瞰
廣原疏（修）藤蔭晴架當年薜蘿中想像塵埃謝性効山水
深事阻冠裳卸清懽破世網銜恤不可罷（安福石屋洞邑人彭簪讀書處）
如何安居時悲心入夢寐況當秋春氣深芳雨灑晴媚
孤獸感麟迹窮鳥思鵬翅聳身顧八荒日月亦胡易東
皇理輜軿爲我駕天駟東臨若木枝西騁虞淵轡十洲
入我懷氷海如匕柶俛首天綱張塵霧昏如醉驅車旋

馬首欲下不可次徘徊展禽心行吟三閭淚

梨花

漠漠輕霏罨華門微波初緑繞孤村縑箋似抱仙人怨湘瑟難招帝子魂蕪徑春迷雲冪歷蘆簾晝下夢温存竹輿一過翻長憶畫檻銀塘細雨繁

過亦園題農舍

少日行吟麥秀歌黍離空識故宫過今朝燕雨鶯風際得信詩人感慨多

題清芬老人村舍

麥潤桃飛細雨過湖雲初散晚風和到來柳徑天然畫

坐久菱舟靜裏歌極浦遠天微樹見春晴近水澹煙多
山居寂歷渾忘世便欲移家著綠簑

牆隅去年種杏甫得一花遇雪逗留既晴復以事
牽去及歸已綠葉成陰矣追詠一詩

野梅落盡雪初殘消殺年光杏未看忽向空山慰人意
正憐花事阻春寒董林仙種難醫命安吉秋芳易轉官
撫物感時豔陽日故應閑處得偷歡

大旅塘酬贈周蓮叔大令

我昔扁舟上巴蜀峨嵋六月埽空綠迴舡歷扱經武夷
畫角聲中山過目靜緣待我只匡廬尚得身閒入蠡湖

湖濵忽来五色珠清光隨懐明月如得毋匡俗排空相招呼不然太白雲中獨欷歔君詩清如氷使我胸中霜雪凝更有筆如鐵使我撫事游興絶(周贈六合紀事)俠氣猶呑紙上雲逸情獨攬天邊月五老峯(連)肩瞰湖光七賢遁迹廬山陽高人遭吾亦如此百展君書淚數行君不見供奉清謠天寶時陶公甲子義熙後不具登臨(山)觀海心空泒鬏屐支笻手人生清境况須臾峨嵋武夷亦何有彭澤魚樂平酒相期龍井乞瀑水洗眼與君論然否

龍雲寺贈

千峯側轉朝〻異一逕盤廻面〻通松竹自深諸有外

宿大悲閣

莊嚴忽見了無中化城彈指能增刼舍利長留不礙空

夜坐老僧談行洽泉聲月色兩無同 相傳佛殿為巖頭禪師募化自吳中飛來

海會寺贈至善上人

廬山老衲能殊俗挈洽重開海會堂正喜我来梅子熟
恰聞爺事木樨香九江波起光遥合五老雲生寺盡藏
手種白蓮今待放莫嗔偷賊臨仁王

過歸宗寺

曉鐘一聲驚月墮竹輿軋亞行人過匡廬峯盡道場開
湖上青山相右左老木障天夏日寒巖風飛雨客衣單
钁頭谷底不易得踈磬泠泠雙澗間

秀峯寺觀瀑布龍潭作歌

山忽飛行水忽止誰為大塊主張弛神斤鬼斧削不成
走石流砂皆可喜破舟側卧藏大壑古盂偃仰沉潭底
銀漢年、仰面看祇今知在深山裏白龍噴沫怒幽阻
觸斷崩崖拔地起若教變洒澆磊塊想注腹中亦如此
妙境從来不可求扁舟十過今游始忽思瞿唐三百里
五月懸濤瀑相似坐疑天公歛音濁倒翻海水洗塵滓
飛雪奔雷又入眼一瞥驚魂卅年矣頭顱與水爭潔白
吾路崔嵬生尺咫何似仙人緑雲中俯視五嶽邱垤爾
大巧無心奚足怪奇處紛拏如黍粲歸来尋磴望瀑源

佛閣僧堂半荊杞增減誰知千刦過古今聚貉一邱比
請看石上滿題名十九相詢之骨同死相期信手掬神泉
共向人間伐毛髓

南昌奉贈張子衡廉訪

鳳紀元調舊龍飛日再新乾坤方正位清概見斯人憶
昨妖星動當時義旅伸張旗彌禹甸揲甲盡堯民勢捲
湘江外鋒連漢水濱艱危垂活國忼慨哭廷臣怒盾追
霆電舒𡨚動鬼神果安唐社稷同埽漢烟塵日月澄黄
道山河朗碧宸登天看鸑鷟行地失麒麟龍性明公仰
雛才小子親寄詩慚屣履造榻想車茵庾憶文山遠書

曾澧水陳傳聞一字巽契濶十年湮西顧登車日南圖
舉扇辰報恩殊浩蕩握節忽逡巡江表逢劉晏朝端憶
李紳霜花飛暑路海水積山嶙竹馬公真郭芃苗我聽
卲蒼茫冠劍地磊落石林身已分鵷鸞隔相安猿狖鄰
空囊甯阮湍素業自原貧有安能偕隱無家且問津揚
舲三篋在入舍五漿頻作賦殊荊土攜琴望楚闉夏雲
函庾嶺曉鏡展湖濱台斗須終踐萍蓬任自淪曾聞千
里足一顧九方歅

宿大悲閣

老僧導我登佛閣松根礙磴石磊珞四望不知巖谷深

移龍寺後

萬竹高低相倚薄罷茶移席臨前除到耳風泉如有約
初宵竹杪搖清光月午清光纔入幕我生塵勞牛繫鐸
偶逢勝地羨僧樂炊甑乍脫竈上蠅羨蔭喜踏林間雀
了知清境總須臾邂逅便應百年託莫訶久坐戀亲下
正恐朝眠待鈴索佳處紛來賞不窮穿雲準擬登騎靈飛鷲鶴

三峽橋

峽能怒激淵能平夷險不礙西流水至人知涯不自用
功智無心亦如是截潭炎雪裂石飛排壑晴雷平地起
莫援三峽咋驚奇西遊恩百瀆歸東紀

將過吳城鎮寄王柳橋程敬生兩司馬

彩三峽橋前

揖君江海去風雨七年心入座湖光合當門廬翠深寂寥孤艇在浩蕩客星臨瀨去惟公亭徵生詎可尋

別王柳橋

海昏司馬江州輩喜我能逢風雨來自許情深過潭水為期爪迹在蘇臺天池六月鯤難化華表千年鶴未回訪戴雪船又何日細尋東閣認莓苔

白鹿洞

白鹿何年去山橋引勝緣排崖樓拔地深谷樹藏天往哲有遺植斯文誰與傳我來千載後竊冀撫流泉

發吳城口號

竹轎蒲帆五十天脚蹤不到戰門前名山良友多情外又載匡廬翠一舡

六月二日見彗雙

當年茂氣八方宣四見流金近斗懸似授指星消綿象欲憑脉望問蒼天藩條列郡三桓貴雀籙中朝四相賢底事不眠又郎上（望又）夜看（雙彗）如狐紫宮前

舟中感興

七載雲泉事漸諧扁舟春晚又江涯時平戍鼓聲都緩客久村醪味亦佳無揖憶從滄海擊有輪定擬驛亭埋蒼茫萬里容（空）乘興倚舵高吟悶強排

篠塢自淮南歸訪余山中罷酒即别次其見贈詩
韻送之
淮入海歸來百慮收天風吹送故山秋何堪兄弟相逢日
又向尊前賦遠遊

遣興

遇窮道在固賢節以守通况有桑麻田服先可安農李
長惜不貲伯喈阻奔東豈不宏六藝止險良未工結廬
西山趾苗豆依時豐灌園除隴蔓散步得長松夏雨不
歸山竹氣侵房櫳鑑彼失路子還得祿吾宗
始秋雲間月流光耀玉堂華筵麗明燭清謳閔笙簧不

知誰家子良夜樂何長東鄰蓬廬士幽響發清商徘徊
望孫曜遠思在羲皇持杯忽復醉舉世澹相忘浮沉有
定命相需徒未央
阮公貴保生陶令固窮節任真不肯醒同為至慎傑出
門望四野黯黯元雲結王程漸欲蕪歧路紛車轍幽人
精白懷介然與世絕大分不可干深心有時熱何用酒
為徒自與醨糟別
辭家游四海忽復萬里餘俯仰耀金碧逐役迷所居晨
鐘來雲表憬然懷舊廬長山蕪遠水故道反崎嶇至和
處大同老氏遊物初豈謂迷途復即遠見歸墟迨迨天

外霞灼灼難可逾栖心苟得所終老不相疎
孤松散嶺芬芙蓉發皐芳稱心樂得所榮謝永相忘至
讓稅荊蠻求仁餓首陽歌薇適履坦操樂亦周行德義且
不知矧計千載長亮彼蕩蕩懷何用令名彰
聖訓貴躬行蒙莊賤糟粕大道日星懸識小徒為博況
等先民懷蘇冀仍呷噦鼎彝豈不陳揖讓意何濶摛文
龍躍津申筆虎卧閣同憐火用光詎憶昕能獲抗懷宇
宙間洙泗猶可作
元雲日夜蔽一綫天無青氣澄雲漸薄微罅見圓靈客
飈綴眴眼萬里忽復冥我生戚醮地野馬紛無停推懷

坐光景觀象感心形重陽不傚照孫耀永天經遐哉天
遊徒犍彼内外扃
茅容樹下恭孟敏不顧甑古人貴為學甯非以行勝載
道用行遠從嫡如送勝水木有根源桃李蹊成徑封禪
與羑新末路悲心孚
忠臣不避難烈士不逃刑榮辱及身止毋乃非臣經惟
漢有楷模望古思前型夷險安可億懷抱有正平造次
苟不違生死皆仁亨嗟嗟當塗士委蛇以為明
范滂澹宕人蹇裀異元節攬轡志四方對簿何烈烈至
今誡子言讀之五情熱懦世想高風吾道經三折

時安多窮途會乖經易捷科目能困人造材亦踵接煒

煒枝上花微臭亂蠭蝶眷懷未放時含意耐深裛天道

自乘除君子重所愜

灌園有作

伏雨東熇威秋炎噴暑勢癀望山流焦積晨川斷逝雲

峰喜漸高雨路倏遥替委濶仰鄰壁稍欣稻陂濟貧農

望歲心祝雨入梦寐唱唄雜鼓鉦永夜驪龍睡廬西有

元圃菘薤料秋藝日夕百抱甕未覺生意遂譬如沉冥

士千喚不一睆惡歲憶龍蛇荒疇殖人骴饑腸冒鋒刃

千里回悲睇不促室家存豈辦田園計蒼茫二十年聊

得風雨蔽懽親摘秋果侑讀采春蕙時風午榻夢情月
山榼醉對茲性繭縛懷彼心兵戈瞥已師荀完感世冀
嘉穗大有可書年一任南山翳

贈方存之

昔親儀衛翁生晚未從游文章㳺遺笥稍足供冥搜君
家五世交淵源異凡儔兩家沐餘韵跬步遵其鄭鷥鷺
栖高梧鸞鳳出丹邱至今數翁門見子出一頭通經致
世用敷政徵學優獲上元宰信强項羣司羞風聲所漸
被流頌盈道周我生如朽本日夜滄溟浮風濤張性罟鮫
鱷羅心鉤時窺島嶼近絓止豈自由嘗抱萬里心高步

百尺楼銅章為親屈一去十年甾地僻天水違鬼俗山
風偷達長惜短羽爪鈍慚下鞲者舊久波逝文采還風
流翻然厭形役遇子亦歸休握手一大笑坦道停雙輈
鄉里羣兒愚如農失先疇燕越晉南北炎冷值春秋君
當拔圓嶠西注峙吾州吾居近翁隴神期朕饗酬刹落
華文繆昊契精微幽瞠眎不可追趨蹴難為收階梯取
君導要眇助吾修

寄莫仲武

磵户納流雲山雨没潭石一葉動晴清空正憶揚州客

余將有行兒輩以書勸止遂題簡端以答之

東海西山暗自盟　高堂頻筭費先庚還鄉果是遺安
計應須當時傳別成[…]已非吾漸老
[…]不識家何處
[…]按世寡儔將申
[…]既欣諸兒悵然
迺為短章歌以慰之

東海西山暗自盟　高堂頻笠費先庚還鄉果是遺安

計樵頁當時專列戍

已非吾漸老

不識家何處

按世寡儔將申

吳越之游以寫久居之鬱　親懷既欣諸兒悵然

迺為短章歌以慰之

翔之

歸樵

一徑挂危峯迴旋樵歌入雲去　但

樵唱

聞郡蟀高不識家何處

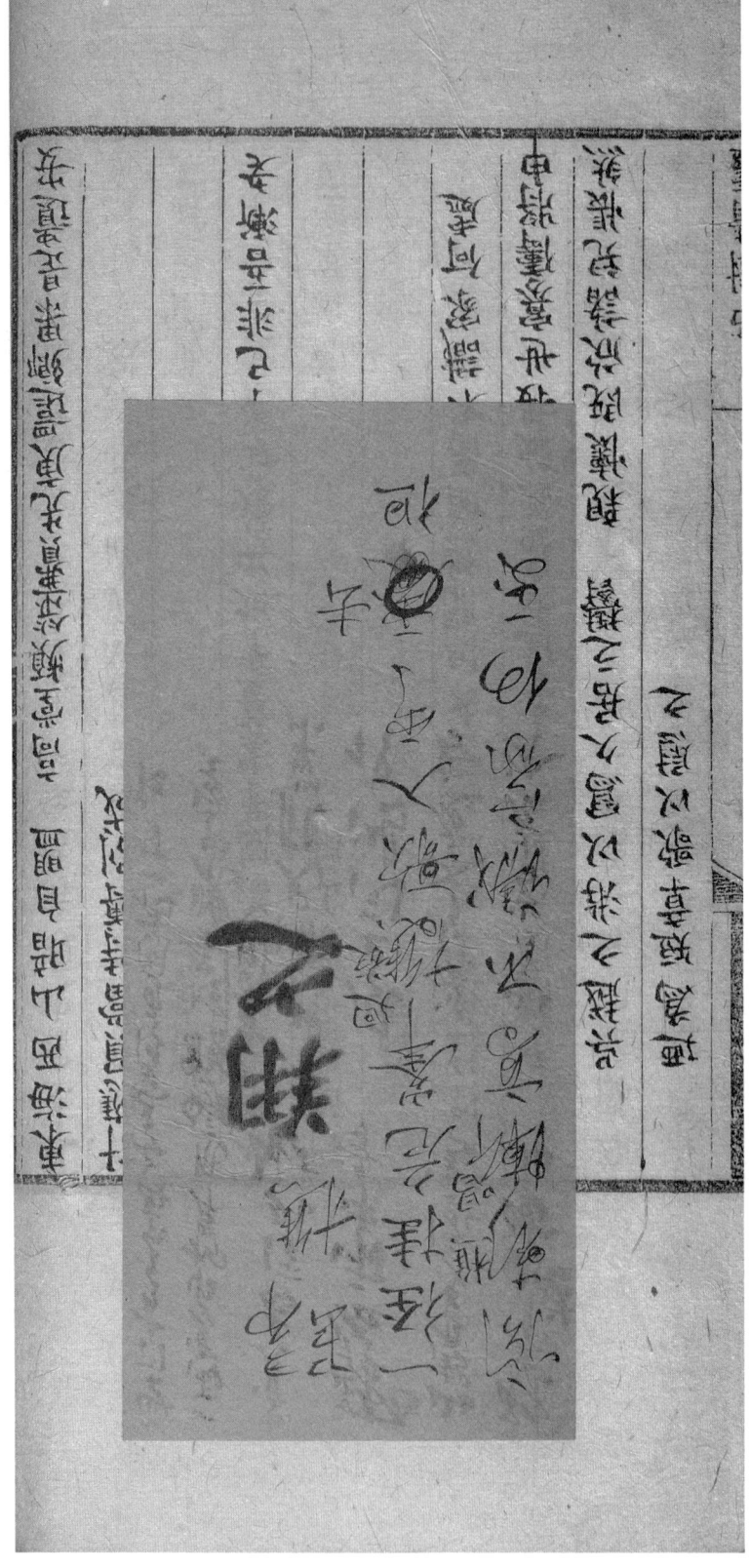

東海西山暗自盟　高堂頻笠費先庚還鄉果是遺安
計應負當時傳別成

海風藤

少年曾寫味椒圖茅潔薑辛欲共敷世事已非吾漸老
斜陽臺笠碧山隅

歸樵

一徑挂危峯廻旋入雲去但聞樵唱高不識家何處

予閒居六載人事多違奉養疏缺接世寡儔將申
吳越之游以寫久居之鬱　親懷既欣諸兒悵然
迺為短章歌以慰之

歲盛富遠志老至畏時艱饑溺事不展霰雪空盈巔斗
刀屈雞用抗心感聖言刿世多才傑審分慙貞堅遂卷
吾懷抱安託彼寒泉聳楹納衆秀敞扉馹餘妍洞空挂
秋晴傾響瀉神淵雲讓一峯出日散萬木寒即此意良
已悵望亦胡然
古人貴時義出處詎一轍道違接淅行際可無磨涅舊
聞憶過庭微義陋身潔舟楫力不任稼穡豈自絕鴻歌
吳會游稱耕逆旅説行止雖除分精意同世則蠶眠萬
户暖龍行天下悦淄磷謝先民建善懷古烈
風急霜波寒浩然江上秋羣動思潛蟄征雁胡所求陟

山有藏穴逝水想安流尋仙事多阻養志理無優雲月無際寒江湖有深愁坐思彌增纔旣慕冥冥游郭田成都澤谷館下溪留憶親母我勞修業安爾疇布帆詎經歲終逐歸鴻休

將之吳會於重陽日送通伯往京

挂帆離皖國落葉滿江城更向寒波外送君復遠行風塵侵客路雲日麗神京隔歲登高處應憐此際情

將之吳中留別阮仲勉

憶落淮南葉同擎建業舟碧空雲嶼暮路斜日布帆秋念我天涯去遙生江上愁舊時風景在逐回為君留

蕪湖寄楷樸兒書後題此

水宿逾三夜維舟復此關風潮寒澀棹天水遠沉山勝地一親能喜勞心客易閑鄉書知早達兒女一開顔

雨泊當塗縣

四合山前暮靄長天門東下望蒼茫水容遠繪帆千葉

東下天門望大荒蟂磯采石共蒼蒼

烟雨横涵雁一行已分田疇甘種菜那堪湖海憶搴芳停橈不用思棉上風浪平時是北堂

登太白樓

楚殿荒涼蜀道危高樓百尺起遥思憑欄欲共詩魂語日淡波寒不可追

江寧晤張廉卿贈之

憔悴乾坤幾憯舒秣陵坐望渺愁予空聞神鬼勞前席
不信熊羆有後車阿睹金錢從落落肘邊斗印任徐徐
一枰典午清談局黑白相權未覺輸

湘水枯微絕問津老漁空憶武陵春權輿遠近猶乘屋
薪木摧傷幾寓人盛代自饒天下寶即今爭獻海西珍
扁舟風雪秦淮道獨有張堪可共論

送黎蓴齋奉使日本

昔聞班超走西域隻手定國三十六又聞得主諸葛公
治内首獲攻心功君曹〔曾〕有志今未遂走三萬里亦何貴

樓船朝開滄海東駿蛟駕鼉吞曦紅島酋遥破波濤拜
燀赫亦足驚九寓水輪縮海大飛陸開闢以來無此局
天心為欲夷變華昂（仰）首長呼如睡熟國家閑暇有常經
蜀狗不謂空具形但能放手絕私意豈必異地借新硎
君昨陳詞向虞舜知有英謀排衆進孤注心寒白玉樓
盈廷人豔黄金印野鶴橫江建業城故人猶記藕雲卿
殷勤十四年中事欲語無語空復情張公席上一杯酒
蕭條何處開醉口如君發硎猶善藏似我真宜早縮手
君不見妖星六月照四垠紫微黄閣光芒新五行紛糾
不可詰天上諸老何逡巡行矣中外同致身勿逐羣兒

羡奇珍海中風雪不在遠好為野家加餐飯

雪後獨遊平山堂示僧兼柬仲武

霾行四天風有色道上氷花堅似石老僧深居謝車馬怪我衝冷來荒澤拂湫開戶出羹飯十語九贊剝果碩人生緣遇安可宅落手稱心端在遙乾坤何處不清寒去住虛空同逼窄況開堂宇明遠雪別有疎韻生遙磧竹梧零亂來殘青鳧雁參差下寒碧衢日平蕪橋壂枿藏鴉衰柳瘦挂腋吾鄉浮渡公所經說法當時驚黑白八百年來好事絕把似茲堂有疆畫江山表靈待人物不爾藴真甘遠斥標實須名太古然賢流勝地鎮相借

歐公已死不再生池亭何異菅榛積僧乎僧乎爾來試
數門前客莫向炎涼分寸尺道高邂逅成故事譽寡當
塲已掃迹遠鐘稍稍動歸興瞑色蒼然深可摘寒廳談
笑對良朋燈火揚州又一夕

梅花嶺謁史忠正衣冠墓

史公祠墓蕪城北喬木凋傷嶺路微鄰寺疎鐘催短景
甃垣殘雪冷斜暉圍棋原異淮師出圖像難同蜀相歸
至竟無情祇邗水華誅蘋荐總霑衣（祠有畫像甚精采）
舊事龍舒七受兵血書四借虎羆行丹心拔筆馳三疏
赤手提師障十城故里已殊公在日客途同蘊此時情

劇憐滄海開生面，八月觀濤水氣橫。

洪琴西都轉拉觀署中園亭感賦因贈之

先人昔在維揚日，東閣觀梅月幾巡。花下圖書深細鐵，酒邊裙屐盛扶輪。當時談藝無殘客，此日搴帷有故人。撫事流連又開府，摩挲欄楯一愴神。（旁注：草酋落卬近空陳）

漢水陵陽毓俊才，殊聲雲合動風雷。嘉謨閫海曾欣薦，大業湘江望遠陪。明月漸移寒雁鷺，青山無恙照樓臺。異時棉上安文隱，莫向烟波問晉推。

雪中柬莫仲武

潮落江空雁斷聲，天風海氣冷蕪城。我來造榻逢初雪

占得園林一晌清

主人清尊為客開竹梧不減東閣梅便當歲歲揚州道

獨剌扁舟訪戴雪來

贈汪梅邨先生

吳中舊䟽經師地聞道人師喜欲狂芳物那成廣陵散

葆真今見魯靈光罏泉香絜無由俗廚饌腥羶任世嘗

秖恐後來少樜楷祝公食氣過張蒼

秣陵歲暮雜興

東吳玉樹久凋殘小住金陵送歲闌千里征笳人外靜

一城燈火客中寒到來盛（勝）地空文藻別後音書憶路難

日暮高樓起愁思旌旃風雪滿江干
不信橫流定止車野人舟在且浮家江間春色迴天地
海上潮聲變歲華衰草寒隄殷仲柳筠籃曉日邵平瓜
劇憐馬糞烏衣術步屧婆娑數暮鴉
鍾山望氣半蕭槮林壑風巖變古今好景不辭花鳥暮
青春常為管弦深江山麗蹟駢釁字文藻虛堂泚瓮簪
舊手已遙驚後死清涼雲物漫追尋
朱雀橋南積雪晴曠游漫討六朝名荒祠舊榜題康樂
斷碣殘僧識步兵山水未應殊昔勝琴樽何處問平生
蒼鷲墮地惟前代皇路駈車敢淚傾

京華一別十三載屠狗英雄近若何廊陛文章爭補衮
江湖歲月老漁簑平時下品高門少草昧成名豎子多
北望居庸極天末五雲終繞漢山河
紫瓊閶闔矗層霄雲漢高寒閣道遥玉殿獨通王母馭
琳宮只受廣成朝金銀眾闕羅羣帝紀宿星官拱斗杓
熒惑天狼莫相犯我皇神武是唐堯
羣巒西環鐵甕雄蜀岡幕府掎江東濤迴玉粒千艘白
火鑄滄波萬竈紅夾巷（轂）閭門金作屋長衢留輦翠為宮
風潮三宿魚龍夜短櫂烏皮悵望同
挂劍綱維半壁藩吏吾端在古風存閣書事抵規年格

澆柱誰當咒至言淮水波瀾流海國蔣山雲氣接中原
遲行緩步紛持節匡坐南溟看徙鯤
鴻飛鵲逝各何之獨坐蕭齋有所思文字待遒需謗好
故人別久斷書宜清香畫戟輕荆璞濁酒山樓廢尹著
一望江頭風雨晚幾懷谷口柳枝垂
市酒騷愁欲策勳獨醒翻倒惜離羣晴尋古蹟交新友
雨借奇書梗舊聞永夜客星懸碧落大江孤月照閑雲
盤旋江清絕湘波遠太息揚靈一弔君

立春日晚望鍾山

金紫璀璨珠動人念木末少銜和動颸天際改寶巘引流光歸陽發山彩騰

紫摇澄空浮金爍遠海旅館神久幽廣豁目啓愷晨遊
鶩乍睽旋步協暮采既聆高蹈往復此靈局在化跡感
誌隱靈隱蹤懽謝悔想像薜蘿人惝怳雲中待銀臺階
仙梯天宇曠神寀聽前豈一覽詠後遊千載

登北顧山

世亂尊天險時清縱勝遊羣山開邑甸萬水納江流翠
輦人間驛瑶宫日下舟百年虚盛典西望不勝愁

金山

金山今古勝三度繫遊艭樹色忽連岸鐘聲常渡江天
風催客髩佛閣换僧幢為問蘇公帶禪心復幾降

三晉錄云春月云云
前

鎮江贈家訪源時權城守參將

把杯逢歲暮情話感家風料事氷同履為官節豈豐旌旗思舊部壁壘見新功更喜書鞭筆淬淬江水東

明故宮觀方正學血書篡字石

蒼茫寒隴際一水帶蘼通破闕樓梁盡頹橋券石空連畦開夕照獨樹冷雄風不為貞臣血何人到故宮

酬贈汪梅村先生即以留別

槃澗隱蹟不可指江山空復遙著書宜海嶽圖畫總漁樵此道昔推重斯人何寂寥向來占處士未易測雲霄

一櫂下江東津樓望遠同春山采薇雨秋水釣絲風地

濶客星遠人歸芳草空無言且西去相憶有梅翁

除夕口占示諸子

燈火樓臺夜江山城郭潯我來瑶瑟暮客思玉杯深匹練叢花繞千門壁月沈擔風眠酒事枕石漱流心蓬葉爭迎富椒盤喜盍簪虹舒珂繖錦鱗比畫符金桝燁山睬遠氤氳佛火歆碧烟扉列柏絳氣肉如林正憶寒巖宿相將煖釀斟玉魚先擇鱖銀鴨祝多禽壽毋梅魁昨怡人竹爆今攜雛觀蠟鳳硯句檢書蟫小薄逐貧賦聊歌梁父吟軟風香霧裏明旦與開襟

元旦散步赤石磯

玉樓昨夜醉銀笙棋局詩瓢閙五更萬里春風吹不醒
江南閒煞老書生

曉日曈曨霧未消南岡東畔第三橋籬門前夜披衣雨
已上秦淮二尺潮

臺城門閉不得入有觸

舊苑金輿斷宮門鐵鎖垂似聞新有恨不許世人知

雞鳴寺大風

湖色前朝水山雲亂後城春風二十日猶帶歲寒聲

胭脂井

人言道旁井麗華曾此入年年小女兒盈盈事朝汲

一山茂才邀至胡氏園觀梅花作歌

金陵亂後之近廿年樓臺花鳥猶凋殘博山小倉盡瓦礫不可得
爭傳乃到胡氏園烏衣巷外長干近白版忽起朱樓並
玻璃四面池中央喬木無根只花盛山石玲瓏十尺高
障我聊免塵汚遭曲廊風榭暗邀轉截水架板紅欄橋
竹籬小軒榜春睡地偏抱雅差可醉恨無森木可藏鶯
斗酒雙柑慙位置吾宗邀我當歲寒梅百花株冷未丹
主人解趣閉門去游子忘情坐自安屈指梅開及春早
相期此處銀瓶倒九種何須君復栽荑人秖合師雄惱
披衣晨起客來初招呼步屧漫隨渠綺霞入眼一大快

雲錦亂張金粉隔名花品味酸醎外入塵自不受塵疥
奇姿表俗故尋常春意由來氷雪內深心欲盡壞垣牆
販負都教入畫堂萬枝折去押蓬屋要令比戶増春先
南覗苑門循曲徑巖之殊有未盡興迴看倒影入池塘
疑是隣家別有勝聞道湖濱末漬梅故人有約未能陪
他時載雪扁舟裡百斛香醪盡意回

酬寒人見寄之作 寒人原作 肆意濡毫五十年春風舊業久習難捐感君助我溪山興坐對荒寒亦可憐

萬壑松雲老鶴巢泉聲注盡研穿坳近來一管中書筆
付與何人廣絶交

送兒槩歸應試還經湖樓作此寄之

送爾西答江上舟天南翻悵客星留含情獨倚高樓望一片湖光是莫愁

鳳游寺志云即古瓦棺址

鳳凰台外瓦棺寺寥落僧房古堞隂隮有鐘聲常不斷竹籬茅徑得相尋

阮公墓

瓦棺隤寺外斷石碧苔封多少驅車客無人説嗣宗

即事

風光何奧客愁〔思〕不關春晴郭輝芳樹寒江興霽

滉橫空山並海不斷水迷津是物看如此未知誰主濱

題董風明傳後

百天匡廬秀接天擦江[…]有孫

桐在偶對董風欲[…]

題莫愁湖樓[…]

天有遙山湖有雲[…]中山

作為問春光深幾[…]

出郭

行背秦淮一里餘荳[…]南路

紅杏小橋春賣魚

江上春光[illegible]

[illegible]

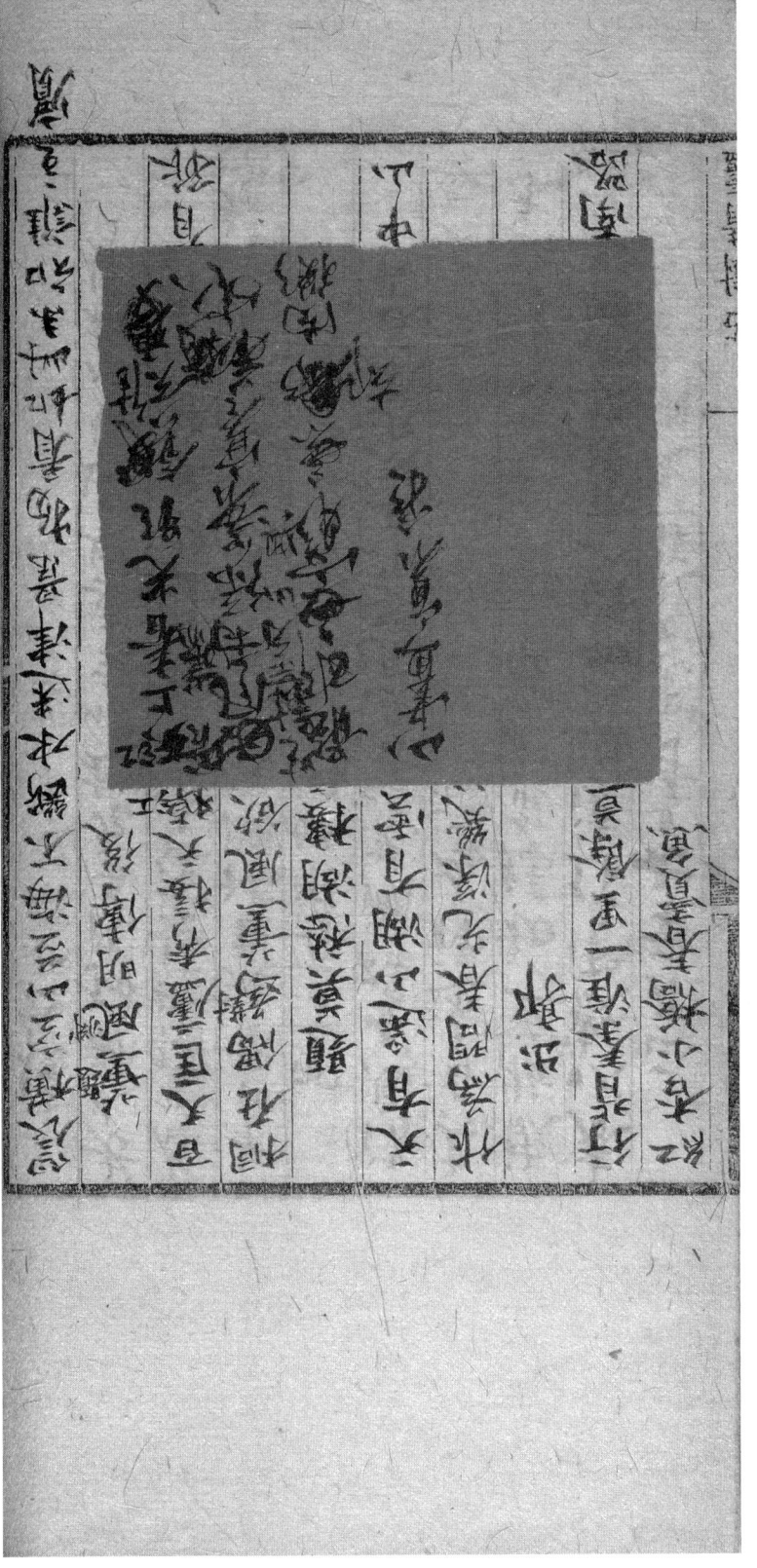

晨橫空山並海不斷水迷津景物看如此未知誰主賓

董風明傳後

百丈匡廬秀接天捽頭歸去幾經年辟閒贖有孫

桐在偶對董風欲上絃

題莫愁湖樓壁

天有遙山湖有雲杏花風起水生紋九原若許中山

作爲問春光深幾分

出郭

行背秦淮一里餘莫愁湖畔釣人居數株楊柳江南路

紅杏小橋春賣魚

正月二十七日侍慈大人遊後湖馬上漫詠

春吹數雲作淡晴，柳隄端合板輿行。馬群散牧草初綠，魚艇閑沙水未生。地少客來真自遠，神為花主不多情。莫嫌蓮葉無消息，不得湖光境倍清。

望日再游妙相庵

午日當天第相閑，巍然刹後見禪關。三橋宛轉迴溪合，春水獨樹婆娑絡遠山。花鳥動無諸戲，風光舍放老人歡。針湯未了難鳴寺，乘興還憑竹杖攀。

曉起

綴露滿花朵，斷雲猶在天。未知夜來雨，潤得幾家田。

舟中五十生日

頭顱不覺春，身心曷爲泰。徙居兩未卜，豐無乃
及艾春風以歸舟。江波淼涵韻，蘇櫓空流花芳
渚青紫菜，雛脈芳舊鏌。僕人高良吳，官物相饋。風水情今
總章嬉，十九忘姻族，一二在爲業，嘗及親繼，生七窮開
時背回首，檢手生白日，然圖畫二十，樓臺深萌
筆漸闊，戚三十，戎馬閒。拜母小稱快，事勤早時，退遲
心舊，退山林吾素，敦厲綱常時會，詔當避舍去焦
以養良，吾大蕭條，八年居牧島，未去害，諸與眷長念

讀書絆計會田園日朘削散廬敷苫蓋衰親強
儉日愉見酒肉積帶日斂金錢縮手時自耐貧
國士常儉養亦何賴蹉跎五十年私省懃門內言
人重守節有恨祿不逮想於今隱心獨出毛以外
情然覺昨非倒起淵明指抱茲行達理攀入扁舟
再二月水未深山川供清邁遠天門搖青紫石部後塵
波日鋪廣錦岸峯引修帶白水接天光一綫綠芳草
晴雁遠沒雲寒禽鳴依漱跡柳間老孤帆泊漁網
挂目盡去有餘心曠神無礙坐貪清輝長不知歲月
度詩篇異寫百憂那得吾親愛

至真州

隔岸尚浮家維舟五日斜綠園曲巷舍柳紅露水祠花古塔斷鈴語戈船伊鼓過津歌滿艫舳燈火動江沙

晚發三山夫乘風泊銅陵

春膧醲夜雨長風來海門曉挂之華颿夕泊銅陵烟外高呼喧枕夢逢寒峰雲木皆汪晴山却走凝魂濤微奔低昂炘却樹前却鄰逢舟水市俄斷過山樓渺已連不知首近遠但覺天蒼莛人身如虛舟通維不可言詮遲行遲何險艱冥坐默相

忽忻戚滅其間錯〻落燈火來往入華胥眠

江行

淡〻波中峰依〻天上飄薄日明積水虛光無際涵棕陽望欲望九華猶蔚藍誰歟丞山居世乃仙人庵

落帆

寒食將來雨色沉布帆無意得晴岑群峯湖上青無盡獨有横山分外深

春日漫興

客裏春光何處賒芳〻亭畔日〻斜三叉別徑

閑茶鼓一角頽墻見杏花驛置似開君子館江干屋上老人槎谷鷺海燕無消息謁對疎林數噪鴉

缺題

回首瑤池三萬杯酒深仙樂動如雷新花紫樹當春發綠蠟生香豆夜開風隨玉繩雲不擲桐飛金井月還來衹今鐵篆遺閑愁思空負清都聽落梅

貧女

貧女花鈿集鳳城次綫誤曲競新聲敢誇素質宜裝淡

塔雨鈴風斷續聞漫
歌旅枕趁微醺分明
[illegible]

轉爲朱顏怨鏡明通籙人間無阿母吹笙天上祇雙成
斥仙從此工黃白珠館瑶池汗漫行

和濮士人飲龍井茶見贈之作次原韻

同是寒泉在孰盂夢醒何事感東隅分明舊日看雲路
山色春來雨後殊
龍井芬芳盡一盂荼蘼初放小庭隅幾回憶得當年
事春草溪山覺夢殊　寒人原作

別母之京寓泰興閔林上作

西風吹雨阻人行客舍都傷[illegible]

[illegible]

為方倫公題文衡山山水

江上春光餞欲殘谷風蘼雨綠蒼寒何人寫出猨山興
卻向衡山畫裏看

方靈皋書文賦冊子為方栢堂題

靈皋初住京華日曾與蘇書屬素侯當識早年趨舘客
大文故應看傳頸當時餘事珠璣在此際流風粉澤收
把卷知君惜檀楷摹安不獨為銀鉤

漂母祠

當年一飯惜王孫巨眼高懷謝報金今日有人憐不得
荒祠古木見淮陰

淮安贈別篠塢及蓮上諸君

破車殺馬成虚誓，湖水離山請檄來。兄弟二年臨別酒，賓朋四座出群才。麥晴攬轡淮河曾，槐夏登山海岱開。閶闔茗莞定相憶，楚雲燕樹隔三台。

蒲筍

南方草木窟，觸手皆奇葩。淮上非吾土，入眼來筍茭。沄沄交渠水，叢叢蒲生坳。斷水刈其根，乃非意所料。宓妃出洛浦，鴻夷解鮫綃。冰柱臨夏折，玉樹當筵交。至味抗太古，用籍宜白茅。吾生薄肉奏，口腹窮山梂。謂有雞口廉，足免肉食嘲。忽念行葦詩，騶虞乃雲霄。充潔詛類蚓

題驛壁

一雨朝晴穩客心無端清思坐徐生深舊時驛舍看栽樹
十五年來滿院陰

新春

我行新春道不知行旋艱新春多碌砢時忽坦且寬峻
坂削犖确直髮騁闌干堿開太古石橋駕千里川巡工
來邑宰冠蓋雜沓鞭百夫無完衣鵠立赤日間後吏揚
揚至喜謂吾官嚴捉人無羸老幼婦餉盤飧雇錢日十
五不足供一餐低頭鑿堅石袒臂當驕炎良苗織未治
路側朝及昏今旦多摧焚瘡骨不敢言所以民子來王

道潯平〻疲馬輕百里勞客車上眠古来興百利雖免一病存停車畢此説瞪目難爲安征者樂行歌居者嗟長歎

齊河道中

山光郵泰岱河勢魯齊臨地與天爭曠沙牽白共沉黍梁連畛短槐柳逐郵陰回首雲興岳斯人慰望深時已月至于五月不雨

午日過獻縣

馬上逢佳節燕齊路又分孤城懸白日獨隼下大野動黄雲過市榴花綻當罏艾酒醺高堂正分襚定爲憶離群

旅舍口號

昔年燕趙壯孤征亂後笙歌過五更今日酒醒茶未冷

櫂檣依約兩三聲

雄縣曉發

薄霧散宵雨清氣輿風奏雲光綴野妍樹色生山秀懷欣秫舒苗風化蟲鶩候郵童摘夏果老圃耘秋豆豈無客途感精魄兹靚山桃晴稚熟盆香凤入袖緬彼千里家永此他鄉晝終當脫青衫祥盆高堂侑

至都中喜晤代畊姪兼感憶吉甫三兄

湘波初動碧荷池卅載悲懽并此時家有林竹軌大阮室無琴獨感徽之九江風雨人相憶三晉音書雁每遲

至竟銅盤能濟美，銀河浪定日邊垂。代明儒次永定河之同知

示通伯

去年爾北我南行，門户蕭條不可負。老輩文章傳白下，舊家素業在清名。相逢帝里人無恙，別後星槎事幾更。傳說少微同照地，空階坐對不勝情。

贈光禄輔時初補御史

憶別京華十五年，相逢雙鬢各蒼然。文章天上三台貴，巾褐人間五嶽隆。出處自知慙謝朓，諫諍差喜得聿賢。都亭大有埋輪地，溫室休嫌疏草傳。

贈馬月樵時以大理寺丞薦應科目

玉堂金馬待曉珂通經餘事法曹過漢家斷獄于公最唐世平反狱相多四海風趨尊纛簡一時衣鉢重夔坡獨憐燕酒相攜處促膝停觴憶志和末謂張芝生

贈張二谷時以知縣謁選

塵世相逢多望外故人久别得真懽相憐筋力疲爲客翻笑韶華老入官天地萬年輪庭窄海山五月筆端寒從今好買鶖溪絹細冩民風座上看

睡功 糊酌朐星通三芳外弄

前世二雨郡炎風漫閣羃愁試睡功漢〇〇〇看蝴蝶在離離時會處蓮空渙氷若谷歸玄牝吹大燎原熄絳宮都向

枕中生妙法不須大覺望雷同

追輓張鑑亭茂才

從此貧交絕直諒差（客）歎（途）道（羞）路（幷）得歸來青山方買潛身
地黃土俄寒傲骨灰作誄西無潘岳筆託書人斷仲宣
才脫縢埋石俱蕭瑟枉向成都賦八哀

寄贈吳摯甫刺史

刺史初從幕府徵聲名意氣各飛騰文章永叔推
蘇軾賓客侯嬴報信陵一自大星傳夜隕空聞舊雨
議同升（刺史與李相國同出文正門下）可憐滄海桑田際無限天池看
化鵬

晾鷹臺北對西山諫獵

此首移雄縣曉發後

此首移蒲公尹前

松鶴籐猿歲月更天風吹斷步虛聲雲將作雨知

舒卷泉偶辭山任濁清入市悲歌懷易水感時生處

故人情

仙裳城建康會座堪同憶準擬重親小異生

登鎮淮樓 在淮安府城内中街

滄海中原一氣冥憑高醉眼豁餘醒南來水盡懸空

白北去山無不了青小劫人天留埤堄大河風雨會神

靈淮陰舊說多年少誰向橋邊帶劍停

侯黄[illegible] 經南苑進永定門

登東朝[illegible]文西山南苑[illegible]西任往還雉堞四五[illegible]門

尉靜驌驦羅獮馬宫開雲霞殷闕思訊起[illegible]

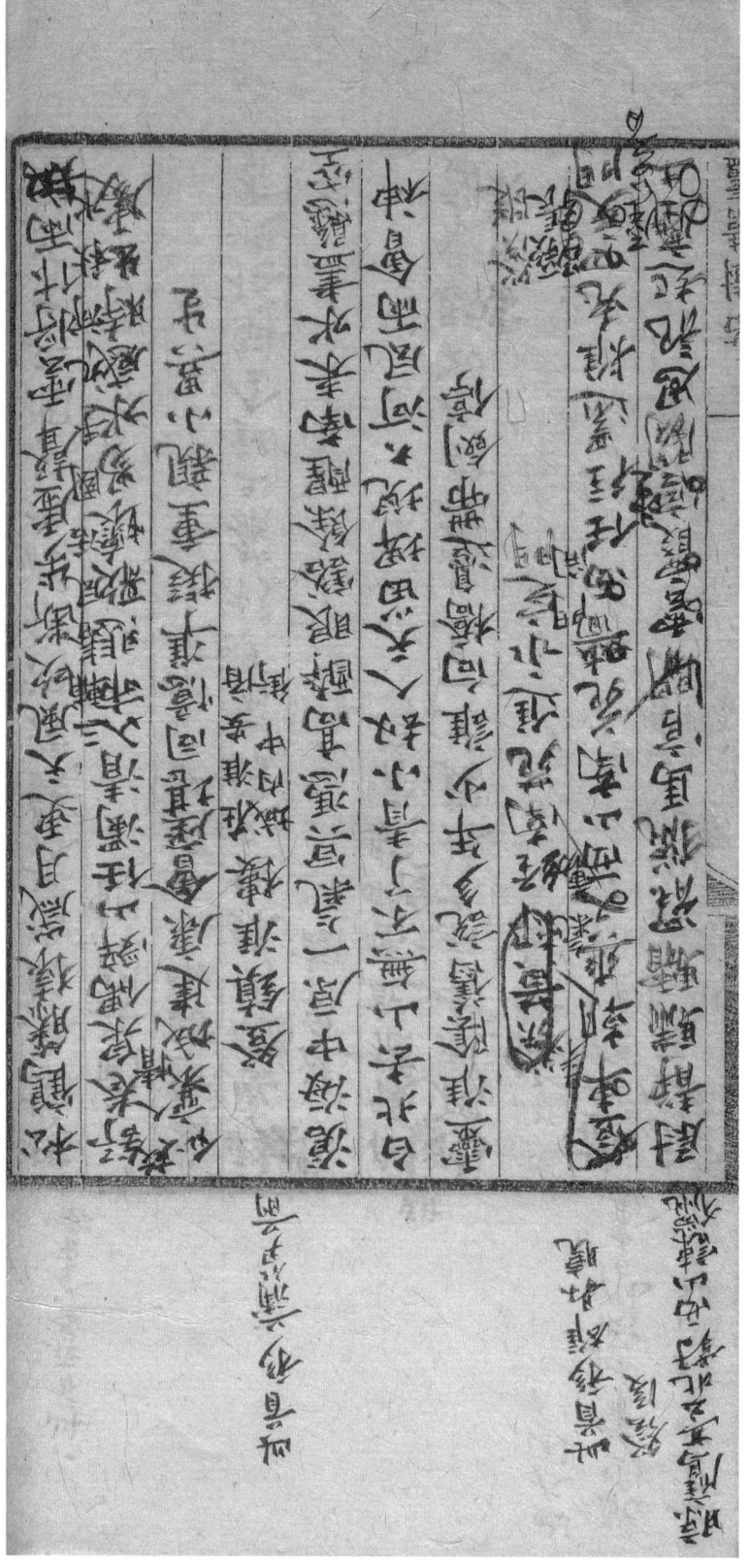

無書樓閣相日一
駝鳴華道幽風…
北天閑

此首在黃金台前

柿柿米厯

衣冠怨路轉酒觴漸難諸子少霜華滿鬢入

燕閑

黃金臺

勃碣風雲氣未殊歸然一阜見雄圖不知騷裏當日未盈
闕後猶記當時駿骨無

洗象詞

軟塵贖馬緣槐天羅扇蓬衫簇玉鈿金斛捲波香
象起始知今是太平年

固安聞鵠

槐葉垂絲榆落錢渾河沙澗水無烟平生不識

啼鵑恨客路相安五十年

返照

雲外孤光斜上樹半空色相孰能論偶閑庭欲著雜帶晝細雨收返照時

曉起

月午忽斂光孤雲淡如染高樹動風枝淺深看冉冉

曉寒

風訊先秋送曉寒月弦三下客中看故鄉此日三千里歸路知應萬木丹

夏日陶然亭同月樵柏園通伯彥恂

移金山後

嘉樹在檐端高齋納宿歸進陰暑不侵夏雨夜
來足微雲淡午晴好風出鄰竹招邀情衡協廣覽興
往復情來萬化移童卯一天鑾南寺鐘曳殘雲野韻
明疎木蕭蕭蘆葦深含意先秋肅玅境奪諸有餘妍
引遥矚遠客易為懽邂逅自成福江亭感傳頭
歸景綴遊目落日下西山餘清散林屋亭搆自戶部郎江藻或榜之曰江亭

訪源遊設齋於金山僧舍

寺寺到山椒已半空翠亂風雲氣檻前通坐疑鐘磬懸
天上時見帆檣出地中壺酒斷知遵佛戒盤飧小有
諸宗風主人言倦僧歸院柱對焦山興不窮

樸峴書來報女孫蓮殤哭之以詩

苦恨臨歧不睹微淚珠千里向南揮（予以四月八日辭家，蓮已有微疾，臨行扑入予懷，戀戀不去）

書來遲蓄三年艾（天師三易醫，病愈劇）夢裏虛牽

容子衣（殤前三日夢小兒伏予胸前，以一手捉予肘甚堅）佛果再花遐想結妙

蓮封雨蹬因非（蓮生時人贈蓮花，殤時亦並蒂，豈再來之讖耶）蕭蕭碧樹秋

牕夜錦帽金鐶著眼歸。

雨生追悼女孫蓮

正遣客哀斷，瀟瀟又雨鳴。牕燈涼夜色，砌葉早秋

聲。小塚應無草，餘衣不掛桁。預憐拳老母，情

話怨晨嬰。（雲笈七籤五目童名，右目童名曰晨嬰，蓮以目疾殤）

早秋書懷

鷲空發逸響風葉戰高樹雲淡落疎陰微雨時一過遊地易悲風白日櫻紺霧登高望瀚碣塞雁何時度蕭蕭日邊塵杳杳天外路之子在江潞芙蓉殊未暮褰裳起深懷抱揖還延頸

都中七夕

暝風斷雨天韻媚洞碧衢雲一綫曳樹頭弓月送纖光清氣一庭動人意幻視功名非道芽我行如客如家試看祈巧紛兒女天半黄姑自在斜

早涼

纍纍榴實垂如火，裊裊檐花點似金。一夜西
風雲剪碧，早涼庭院可憐深。

夜起

山樹有聲走林樾，餘響入聽動毛髮。羅衣出聽千
巖秋，一笑空館忘修越。星河冉歷良抱深庭桂，
踵殘苔動香髮，樓臺何處不高寒，雲環無人枉

秋月

方篠泉見示憶閔見懷之作次韻酬之

別來歲知君出玉關，傳車計時還天山。風土
供新吟，詞人海霜華識舊顏。櫻柳尚思驄錦

別櫻桃待醉鹿苹開絃歌甚樗都常事莫邊
相情兩鬢班

疊韻再贈篠泉

把盞湘怨歌相悶酒底情深往不還祇有英雄能
好事絕無傲骨冒伍顏心懸珠斗杓璇上夢入金微
鼓角閒請劍歡纓猶識世未須窮鳥託班班
燕影鴻聲警九關秦秋誰去果誰還暮霜幾見推
奇骨宮月從教照醉顏千里故人空世外原詩及百年
文字總人間南國筋力瀘西興太息匡淋懷柳岸攀十班

小篠泉屬題推枰返戀二圖二為感悼藥西林將軍

英鞘而作

國勢思飛將，奇才倚孟嘗。攀龍棋局置，駿地殊方漢。氣乾坤黑，河聲日月黃。如何柯爛後，賭墅帳斜陽。

萬里天山道，將軍故壘存。玉關來日樹，珠匣去時幡。攬轡茹新痛，披圖發舊恩。平生無有淚，捲軸慟湘源。

龍爪槐登覺羅炳成小樓

意識閑門掩，尋秋得暫過。葦深流水少，出遠山樓多。（浮翠出遠）（微受青）調古琴懸壁，人稀砌長莎。登臨動鄉思，江上有峯阿。

夜坐有懷

霜穎未搖落方寧寂閑庭涼意滿遙思起漁樵

夜色海生月秋情風過蕭索無恙滔流幾能消

安徽省圖書館藏桐城派作家稿本鈔本叢刊

姚濬昌 卷 3

安徽省圖書館 編

國家出版基金項目
NATIONAL PUBLICATION FOUNDATION

北京师范大学出版集团
BEIJING NORMAL UNIVERSITY PUBLISHING GROUP
安徽大学出版社

石甫府君行述

不分卷

石甫府君行述

《石甫府君行述》不分卷，稿本。一册，毛裝。半葉九行，行二十二字，無框格。開本高二十四點三厘米，寬十三點二厘米。行間多朱墨兩色勾畫修改。

是書係姚濬昌爲其父姚瑩所撰行述的稿本，敘述其治理福建平和縣及臺灣海防事尤爲細緻。

皇清誥授通議大夫廣西按察使司按察使加三級顯考石甫
府君行述
嗚乎不孝濬昌已矣罪通於天矣先府君學問文章淵源有自濬昌生二十年一無所領承無以仰繼前業府君東渡臺洋西抵康衛中間由臺入刑部以至末年從軍粵西辛苦患難之區濬昌未嘗一日在側去歲聞府君病束裝往遇賊而回猶期憶今春再行四乃未出門而府君凶耗已至矣嗚乎生不能侍養歿又不能親視含殮天絕我路竟如斯也嗚乎痛哉府君之幼也適家中落先大父醒菴府

君

君客江蘇浙江府君與先伯父損軒府君侍先王母張太
夫人家居每晨起躬親掃洒與先伯父懷之餅從塾師讀
暮歸而乃飯好學不倦稍長即有志於古今日取先薑塢公
與伯曾祖惜抱先生手校諸書並論為學作文之旨趣人
究之是時府君未弱冠而已憂乎遠矣初與同里張阮
林方履周吳子山家易鄉諸先生學古詞詩文與朱歌堂
方植之徐六襄左匡料方竹吾光聿原劉孟塗朱魯岑諸
先生為文章道誼之交二十一歲補府學附生二十三歲
國嘉慶丁卯科鄉試中式明年戊辰成進士

殿試三甲歸班銓選府君初入都時舉子皆以得見先達貴
人為幸新城陳公用光時為編修惜抱先生弟子也聞府
君至思見之語從叔祖庚甫勸往府君辭曰陳世交前輩
宜往見然今方試期陳設為房官而幸中則嫌疑不可
白矣陳公益重之及得第候銓選府君乃告歸侍養時百
文敏齡總督兩粵佐府君往醒庵府君亦先在粵因往依焉
是時文敏方招討海寇因居幕府凡海上事悉講求焉寇
張保新受撫賓僚爭為詩歌頌功府君獨無詩且說文敏
曰保驟害七郡粵人切齒久矣留此必為怨家所殺釋治

兩不便且四時之序成功者退盡暫息肩字文敏愕然曰
若遂乞假攜孫去甲戌府君北歸乙亥入都謁選得知福
建平和縣赴閩道由浙江督學山陽汪文端公廷珍索觀
詩文有衆鳥啁啾獨見孤鳳之歎既至縣察民俗好鬭訟
而貪利槖犢千餘大半械鬥擄掠之事府君因嚴捕誅鋤
強暴聽斷勸諭必以至誠民俗頗變調龍溪縣民俗尤悍
巨桀纍纍民視伏鑕如兒戲府君曰是亂民也非峻法不
足以懲取械鬥者杖殺之臚榜其尸於郭門邑人大懼以
為酷死大吏竟以非律為言獨總督汪公志伊深然之府

君亦以感令既行言於上官暫停追捕各鄉民入城聞寃
苦辨白其數十年讎怨相尋之故親至各社剴切曉諭使
侵地奪社者各歸舊業寡婦孤兒命各族人恤養其殺人
者令家長自捕送不使兵役妄拘不聽死者家妄許連逮
老幼感激泣下誓解讎怨一時棄双修和者七百餘社悍
風稍止乃起書院以培士風又聽民迎神賽會放燈召優
伶為樂俾知和睦太平之樂而深悔頻年鬥爭之苦逾年
調臺灣縣護理海防同知又調署噶瑪蘭通判臺邑丑妖
為祟府君乃作判畀其像至笞而毀之妖遂絕閩省兵米

牟仰給於臺灣歲運十萬石例由商船配運奸民盧允霞倡言罷配別製官船臺道葉公世倬惑之以語府君府君曰臺穀歲十萬石舟以二千為率法當用五十艘艘工料以五千為率當費金二十五萬合弁兵及舵工水手每舟不下數十人歲費金又數萬海舟駕駛三年當一修費又數萬重洋風濤不測一有沉失則舟穀兩亡是漕艘之外又增

國家一病也又以臺灣戍兵皆自內更地調數驕橫不法欲改募臺人府君曰如此是無臺灣也曩為臺人反側故戍

以內地弁兵一百四十餘年矣一旦改用臺人誰與鎮守

母府君自任平和所在士民親附初調臺灣漳人上書乞

留者日千百數鎮道亦以為言董公許之更逾一歲比去

焚香泣送者數萬人有一人伏拜於山巔舟行二十里猶

見之而究莫知誰何在噶瑪蘭臺人思舊治之善請於上

官欲府君復任蘭人聞之越六百里赴郡争之而大吏如

汪尚書志伊董文恪教增又皆殷勤下交不以邑令相待

每守令至漳又曰可問姚令而忌者於是起矣未幾遂以

龍溪任內舊案部議革職先是噶瑪蘭有巨盜林牛者

詔提督羅公 斯舉 渡臺擒捕至則府君已以計誘獲林牛等十
一名奏
旨送部引
見未內渡而先大父歿張太宜人命損軒公府君扶櫬先歸而
自留福州府趙文恪 慎畛 來督閩浙軍遜之府君乃留以
養又為要人所忌方太守 傳穟 調臺灣府君偕之渡海臺
人爭以鼓吹迎之居幕中知無不言所欲建白而未果者
悉白二公行之孫文靖 爾準 巡臺欲開埔裏水裏二社如
噶瑪蘭故事府君謂方公曰必欲開二社者其要有八和

睦番民一也通事必求良善二也官課番租不可混淆三也界址作何啟閉四也官荒招佃永除業戶之名五也用佃萬人不可無頭人經理六也埔裏地處萬山中為全臺之要領前後山海之關鍵去彰化縣城窵遠非微員所能鎮懾撫不得畧如廳制文武職官廉俸兵餉作何籌給七也開通北路一溪以便舟楫八也此其大綱至經理之人非才識足以幹事操守足以信衆不可方公陳其說孫公見而難之遂寢許楊之亂孔兵備　昭虔討之府君為書言勦賊宜速鄉勇宜募軍實宜簡招集散兵移調外兵請員

聽用亟修城垣籌給經費凡八事上之乙酉起復赴部引
見改為降二級調用遵例捐復丁亥丁內艱庚寅之武陵謁趙
文恪墓十一月起復赴部引
見時江南奏請揀發府君揀發江蘇題補金壇縣未赴任歷署
元和武進縣督修孟瀆三河海疆有事大兵絡繹不絕又
以水災招撫流亡堵拿拒捕巨犯莊午可府君內理繁政
外撫悍卒雍然以治擢高郵州知州旋轉淮南監掣同知
丙申護理兩淮鹽運使時所銷久滯淮商大疲報銷不能
蔵事繼任運使劉公萬程憂極自盡府君再護其事當商

拾原議只得如此
鹽義倉官犢之称不可擄
穀次稍不
了晰請
酌之

力疲乏之時運司初亡之後衆商莫知所措府君言於總
督陶公澍給還應領窩價納現價六兩者准以窩價抵銀
四兩窩價抵不出庫而銀四兩坐收四十萬之利又曉以利害商情
悦服旬日間坐銷二百餘萬遂足府君又以淮南殘引
陳積歷來年奏銷更加棘手請以淮北溢額融銷淮
南殘引又建議請飭商於鹽義倉內領一石之穀自買
穀一石帶補舊虧穀五斗以完納丁酉新綱借此穀價令
諸商全數抵課自行備穀交倉可以倉庫兩裨並舊虧穀
亦完是年九月奉

上諭鍾祥等奏臺灣道缺需員請旨簡放一摺臺灣為海外要

區。區非熟習情形為守兼優之員不足以資表率因思淮南

・監掣同知姚 前經陶澍等保舉朕於召見時察其才具

・明白諳練曾任臺灣縣知縣噶瑪蘭通判於該處情形較

・為熟習所有福建臺灣道員缺即著以姚 升署仍俟期

・滿再請實授並著照例賞加按察使銜欽此故事臺道到

任後例由督撫奏請加銜甫居未逮請一

上遞加之至

特恩也戊戌至臺灣臺地灣民情素好浮動又阻大海內地遊民無業

游民常聚處奸宄時興是時嘉彰一帶樹長刀劍之形民
間以為亂兆謠言四起府君乃為收養之策上議於撫
憲委員勸諭董事使查明本莊除實係逆案內巨匪及
搶劫盜犯或命案正兇之外其僅止游惰強悍與匪類往
來者若干人收使歸莊赦其前罪准與自新再由董事勸
諭本莊公給飯食作為莊丁無事則巡守田園有事則逐
捕盜賊仍造具年貌名冊送官存案責成總董稽查約束
不許更與匪類來往其或本係窮莊游民歸無所食則令
地方官查明山厰海埔有可墾闢之地准其呈明給照往

艘。於是人皆有業，反側自安。其嘉彰一帶胡布賴三張貢等賊，府君督勦，皆立時擒獲。是時英夷方擾粵浙海疆，告警，府君親至南北海口十七處，相度形勢，設兵募勇，團練莊村，建立礮臺煙墩，製造攻守器具，又請撥兵餉，修整戰船，官弁紳士亦皆同心協力，磨勵以須。辛丑八月，有夷舟駛進海門雞籠海口，放礮，副將邱鎮功手發大礮，夷舟立時桅折，退出海門，值海水驟湧，夷舟沖礁擊碎，官兵乘機亟進，擒獲黑夷百餘名，並刀仗衣甲、夷圖夷書，以及內地營中印文器械等件，奏上諭達洪阿等奏擊沉夷船擒斬逆夷奪獲砲位一摺本年八月以來夷船疊向臺灣外洋游弈停泊經該總兵等飭屬嚴防堵禦是月十六日卯刻該夷船駛進口門對二沙灣礮臺發礮攻打經參將邱鎮功等將安防大礮對船轟擊淡水同知曹謹等亦在三沙灣放礮接應邱鎮功手放一礮立見夷船桅折索斷退出口門冲礁擊碎夷人紛紛落水死者無數其上岸及乘船駛竄者後經該參將督同署守備許長明等帶兵駕船赶往生擒格殺黑夷多名復經即用知縣王廷幹等駕船出洋幫同出力生擒黑夷多名並見白夷自行投水

其時復經千總陳大坤等駕船開礮擊沉杉板一隻格殺白
夷并（生擒黑）行投水夷多名又據曾謹等在大武崙港外追獲外竄
杉板船隻刺死白夷並生擒黑夷多名並撈獲黑白夷屍身
礮位搜獲圖冊此次文武義首人等共計斬馘白夷五人紅
夷五人黑夷二十二人生擒黑夷一百三十三人撈獲夷礮
十門搜獲夷圖夷書多件辦理出力甚屬可嘉提督銜臺灣
鎮總兵達洪阿着賞換雙眼花翎臺灣道姚　着賞帶花翎
達洪阿姚　及道銜臺灣府知府熊一本均着交部從優議
敘其在事出力文武員弁兵勇即義首人等着據實保奏候朕

施恩傷亡兵勇查明照例賜卹候補知(同)縣(知)前臺灣縣知縣托
克通阿丁憂候補同知前署澎湖通判徐柱邦佳改通判前
福清縣知縣詹謹訓均著交留於臺灣差委此因軍務緊
要是以允准吏得不得援以為例該部知道欽此同日又奉
上
諭據達洪阿等奏逆夷深擾臺灣官兵設奪砲(械)擒斬夷匪
多名一摺覽奏甚慰之至已明降諭旨將該鎮道等賞戴花
翎分別議敘矣此次僅以夷大船一隻帶領杉板多隻來至
竊伺經該摠兵等督率員弁以船奪械擒斬多名該夷匪被
殲之後難保無大隊後來闖入報復著該(達洪阿)鎮道等嚴飭在事

文武添派無勇敢密防城不可因獲小勝仗稍存大意而任
提督王得祿駐劄澎湖現在臺灣地方吃緊該提督威勇素
著熟習海洋並即移駐臺灣協同勦辦其澎湖防守事宜已
諭令劉伯壽派員更替矣又另片奏現時巡洋舟師收回港
塞海各要口內添鑄砲位團練壯勇兩辦均歸即着巡撫辦
理請撥軍需銀兩已諭令劉伯壽等迅即撥解臺防同知人
卜年派兵為將首務所請革休丁壹名兵防留臺現在湖
洋奉匪大肆滋擾廈門之大港游者只菜船停泊該鎮運其
務宜先事預防一切要為布置毋致臨事周章是為至要欽

去賞達洪阿換眼花翎一枝賞姚　花翎一枝著即祗領翎
後同攻勦勇匪指仿應由五百里奏報如大獲勝仗即由六
百里奏報將此由五百里諭知達洪阿傳諭姚瑩並諭王得
祿知之欽此九月某人復犯雞籠砲擊我基兵房砲臺伏兵開砲
擊斃上岸之夷匪深洞兵勇守護某抵退出口門毀去當是
時匪徒江見棄擄隨亂奔竄閩風響應府君乃與達鎮軍等
連捷勦及花二寮力協擊匪月之間首勦就擒地方安謐奏
上聞
上諭達洪阿等奏擊退夷船并帶兵勦辦臺灣南北兩路逆匪

均經擊敗。其一指本年八月英逆駛近臺灣口內，經該鎮道督率兵勇擊沉船隻，擒斬夷匪多名，當降旨分別加恩。茲據奏稱逆夷復於九月間乘駕三桅船駛至淡水雞籠口洋援，該逆突進口內，直撲砲臺，大礮齊發，勢甚猖獗，經我兵開砲回擊；三沙灣地方復有夷匪登岸，更據兇亡，經我兵開砲擊斃二人，衆夷駕駛逃竄。背山逆夷滋擾之時，突有北路嘉義匪徒鳴鼓揭旗乘機滋事，該鎮道等調撥精兵馳往勦辦，拏獲股首江見壽及夥匪多名，並鎗斃殺死賊匪無算。其先因擒散謀言拿獲在監匪爲內應之江波一犯，亦經該府訊

一本提出秋窺該鎮道等正在提兵搜拏餘匪間復有南
路鳳山匪徒竪旗響應亦經該鎮道等調集兵勇兩路合擊
生擒股首吳燕等及夥犯無算現在賊匪均經擊散地方安
靖等語逆黨兩次侵犯臺郡該鎮道等均能督率兵勇奮力
攻擊兩月之内連獲勝仗其南北兩路乘機滋事匪徒亦被
鎮道等親督文武兵勇即時撲滅辦理妥速甚屬可嘉達洪
阿著賞給騎都尉世職姚瑩著賞給雲騎尉世職在
事出力各員弁兵勇義首人等並擇尤保奏候朕施恩傷亡
弁兵查明咨部照例議卹該部知道欽此壬寅正月逆夷又

犯大安港府君密札在事文武僱募漁船假作漢奸作土音招呼誘其舟擱淺兵勇擊破之夷人紛紛落水殺斃數十人生擒白夷十八人紅夷一人黑夷卅人廣東漢奸五名奪獲十門及鐵礮鳥鎗腰刀等件皆鎮海寧波營中之物等

上諭云云又於摺內覆奏

殊批稍抒積忿大快人心全賴爾等智勇兼施為國宣威朕嘉悅之懷筆難罄述欽此等

上諭云云

但案列甚王提軍堂在澎湖病故府君乃與達公等議以

聞奏日謹查至以除内患疏入
硃批甚是甚好欽此大安所獲夷目顛林者為夷官呷嗶叫頗
〻識海國情形能畫大安擒夷奏入
上命將該國情形逐一嚴訊府君乃提顛林及漢奸黄舟鄭阿
二訊問其國土大小風俗人情俗與夫山川道里及所屬國
素所畏懼之國詳悉取具供辭並作圖説入
告五月定擬夷犯除顛林等九人及黄張二漢奸遵
旨禁錮外其紅白黑夷一百三十九名均恭請
王命正法而各口文武禀報復有夷船一二隻至九十隻不等

各在外洋游奕潛結奸民坐乘草烏匪船乘機向導府君
益激厲文武隨宜兜勦疊經破獲百餘名而匪船乃全幫
逃遁時又有匪徒陳勇黃馬聚衆謀反在嘉義縣界地方
府君會商道鎮選調兵勇攻破賊巢生擒首夥訊明從
即分別凌遲斬決傳首犯在地方梟示全臺始靖是年又
月
欽差大臣議罷兵稱有英夷試探而來人会議條款將臺灣所
獲夷犯及漢奸一體遞
恩釋放

上亦厭兵准其所請府君乃遵
旨委員將顛林等解交督撫辦理十月夷人遣職管官（其屬）到臺持
總督給該統領印文求入城投遞府君乃督同府廳縣及
中左右三營游擊於城外傳見夷官六人皆免冠投賫亦
將兩次所獲夷人給與領回而執督文爲檄府君諭以
朝廷恩威
大皇帝以德柔遠之意夷喜形於色先於是年九月有夷船一
隻在滬尾港遭風經地方官救獲二十五人解郡至是夷
官懇請給與領回且求一叅具舟府君以其恭順且已就

撫也許之時泉廈之間或謂臺灣擒斬夷俘必至報復至是人情洶懼僉謂一登其舟禍四不測府君曰如此愈不可不許之以定人心也且自古馭夷不外恩威信三者臺灣兩次擒斬夷俘已足示威生釋夷俘已足示恩今若不許所請彼將謂我怯無能且不足以示信矣擇日督同能太守一本仝司馬卜年及營員往夷備經彩旗百回砲六鳴言為彼國接見最尊貴者之禮府君問砲何六鳴則

前三砲俾衆知恭敬

天朝後三砲以敬貴官登舟夷官五人皆長衣率夷兵四十持

械鵠立以迎將歸夷官各持酒一甌言此天下太平酒感
天朝恩自此不敢有異志請以此酒為誓府君歸而浮言始息
是時中外大臣力主撫夷之事矣府感上恩遇厚方
府君乃議辦善後事宜通籌經費撤留弁兵章程甫立未
幾夷情反覆忽生異議謂臺灣兩次夷俘皆係遭風並非
驗擾之兵船鎮道冒功飾奏照示諭訴大師不察相繼糾
彈
上乃命閩浙總督渡臺查辦癸卯正月制軍渡臺即傳
旨革職逮問以所國聞令鎮道具辭府君乃謂達公曰夷人強
梁反覆今一切包權宜區處曆受之辭非口舌所能折辯

鎮道不去而夷或至必不能聽其所為夷人別有要求夷人
又煩
聖慮大局而不可不顧也且許出夷人若以為誑夷必不肯服
鎮道
天朝大臣不能對質辱
國諸夷武即不以為功豈可更使獲咎失忠義之心惟有鎮
道引咎而已蓋夷未就撫以前道在揚威勵士既撫之後
道在息事安大鎮道受
息深重事有乖違無所逃罪理則然也遂具辭請罪時郡兵不

服其勢洶洶達公親自撫巡慰勞乃散盟日衆兵猶人持
一香赴
欽使行署泣訴而全臺士民遠近奔赴具狀為府君及達公申
理者不下數千人九月十三日府君入刑部
上命大學士查取親供二十五日遂奉
旨出獄十月奉
上諭姚　著發往四川交寶興以同知知州酌量補用欽此府
君乃請假回籍省墓甲辰六月至成都初乍雅呼土克圖
死其下革幼駐藏大臣飭以

勅印交其徒二呼土克圖代理及長交還
勅印矣而頭人達末唆使攻殺二呼土克圖不勝轉喪其地達
末遂從大呼土克圖由草地奔乍雅而兵不解川督數委
員查辦不能蕆事及府君至大吏委理其事乍雅在西藏
東北境去川省三千里地險而嚴寒積冰六月不消怪風
時作馳驅重嶺人不堪其苦而府君恬如也既至大呼土
克圖請革遂二呼土克圖殺番官白瑪奚等府君不許為
之判曰二呼土教養大呼圖十餘年不為無功然不應兵
争責令交還所佔土地及先後奔赴之倉儲已仍與大呼

土照舊修師弟之禮達末挑唆其主以致興兵本應重罪
姑念從行草地數百里不無微勞降為小頭人大呼土不
遵判斷另自具禀求代請川督入奏蓋欲要府君耳府君
諭之曰即日回省為若請之異日
大皇帝別有他旨無悔也乃大懼求駐防文武轉求發還原禀
不許上書於寶督曰此案曲在大呼土久矣亮情狡詐今
委員回省彼必深懼若發兵數百進駐裏塘聲言該呼土
克圖屢梗官斷將如勳辦又給唐古特印札飭其有呼土
克圖民人入境即行拿送則事濟矣不聽且以為未奉札

飭不應中途折回奏參謫去頂戴更委宣太守瑛丁別駕淦前往接辦仍令府君同往乙巳二月出成都丙午春旋成都總督因以夷情桀驁並非委員畏難規避請旨開復頂戴題補蓬州知州蓬州地簡民醇府君蒞任勸諭紳教戒士建立玉環書院培養士子修築龍王廟以祈雨澤地益大治丁未前藏辦事大臣斌公良奏薦府君辦理糧臺蓋時有英夷求在後藏通市之說也疏甫上而斌公以憂薨戊申以病歸江督李公星沅手書三名府君明年赴之未幾李公以疾去又為監掣同知童公濂延請修南北史

注時淮商大疲改行票鹽陸制軍建瀛以府君熟習鹽務
奏爲九江卡員固辭不許庚戌乃起赴九江今
上嗣位宏圖振起柄用大臣多有廢置者
硃諭中有云達洪阿姚　前在臺灣盡忠盡力而穆彰阿等妬
其成功多方陷之欲置於死地又
明詔中外大臣各舉所知於是大學士潘公世恩尚書魏公　元
烺先後奏薦府君十二月奉
旨補授湖北鹽法道未履任
上命馳驛前往廣西贊理軍務尋擢廣西按察使時逆匪洪秀

泉滋事

欽差大學士賽公 尚 阿勸辦遂以府君為翼長軍情緩急調度機宜府君盡力贊畫然事權不屬當局意見不能異同府君亦不能盡力爭也先是賊踞紫荊山為巢府君工去狀諸八面環攻之事其畧曰今官兵堵截紫荊山滇兵在其東北界嶺楚兵在其正北馬鞍山黔兵在其西北象州大營兵勇在其西此四路者彼已知之有以備我矣東路正南東南西南四路我兵力未足未之堵截彼亦未之備宜及大兵齊集之時探明路徑尅期八面攻之彼

猝不及防破之必矣計未行辛亥八月逆匪遂由紫荆山潰圍竄出破永安州城踞之府君方在臬署聞報夤夜往詣賽公請往賽公暨諸同官止之不聽以勇三百駐永安州北衝要之新墟監督攻勦探報軍情及支發糧餉犒賞器械往来籌商常一日數發書心無停想手無停筆且與士卒同甘苦營於畦隴之間六月閱有勸借居民房者弗納也賊之竄永安也精銳皆在莫家村水竇二處府君以為進勦之策必先拔其城外兩處之賊拔水竇必先須一由黄村而入一由佛子村而出不但破水竇並可免其南竄此

上策也其次則一軍由仙迴嶺東攻其莫村一攻水竇此中策也時都統烏公蘭泰亦持此論先據佛子村進攻水竇欲向軍門　榮由黃村進兵成夾攻之勢向軍門不可由龍蓁嶺進果敗回遂欲放開水竇一路縱賊使逃然後躡追擊府君上書賽公力辯且不可又與向軍門書曰自古兩賢不可相阨賢臣名將無不和衷協力共成大功未有各自一見而能成功者賊之輜重盡在水竇聞其備船於外以為外逸之計故須閣下一軍守黃村山門隘由外攻入烏兵由內攻出此上策也閣下進兵既不能迅速復手

此大計依違其間可乎卒不聽古州總兵李瑞屢失軍律
府君以為似此恇日無能不知進退之員留營無益且易
使各營將士效尤不遵軍令不知
國法所關匪細請賽公將予糾參從重治罪以為諸將不受
將令之戒賽公亦不能盡用其言也時烏公屢敗賊以諸
將不能和衷以成功為恨府君與烏公書曰我輩矢此一
心惟知
君父為重吾力有一分未盡即是此心有一分未忠豈如世俗
鄙夫與同輩爭勝負角短長哉夫功敗于垂成病加于小

愈前者武宣之事賊已將就擒徒以狃于大捷之後計慮稍疎遂使困禽脫網今幸兵威再振賊勢又窮而我師愈久愈疲賊又日懷奔逸之路無論勞師匱餉不能久持萬一再有疎虞復蹈前轍不但無以對

皇上且使天下後世謂閣下何如人哉某以垂老之年恨不能介胄馳驅搴旗斬將然受

命從戎不敢不竭其心力耳又與向軍門書曰昨我兵出隊賊堅閉不出聞其礮子已盡似此光景其走必矣但賊情詭詐必不肯作一路走或分兩路三路其賊首夾在其中不

定何路我兵必須分路追勦堵擒不可疎忽也壬子二月
賊由竄逸攻撲桂林不勝陷興安全州府君由陽朔赴興
全安撫道州失守府君辦理粮臺請速進兵且為議上之
大帥不能用俄而賊連陷嘉禾江華永明郴桂陽諸州縣
遂圍長沙
皇帝震怒賽相國逮問更
命兩廣總督徐公廣縉代之賊圍長沙三閱月以西北無備遂
竄益陽轉破岳州府君乃辭粮臺欲回廣西本任張中丞
亮基奏留湖南署按察使方府君已在新墟也日坐臥畦

隴間寒暑不時風雨不時濕氣浸淫於外焦勞憂鬱積於
中迨至永州遂患痺痿兩腿漸不能動旋經醫藥亦已起
行可步武矣猶冀湖南臬任藉資調治仰望蒼穹其猶假
餘年也而豈知旬日之間舊疾復作竟棄不孝而長逝耶
嗚呼哀哉府君性嚴正不為苟容遇事直言無隱而事過
輒忘之以故人咸畏而感激之宦四十年常以濟人利物
為念族戚中貧乏之家月給錢米歲終踵門告困者幾數
百家而常負貸應之嘗欲捐置義莊義學捐資於公祀上
祖宗下濟族衆手書捐公簿寄示、不孝曰吾三年後廉俸

之餘當可了此顧也建甯張孝廉 際亮偕府君至都而卒
府君經紀其喪携櫬至桐仍其子付之以歸卸臺灣令時
繼任某讒於道府多被厄抑及某卸任虧空鉅萬幾莫能
歸府君適客於臺憫之倡捐番銀五百以助償官負又力
言於工官暨同僚遂免題參初任臺灣道與達公亦見齟
齬凡歷二年一以誠待之一旦達公詣謝請盟曰武人不
學為君姑容久矣自後臺事聽君死生禍福願與共之故
矣五犯臺皆以有備而無府君初入蜀及再使西藏也戚
友咸勸退隱府君歎曰是烏可退乎某自通籍以來前者

欲得微禄養親以大臣薦遂受
知遇英夷之役議和諸帥皆欲甘心鎮道賴
上仁明供辭補夷上立出之獄復予一官此豈尋常
恩遇哉所如不合則命為之非上意也固不得以此遂忘其大
夫臣子立心不必求知於
君父要當自盡其道孤行其志倘竟不及報而以黜退或衰病
也吾心亦可無負矣及在廣西事多掣肘烏統都最和衷
又戰歿府君竭力維持辛苦焦勞艱難險阻苟有益於
國事罔不盡瘁為之不遺餘力嘗與烏公書曰君子之用心與

烈男子之志氣無非行其所安所異於世俗鄙夫者惟不避艱難不貪榮利耳某以將就木之年復何所貪惟念

主憂臣辱之義恐無以報

國家祇此疏食惡處下共士卒之辛勞上對

九重之宵旰耳幸數十年貧賤憂患本無寧居今日寢處一如我素是以尚能耐此日爾未有疾病可慰知已無以為念

噫府君之志亦可知矣嗚乎痛哉府君生平詩文皆自定凡東溟文集六卷東溟外集四卷東溟文後集十四卷東溟文外集二卷後湘詩集九卷後湘二集五卷後湘續集

七卷東溟奏稿四卷東槎紀畧五卷康輶紀行十六卷寸
陰叢錄四卷識小錄七卷姚氏先德傳五卷俱刊行於世
府君諱　字　號　晚號叔明幸齋世為桐城麻溪姚氏
前明先雲南布政使參政諱　先福建汀州府知府加副
使諱　先兵部職方司主事諱　皆為循吏祀名宦
祠及鄉賢祠
國朝先刑部尚書謚端恪諱　為
朝重望
勅祀賢良祠

贈朝議大夫增生諱　是為府君之高祖早卒妣任
誥封恭人
欽旌節孝翰林院編修諱　是為府君之曾祖以詩古文經學
著世所稱董塢先生者也妣張邑增生諱　為府君之祖
妣張繼妣徐先王父諱　妣張三代皆
贈通奉大夫妣皆
贈夫人府君生於乾隆乙巳年十月七日卒於咸豐壬子年
十二月十六日年六十有八母方夫人生一女適福建按
察司經歷張滙又撫族弟獻之女為女適吳祝康生母蕭

生兄孝及不孝濬昌兄孝殤不孝無似不能仰承前業而
府君宦游不孝又未嘗一日久陪侍在側急府君生平嘉言懿行
為一時所宗仰而多不克記憶誠萬死莫贖今斬焉衰絰
之中謹即府君詩文筆記所在更考諸平日所遺筆跡以
至聞於兄長及鄉先生者謹涕泣述畧於右伏乞當世
仁人君子鑒吾文之生平假榮孤之不肖賜以銘誄叙述感
且不朽

孤子

幸餘軒詩稿

十二卷

幸餘軒詩稿

《幸餘軒詩稿》十二卷，稿本。存卷一至七。二册。半葉十行，行二十一字，小字雙行，黑口，左右雙邊，單黑魚尾。框高十八點七厘米，寬十二點六厘米。版心下印『枯樹精廬』。册二有方宗誠題識：『光緒八年三月，宗誠寓皖城，敬誦數過，謹識。』册一有吴汝綸朱筆批注。

本書所收詩起於咸丰三年（一八五三），止於光緒八年（一八八二）。與刻本《幸餘求定稿》對校，輯選大致相同，刻本爲十二卷，輯詩起年相同，終至光緒十五年（一八八九）。可知此本佚光緒八年（一八八二）至光緒十五年（一八八九）詩五卷。此書分卷標記於天頭，應爲抄成之後添加。文中有多處修改並有部分詩作調整順序，又有多處夾簽添加詩作或重新撰寫詩作内容。

幸餘軒詩稿卷第一

不得大兄消息

昨聞歸有日消息問終差苦念十年别遥憐白髮加江湖通故里涕淚傍天涯前路休回首沿江起暮笳

得家沉士兄書喜其由賊中歸詩以迓之

三年翹首空相望一紙書来汝尚存盡室可憐方喋血

到家猶恐未招魂癸丑之難兒家十一口同歿一斜陽犬吠知投宿流水歸雅獨閉門複壁逢君莫回首空舲峽上正啼猿甲辰余隨先君入蜀兒亦同行過空舲峽有詩紀事戊申歸復過之今未十年先君見背不肖與兒竄伏草莽以偷生悲夫

寄懷蜀中友人

當年東閣醉如泥刻燭分牋每夜題車騎東南迎日出高樓西北與雲齊十年流水傷吳會萬里滄波自錦溪關塞極天魚鴈杳不堪回首夕陽西

樂平道中

曙色曉班〻孤雲去不還鐘聲遥渡水日影近移山未

耜曉方罷圃場閒若閑老農隅林浦亂後擠[illegible]鬭

懷人

春風無意到深山傲骨崢嶸自往還四面雲峯窗不下一庭花雨戶常關漁樵我已思尋侶撰述公應手自刪種菜讀書如有地相從不待鬢斑斑 朱魯岑先生道文

張儉無家更失途十年尚記共携壺帆檣出沒三巴路風雨縱橫八陣圖祖道悵我方思蜀道招魂誰與到中都何堪仍世交期盡遥媿青門一束芻 張竹虛表文紹

窮海離懷十載過宫亭南望盡風波人閒路只東甌遠天上星依北斗多已剌舟來淹歲月獨移書去又闕河

高堂噩夢知連警兩鬢繁可霜自摩從兄慎齋
好是明儕各安坐放歌縱酒落花邊九宵風定星垂野
五夜山明月滿天道路關開殊未已兵戈阻絕自頻年
艱難濁酒有餘味記取一樽村社前文鍾甫

別從兄心田

後會如相近安知此別難死生雙淚盡與兄先後丁內艱去住
兩心寒聞道江湖遠深山歲月殘親朋久零落何處酒
杯寬

渡江時奉母隨姊之閩避亂

慘澹風塵際浮家此暫停大江春不綠荒岸雨還青前

路愁豺虎連車慰鶺鴒葛衣今尚在行到亦蓬萍

河口別映文

客路又揮手征衫誰拂塵有家曾累汝薄命怯依人章水初逢夏𨑨山半不春及時理歸棹應慰倚閭親

分水關 鉛山屬地

雖亂甘為客安危此地分有關通碧海不塞亦黃雲戍火漸看遠哀笳總易聞傳言劍津上新駐水犀軍

初至福州示伯海

竟睹衣冠地威儀萬象新蠻天開日月海氣動乾坤皂幘浮家日朱門聚室辰莫驚辛苦久賴此漸知津

奉懷陳頌南侍御文

滄海東環鷺島橫老臣倚劍望　神京憂時論每驚天下痛哭書曾感　聖明北極晴雲連雪色南方春雨送潮聲只今星斗三台外後進遥看氣象清

家吉甫兄自汴寓書訊　先君遺集泣朕感贈時吉甫丁外艱入都謀葬事余避地至閩書來詢先人遺集感賦[illegible]

束髮曾聞馬白眉邕州治政績亦名垂豈知六詔魂歸日又值三吳血戰時梁苑書來鵜陣散越臺人去黨帆遲文章治譜艱難在風鶴聲中共護持

絶句

鴈過彭蠡皆歸路人去鄱陽更遠遊不識射蛟臺下水春來幾處着漁舟

竹崎關

春光滿天地窮海氣猶寒櫂擊松閒月波搖屋後山人家圍諫果孤嶼長檀欒三載江湖客扁舟喜路寬

新城道中

石田随山開人聲出木末良苗亦已種牽牛軛方脫披帷月滿戶種芋雲生褐着彼在山泉羡戀不可割

晨發近山邑巍然見高峯峯前竹樹多黃鸝鳴其中烟霏東淡白雲豁生微紅居人各閒戶行子何匆匆山僧

皆在石鐘山前

破曉出欲問驚晨鐘

大孤

一點湖上青西風吹欲落白雨暝秋濤寒雲終日閣

舟發康郎山

挂帆離野岸秋色望沉綿水影搏初日雲光滌遠天蒲荒魚筍偏櫓急鴈聲連去〻獨何道余生幾幸全先一日大風雨幾不得渡

曉發吳城至大孤塘

長年呼張帆入耳南風競喧雜下方舟稀星殁未淨章貢水若歸潯陽樹微映烏𨓜日滅明波際山將映風光

6

落鏡中興與節光竟薄暝更前瞻憯然旅思屏

石鐘山

昔余承嘉會行近長公宅江海渺廿年更踐名山迹涉江冒風雨振袖聽水石去帆掠湖脣敗葦見洲眷峨嵋與儋耳夷險幾何隔涉境亦偶然後人乃重惜遺構昔已非高文猶在壁（坡仙樓有翁覃溪書石鐘山記）古賢自有真鴻爪聽攸適再拜薦江蘋斯人儻可格

小孤

玻璃萬頃青一點塔影中流春浪閃舟人背指大孤山五老雲來常半掩客亭水合大江東帆底乍見蓮峯低昂諸心珠玕樹眩轉入眼化人宮忽然推蓬鷩鳴峭聳朝日穿雲撐在枻曾聞謝客吟孤嶼緬邈豈比崙瑯可踵江山無情自娟婷此合有驊人共醉醒回頭似與大孤語莫向塵寰惜春靈

落鏡中興與韶光竟薄暝更前瞻憯肰旅思屏

石鐘山

昔余承嘉會行近長公宅江海渺廿年更踐名山迹涉江冒風雨振袖聽水石去帆掠湖脣敗葦見洲脊峨嵋與儋耳夷險幾何隔涉境亦偶肰後人乃重惜遺構昔已非高文猶在辟（坡仙樓有翁覃溪書石鐘山記）古賢自有真鴻爪聽攸適再拜薦江蘋斯人儻可格

小孤

天風吹我海東還三載烟濤島嶼閒無限清霜又江上扁舟載過小孤山

于役浮梁道中

一夕霜飛萬木丹扁舟載滿九秋寒溪流雨後痕常在野碓春完水未安千里儲胥通澤國十年烽火又江干簡書晝夜兼催迫試取程書子細看

感事

十年廷議上羈縻豈謂銜冤到 帝畿邊草周廬榆樹塞秋風麥飯木蘭祠早聞地險維中外不信天心定轉移太息 六龍秋獮處五雲蕭瑟滿旌旗

翠罼霓旌列薊門名王倚劒獨承恩成謀足繫樓蘭首先入偏聞魏絳言終古朝廷尊北極即今父老望 南

輳先臣籌海丹心在　日月還應照九原

哀痛天書出尚方山東父老涕淋浪一成孤注猶龍起
薄海勤王莫鴈行舞劍豈無劉太尉脫冠誰是郭汾陽
　太宗千古煌〻業欲話遷都已斷腸

禹甸堯封正驛騷中興大業望諸曹不聞封事爭三帥
已見徵書索百牢芳草尚迷江外馬寶刀誰斷海中鰲
老生〔腐儒〕挾策翻怡悵閶闔門開日月高

　軍中贈程蔣二君

寒、暘晻圜景遊子何徘徊方將良會懽涕泗無端來搴
帷握我友悵望同天涯風偃旌旆寒、山逐烟雲飛誰言

天道遠日月不改時滔滔江漢流盈涸自有期且覔芳
樽酒慎莫論所之
朝遇故鄉客自述十年事出入烽火中一劍明素志前
年營卭壠白楊多哀吹堂上萱草榮霜露餘懽備甘心
赴國難負米爲予季再拜謝客言同志而遭異騊駼嘶
天風雕鶚振秋翅如何與子居回首多凊淚願言采藜
藿且慰倚門意
高樓有嘉會四坐多時賢中厨夜薦饌想像在目前青
緗列綺室翰墨陳案閒往迹既云徂奄忽不可攀卷䧟
自有心松柏知歲寒出門雖良圖敢謂甘受憐此意竟

誰與幸得同心懽

偶感示吳守備家榜

元雲彌六合君子當何之振纓希往古濯足入斯時人生非朝露何懼朝陽晞季常頌第老鴻漸毀茶遲智士喪所懷屈伸皆致訾所以魯仲連長揖謝田齊

軍中雜感

上卿承　詔轉雙旌獨立東南萬里清千嶂青山環大幕五更白雪壓孤城弓刀近從良家子刁斗遥傳漢將營為語孫恩莫輕敵如公忠赤在生平

霍灊南去萬峯低獨立津頭聽鼓鼙江月自明湓浦北

海潮猶上宛陵西漢家百六消銅馬楚澤三千下水犀
好借貢章作根本坐收兵甲與山齊
黃海雲高殺氣兼萬家板屋淚長霑胡床未見安張亮
鱗甲空聞議李廉吳越烟烽迎雪斷江關鼓角入風嚴
莅軍不用勞臣度已有偏師報賊殲
東流南對皖江汀兩岸班聲互坐聽鳴角按時傳令甲
長欃分隊學園丁營平芻粟千箱白諸葛蕪菁萬畝青
自有陰權芟巧速莫將涕泣擬新亭
折衝尊俎多都統可惜偏師皖水濱聚米八州形在目
勒兵萬騎靜無塵龍舒秋樹斷飛葉鶴岸寒潮空長蒓

聞道吾鄉有奇捷十年江郭望春春
兵謀　廟算兩難諳欲問青天意更含卜相朝中驚鄭
五總戎閫外説朱三借頭悦敵謀終壞抉眼懸門事豈
甘太息豪奸須駕馭坐看篝火又淮南
義旗千里下巴邱三户遺民浩刦留有骨荒苔埋虎豹
不兵旅穀長田疇熟聞青坂悲秦地曾見紅莊侍益州
機算風雲指莅碭淮流嗚咽替湘流
八面風雲護馬轝將軍開幕禮賢初朝投征虜壺中箭
夜試睢陽架上書江左衣冠思五儁并州名譽欲雙居
燕臺自貴真麒驥駿骨翻勞月俸儲

馬鬣遲封邊請纓貂蟬安敢卜吾生慚爲阮掾無三語常憶孫陽冀一鳴月色夜臨王濬舸江聲秋遶呂蒙營湖淮儻募孤兒隊一笴還應下百城

九月七日奉陪邱亭夫子周志甫文登迎江寺塔

秋水下巴渝東連滄海碧殿閣付蒼茫客興渺何適一柱獨撑秋萬怪不敢擒欄頹手捻檐蹬轉梁挂幘班坐雲壓頭舉手山在腋悲風抱空來壯懷不可釋絕頂拾餘灰斷趾見題石詩擬慈恩新篇未南八射慷慨度層梯願言乘下澤

臘八粥歌示澂士

前年臘日窮海頭孽龍不釣空登樓（時在閩登越王無諸釣龍臺）去年臘日祁門道雪花晨壓大旂倒飛灰戕血到今年揭來小次楚江邊皖公山下三更鼓鳥獸駭竄走江滸將軍後距亦推鋒遂令吾鄉同解苦老母朝來顏色開作糜爭笑兒女馱東鄰賒秔西市果碗散未普續以杯風俗年、忘臘八小得自在真可哀頗聞閭里多凍餒惡風一過骸成堆吾儕果腹各安在廩餼雖薄非嗟來安得空中香飰周窮崖

旦赴幕飲茶戲作示椕岑敬甫徵士

朝暾藏水霜似雪禿樹有聲鵝脚折老兵縮頸時一逢

今鼓催人忘飲歠甕底水渾昨日餘強澆舌本讀簿書
坐思茗味憐好友滌鐺屢空今何如潁士風流亦清迥
抱經守緒望臣鼎夜當爲君呼釋奴令從龍子共湯餅

變徵四謠

晨霜被草山連白枯楊不見風威烈游子淚盡裳霑血
吁嗟賊騎漫充斥舉聲一號石爲裂嗟乎一歌兮歌聲
悲巫咸不下天無知 右晨霜痛旅殯也

赤山之水何滔滔玉鞭白馬徒游遨爲言堂上瑟初調
時艱日短不可招有地何不營蓬蒿再（嗟）乎再歌兮歌聲
苦慈烏繞樹能返哺 右赤山之水念母老也

日黯〻雲茫〻弩絃聲急鴈聲長夢中有路搴我裳閒關千里來何方嗟乎三歌兮歌聲短側身南望甌闇遠

右日黯〻思女兄也

君不見江水之深〻莫測黿鼉鼓浪翻龍宅五老排空邀太白我呼不應聲愈惻罡風吹折垂天翼嗟乎四歌兮歌聲長茫〻者地天蒼〻

右江水自咎也

送人之湖南

君去衡湘間花逐馬蹄落莫更望江南春光猶寂寞
斑竹臨江岸桃花夾舊津如經武陵路為謝避秦人

贈楊藝芳

生不願封萬戶侯但願輕世肆志舉世不低頭男兒墮地骨相薄便當偃蹇荒山卭胡爲終朝齷齪向人愁緑水陽羨田青山皖公樓江深海濶阻相望命駕忽失龍與虬我愛楊子抱璞不彫鋟隱若砥柱當中流三縲忠厚論氷雪融心百熱收長材大用亦偶爾閲世豈計廻萬牛明月在天杯在手與君且盡杯中酒

十四夜牛渚獨泊

布帆遥帶微陽落林烏斜衝暮雨還風勢欲眠欹岸柳電光時見隔江山永懷高詠追前哲誰與靈犀照世間想得高堂檐溜急一燈閉戶聽潺潺

起二行句逼似少陵以下語似宜更加琢鍊

寫意

春草滿原白荒村人不行怪風交曠野潦水斷官程饑溺思援手流亡及我生簡書無薄祿俛仰媿余情

贈林若衣大令

往年江上別雨雪正紛紛又遇永嘉亂還從皖口軍寒風蹂壘草落日變江雲漫作升沉卜重闈且羨君

黎蓴齋以詩送別既就道却寄酬三首

與君生殊方宦游亦異地浮雲一聚散後會那可致出門望大江悲來不成寐蒼茫客子心六月動寒吹時平緩客心身強壯人志如何藥石（閒）親欲話意憔悴問疾我

愧非二語稍輕

違遠贈言君意至古有今運期今宜古循吏首誦入感
深翻倒不能辭離別且勿道願守平生意
束髮上巴蜀逾冠入甌閩縱橫八千里求友心常殷媿
非稽呂儔不足來高人壯年歷交游一見得子真古人
重志節意氣何足云隆中主未遇但以抱膝聞同甫苟
歛才待軼朱陸倫此意匪論篤俯仰今誰陳君有久要
言況與龍門親
楚水接沅江迢迢更西上青鳥久不來高望煩結想頻
聞餘寇掠連邑絕輪鞅萬家聊自保充腸到橡櫟又聞
阿兄賢布署安耕紡男兒身許國家事如塵坱況君有

賢婦應足供俯仰善保七尺軀詩書可自廣秋風從此
來爲君一慨慷

初至湖口題壁

祁門山栗里事如何異代流風欲共科我到柴桑思種秫
一湖秋水月明多

秋夜懷莫伯巻

清霜信未至一鴈聲何哀坐思江閣晚之子共襄裒雲
帆挂海日雨路横邨梅何由似明月夜夜墮我懷

寄江待園

故人江海去遥路苦難尋家室近何託貧交誰爲深天

涯同舜寞佳句幾沉吟消息無由得因風一寄音

家澂士兄來安福小住三月將歸以詩送之

秋風獵獵釀寒天欲送君行意屢延往事悲懽春夢過中宵風雨對牀眠知無妙術謀生計幸有佳兒慰暮年升斗稍營且歸去萬山深處買松椽

曾納門前長者車廿年回首渺愁予此生敢擬知名士後死應傳死佚書草樹迷離鷗起外雲山迢遞鴈行初龍眠岩築知多少肯待它時兩鬢疏時刻先世遺集且有耦耕之約

張伯海於庚申歲赴金陵余送以詩　先大夫寄諭云如三四一聯則妙矣幼年初學未敢存稿行

年三十餘一無成就默坐澄思泣肰欲涕全詩不能記憶因補成一律

君去昇州菊正花布帆叠叠夕陽斜秋風何事催行客江水無情撼歲華一抹樓臺江揔宅六朝烟月莫愁家遥思勝地還惆悵白髮朝餐幾勸加時先大人在金陵

早發太山村

寒春村外起雲木帶平田野氣宿殘雨山聲爭亂泉時艱勞計吏俗獘憶前賢來往風霜裏深知媿俸錢

廬陵道中

墟烟帶雨斜封屋喬木連村遠過山間歛溪邊老農圃

鷓鴣聲裏閑柴關

旅寺感懷

蕭齋寂歷敞秋光百感如潮欲潰防往事塵埃淹白日逢時天地肅清霜元雲垂樹生寒色錦壁迴風起暮涼惆悵章門開府地牙旗依舊憶登堂

海嶠江關接薊門廿年蹤跡没蹄輪亂時聞見增懽少執友文章竝世尊闕月未收孤塔逈寒鐘初動一燈昏山河迢遞旌旂滿欲賦東征未可論

豐城阻風寄強甫庸菴

江城寂寂楚雲隈竟日孤舟看鳥迴野霧欲沉風乍勁

寒波漸起雨初來沙頭白鴈深宵過夢裏黄花昨夜開
此别離愁更何極白溝河北是燕臺

登望湖亭同强甫任菴

十載南天一客星扁舟五度宿江亭清笳聲已迴天地
濁浪威猶走雹霆杳〻帆檣雲際白溶〻山色雨中青
仲宣大有登臨感檻外吟成未可聽

江行口占

五老香鑪杳靄閒晴湖百里水灣環曉來江上東風熟
又看匡廬側面山
曉日烘江似棄脂長空窈〻挂帆遲無多乞與天公便

祇借南風半月吹

東流除夕

我行近鄉國，轉覺白雲遥。荒市低垂雪，寒江冷上潮。帆檣迷古渡，燈火憶前宵。明發過雷岸，何如洛浦橋。

便風入瓜州口遂至揚州

萬斛東風一夜鳴，埽空特地送朝晴。節過雨水知衣暖，路入邗江喜浪平。寂寞春潮迷客舫，依稀牖木點荒城。坐憐梅嶺隋隄外，絃管樓臺又幾更。

野廟

野廟臨荒渚，停橈此暫尋。湖雲將嶼没，江水到門深。短

塔殘僧骨寒爐古佛心何年斷碑碣倚樹任苔侵

輟櫂

輟櫂維春岸前村落照橫亂雅爭獨樹殘角閉孤城山遠含烟重湖澄競月明長淮行漸近何處問韓生

宿范水即事是去年經亂處

信宿邘江路孤舟又客亭遠天時有電微月不藏星問地經(驚)新燹披圖按舊經他年曾泊處燐火滿荒汀

露筋祠

岸草連波綠雲帆挂日遲朝來風色好解纜露筋祠淮樹低為帶湖山遠似眉前村起簫鼓何處送靈旗

羊流店羊叔子故里

禾黍荒村外衝寒匹馬來春風生汶水朝日上徂徠論
絕懷孤注伐吳之謀惟張華同心時危想異才沉碑更何處今古
不勝哀

都中雜感

大遼北展蛟龍窟碣石東開虎豹關元老車騎周日月
名王帶礪漢河山五陵石馬雲中下三苑金輿塞上還
自埽宮廷清禹甸六鰲從此奠人寰
鳳城南苑校旗分曉散龍媒十萬羣天策自開唐六府
元戎不數霍將軍擊獐古塞眠秋月射虎平原冷暮雲

仁宗程　仁皇之誤

十二羽林環紫極太平神紀挂龍文
仁宗（皇）廟筭極天聰七政咸齊日再中何意鼎湖千載後
坐看文軌萬方同辰鐘賓館蒼龍曉午夜星文紫氣通
太息九章薪火絕遠求失禮到西戎
扶桑曉日照西溟有地通齊海氣青萬國樓臺臨漢月
五都燈火雜胡星牙旗開府追王會銀漢浮槎格不庭
寄語彤階諸大老莫因仙草冀殊廷

贈光稷輔

帝里南畿遠郎星北極安日高燕市暗春盡薊門寒共
憶林廬別方知親故懽屠沽如可問應覺酒杯寬

廣甯門外别稷輔景卿

水抹輕烟木貯陰新蟬初放别離聲無情更有西山色直渡桑乾送客行

柔條折盡柳無枝駐馬何須問後期深意不嫌情話少離亭相對又移時

過邯鄲有感

極目平沙捲白塵滏陽驅馬憶貞臣西河無術爭胡服東海何人却帝秦渺渺關山（沉）成伯業蒼蒼城邑見遺民一杯村酒空調瑟坐想當時頗牧倫

瀨上晚泊

頳水迢〻艤櫂孤白波吹月墮菰蒲風前老樹秋相似天外遥山淡欲無把酒憶曾陪北海收身誰與乞西湖短篷明發淮陽去雲木陰森謝豹呼

還至桐城居二日輒復南去留别戚友

田塍過雨日初斜眼底青來識白沙嶺名在舒桐交界廬墓故諳靈運墅親朋交止嗣宗車乍歸成客煩供帳久宦如僧不戀家此去郵程應未遠不須書札效秦嘉

過馬命之故宅

蔓草連雲故宅荒寃魂誰與問穹蒼當時謀策紓家難一夜烏聲痛國殤真見孤兒能結隊似聞天語動飛

章祠壇寂寞松楸斷滿眼山川下夕陽君一家殉難十人奉旨建祠而至今闃然

舟中遣懷

開歲日及五行李出邑門宵舟宿村語懽夢栖歸魂曉榜發川末晨光被山樊樹烟淡在杪潭石清見根始春艷陽薄積雨微寒屯我生飽徒旅夷險常覆翻豈謂征晷暫兹別凄朝昏宿心累簪紱終孤招隱言

還縣道中作

草芽變原色潦徑起晴堁風噫曳餘寒田梳待始播方勞首塗蔥夜膽風浪破披拂元龍牀顛倒王恭座平生惜喜怒處緣一擲挫矧乃棄天親懸瑟斷孤和攢心逝

發駕落日臨水大廣笑侏儒飽默省翳桑餓

送筱鴻弟歸里兼問徐毅甫

爾携湖上匡廬色溽暑懸飄日向東海月總生歸鳥外晥山青入大江中鑪邊往事屠龍狗澤畔今誰集鴈鴻今年久雨江漲田廬有漂没者為問南朝徐孝穆可應笑傲舊時同

早發

月地光欲微雲影凝不變促駕即泥塗履滑驚偶援吾生久行役甘苦倍經鍊追昔馬爭途感今烏知倦宵輿殘夢續屢呵不能欠野棠結憾過飛雨時著面老樹合重陰天光讓一綫情來興送將境往悲同餞行〻眡朝

瞰攖世敢安晏

喜鄭容甫至

賓館悲懽二十年舉盃重喜到南川平時論學推丁巽十載延師得鄭虔故里雲山凄往迹高城燈火變寒天買鄰千萬更(應)何策已負南村數頃田

胡慎思歸里營葬既別感賦

不信人間有巨卿六年空負死生情日斜村徑聞狐鬼草合棺題没姓名華表鶴歸應恨晚麥舟人去正初晴白楊蕭瑟通幽感夜雪寒燈夢黛成

歲暮遣懷

萬木凋枯絕嶂開高原極目恣徘徊天清五嶺雲霞出
日落三江風雨來遠道故人書久絕近時傳語事多哀
相思歲晚空蕭瑟況聽寒鐘入夜催

汲黯高風已寂寥唐家炎晏亦雲霄募耕舊族無三戶
徵餉新章下百條南徼兵戈淹日月西征弓馬賜嫖姚
請看飛輓連江海壯士魂歸未可招

奉寄滁生相國

十年仗節奠神州更領河山表薊幽槍鼓秋清三輔盜
竹鍵春障九河流諸生此日誰爭長部曲他時半列侯
聞道津門集烟船籌邊應建海東樓

東巡碣石臨滄海西渡滹沱見太行十郡壘空宵掩雪九邊烽靖曙凝霜定知禮樂能興漢共信安危久繫唐玉燭調成收戰伐黄扉想見髮蒼〻

憶昔

春來杜牧鬢如絲醉後微吟憶昔時匹馬迳行樓上客雙蛾争進席前卮長宵合手彈胡拍出醉凭肩品竹枝湖海一尊車馬散中天又見月如眉

葑溪

箯輿高下趁荒雞細雨生烟路欲迷村市自成雲木外板橋知在粉墻西孤花出澗紅初綻凍麥依山緑未齊

馬足暫停時問訊響泉聲裏是葑溪

懷李芋仙大令

古寺無僧積葉紛高齋獨坐感離羣寒風入樹宵疑雨薄瘴生山曉似雲幕下記曾容謝朓座中爭許謁田文祇今寥落江湖遠回首章門一憶君

自題清夜聞鐘小影

車鐸誰尋空地鳴悠悠遥夜惜平生一千里外窗中月十五年前飯後聲永憶妙香魚磬寂徘徊秋樹斗參橫柴桑故態猶無恙又費丹青勸耦耕

初度次日湛士兄治酒招容甫庸菴小集

撫鬢頻嗟歲月更暫將花事遣吾生當階種竹逢新雨
傍石移花喜放晴海上鵾鵬空自化夢中蝴蝶漫相驚
親朋健在年華老百榼傾翻未許醒

刻張亨甫集成以一部寄其門人李鳳儀明經雲
詰復綴一章

冠絶閩才五百年天南一綫幾人傳亢無明詔求遺草
曾見諸生守太元此日青箱煩後死異時朱履記前賢
廿年滄海同多感烽火無端又黯然

葉松亭殁三年矣其子桂山茂才自里中至商所
以歸葬者且索　先大夫集感今悼昔泣然成韻

化鶴千年事杳冥坐思故友淚常零生逢朱邸推名士
死別青山尚客星有子能傳靈憲術向予遥問太元經
天涯回首仍多難話舊停觴未忍聽

題張亨甫先生博陵登眺圖即送其孫心葵歸里

送爾南歸出近郊可能三徑有衡茅六章無力驅窮鬼
世態何人廣絶交四海昔游冠劍盛一時圖畫姓名淆
摩挲蠹軸成真劫風雨扁舟泣夜蛟

寄江待園廣文

先生挂席向滄洲彈鋏吹竽近十秋傳道銅章方耐冷
還家錦瑟頓生愁雲山擁樹臨荒垞風雨連江入郡樓

此日相思殊未已大觀亭上月如鈎

送鄭容甫

秋城霜色斷晴暉八月天南鴈未飛篋裏疏章長太息
尊前風雨送將歸帆開渚北逢寒露木落淮南念授衣
自有休文識劉勰莫教心思感芳菲

生死論交未許同離筵何事太匆〻詩應驪唱由窮鬼
黛是蛾眉忌國工（君夫人不欲居此）山色朝開三楚遠濤聲秋
撼大江空闕河從此音書異多少淒凉入夢中

寄懷徐荼岑

天外相思一千里篋中書札十分愁江湖有地容陶令

朝野無人識馬周見說歸來松菊在關心別後稻粱謀開門種菜英雄事謾爲聞雞更倚樓

西鄗催科値雪

朝慵歛風寒開門霧如積匹練隨方塘不知隄草白既染陌上林漸折檐端柏萬籟寂無聲坐失雙山碧頎瞻室宇中寓興無簡策民職昧常供吏道慙俗草支寒下危坡蕉竹凍全墉萬室閉戶深獨埶孤松遥遠娓衮公卧將從楊子宅

溪山夜興

樹杪上烟月溪頭獨夜歸怪松疑鬼立俊鳥逼人飛山

第二卷

遠寺鐘動竹深鄰火微誰參元妙理即此發清機

會眞觀

破閣挂塵土何年玉座斜開門山鳥鬧題壁網蟲遮桐葉凋經苑茗茶足道家源頭有活水不用借符賒

開歲三日宿雪未消往參郡守途中復雪舍輿而舟示同人

曳雪出郭門積素平如掌碧縈溪一綫白眩光萬丈村巖閑人跡禽寂絶籟響乾坤潔白場振策獨來往雲際忽寒開風旋中翳朗天榆散新莢丹鶴落餘氅驚肩壓頭過廻磴緣氷上陟圯理違今束帶情感曩将毋謝役

夫遵渚理舟槳

無題

小時閟閣識雲仙珠箔初垂未暑天剩得酒衫餘浣在
祇今未敢信當年

墻花欲暝掩重門蘚徑依稀認印痕二十年來春夢過
碧窗燈火又黃昏

浣花溪畔錦城東百尺朱樓欲倚空十道湘簾隐簫管
夜深和月動天風

南去南臺路更西礙門蘿薜與檐齊相逢記在春風日
無數飛花滿碧溪

周引之爲余作拈花圖成乃簪花也戲爲口號

瓢笠翛然任挂單出山猶記在山寒只緣未受荷香戒誤把拈花當色看

寄懷容甫

爾去客鄉國雲山好傍誰人來傳語少書到隔年遲江路黿鼉出長淮虎豹饑高天斷歸鴈何處寄相思

迎春東郊

廻盤萬樹倚晴天春仗遥依驛路懸溪水半圍明粉堞板橋一道簇花鈿山容繞郭猶含凍柳意沿湖欲化烟歲竟條名知下考劬農久媿奉稍錢

春日漫興

積雨纔晴冷未收無端官閣動春愁乘時事業輸青史多故年華易白頭犢角出墻將裂砌光花穿檻欲登樓楚南舊説能饒石坐想黃溪汗漫游

四十初度在郡城映文為置酒召客輙謝一章

客裏逢初度清尊慰鬱騷斜光下池柳春色借鄰桃閒望頻頻語鄉心釋各勞不緣深宅讌誰解素情高

有感

晴苗飲雨夜懷新坐對溪山媿此民高士深情思拔薤昆戎習俗易移人近來世植甯吾好自昔賢豪樂食貧

已知二語音節似不甚協

便擬抽簪趁秋水樅陽江上問垂綸

周引之齋前其孫插柳一株今來成樹矣而引之亡感悼成詠

坐見柔條碧漸濃小齋無日酒杯空風流不復逢張緒憔悴人間一禿翁

南郊吟

南郊稻粱登場早黃雲垂野霜色飽蓋藏已了吏心安政拙不求租賦好可人楓葉染寒山眼明官裏擬餘閒已知運會扶持亟且喜身畀進退寬君不見漢廷討吏盈朝會課租惟有倪寬最

醉題

男兒四十鬢如霜底事尊前太息長倚劍清淮憂市虎彀弓海上望天狼一時風尚和戎論舉世誰尋結客場舊習未忘君莫笑短衣杯酒勝銅章

寄懷沈中丞葆楨

天選儒臣詔起家樓船嵬峩壯中華河源奉使通安息海上摧鋒繫呂嘉從此魚龍收鹹浪即今翡翠怨清笳籌邊大計經營苦坐見奇勳勒海涯

秋色無端動遠思荀香坐接十年遲吳公已去誰應薦劉勰初來記見知綿邈予懷悲祖道蕭條民氣異當時

斗南悵望思投筆短劍摩挲兩鬢衰

山如容甫各有乞茶詩贈湛士大兄因戲爲一篇

老兄臨窓試火熉能識野鶩與家雞舉頭罷筆睡魔苦花甕點注煩髯奚故山老樵擔頭摘小囊捲口浮春碧披雪寒瀑不論錢惜抱軒前澄墮石廿年渴夢梆園遠谷薰雙井同愁損是誰遣此一窓晴溪水濺濺車出阪藏神蔬圃牧猪羊可憐亦與澆肥腸請兄愛茶如愛璧出山之泉渾莫汲好友二三慰良夕

答庸菴

一冬不作雨雪計山氣竟日連天沉蓊來水面作微響

鴣摩翻鉢倒萬針雲師不到日車處孤輪停碾膏脂深
方子温如絃在琴時能域外求好音為君火速追清景
卻憶蕉聲枕上尋

邑人趙存之招飲席上賦贈

趙公四辟不徒立插架萬卷多兒孫偶肰留客出飣餖
纖鱗飛雪梨棗繁法曹供帳非步兵想見襆被開酒樽
十年厭嘗大官味谷口晚聽漁樵喧劇談狂飲江河翻
奇氣能令室生温況釀霜寒不成雪東皇歸去留春痕
官下奉職慙水渾抱兒抜薤君當言揎盞縱橫放大快
可能赤子皆安敦脫帽停筋三歎息公應齒冷腐儒論

星斗壓檣光入座酣醉一笑忘出門

舟發有感

平生心事百分違欲話私恩意總非曉放扁舟更西望
洞庭湖上亂雅飛

送人

武功山與白雲齊爲送君行憶路蹊十尺蒲帆千尺水
載將春色到湘西
連朝烟雨春晴乍二月山城謝豹稀此去莫教春意老
畫梁春燕待人歸
大江北咽前朝恨匡阜南埋隱士琴料得歸裝佳句好

一船風月載清音

君乘湖上桃花浪飽挂天涯楊柳風爲問故人劉子驥
武陵清興與誰同

聞曾滌生相國薨于位述哀感事四首

閶闔若莬欲問誰無端消息哲人萎一時婦孺同垂涙
半壁東南定圻維憂　國早知筋力瘁匡時永動　廟
堂思天涯更有卯山痛孤負先生會葬期

湘江衡嶽鬱英真間世天生社稷臣議禮立迴三殿詔
提兵坐埽八州塵樓船親見推楊僕旄節翻宜借寇恂
一事未忘蛟鱷在怒濤應共海雲屯

無復平（寒）沙共枕戈艱難往事憶如何囊中奏牘乾坤繫
帳下英才將相多爲我延師親整駕負公雅意望鳴珂
平生處〻存風義不待西州掩淚過
慘澹山城噩夢過（勞）銜恩淚溼舊征袍劇憐三語蒙清識
獨許儒生署末曹報政有書遲簿史餞悲無路攬溪毛
招魂思賦空吟望風雨無邉碧落高

富池寺

一月官輿十迴往谿山笑人空鞅掌富池寺前老農語
今年粟賤何由長深林蕭〻薄日平野水澹〻烟暝生
前途更借蠟炬明居人開戶愁雙鉦

詩社分韻得秋蝶蜻蜓

亭館花稀柳欲衰雙飛草底夕陽遲新來勝事游人少
舊逕名園老圃知到眼畫圖思帝子鬬心金粉付紅兒
腐儒亦有莊生夢衣扇飄零又一時

芰荷風起柳圍橋檻外離魂未可招點水身疑隨絮化
入林翅恐共烟銷高寒玉沼饒清露浩蕩雲程任碧霄
寄語江南小兒女膠飴絲線莫輕調

送方山如就試江甯

少日瞻依名輩過天涯談笑後昆存二年賓館如兄弟
五世交情憶祖孫海内憐才風義在禁林棲翼露枝繁

讀書食報尋常事射策歸來子細論

詩社分韻得十八夜月

霓裳舞罷秋容倦姮娥羞掩三分面人閒見女惜破鏡天上秋期已再變前宵羣帝醉詹諸玉女笑隨金銀釧拾挂扶桑待斤鑿媧石歐金三日鍊從此西皇闕廣寒織阿漸挨冰輪轉愛惜天香怕染塵花開不許枝全見我來琉璃宮玉山倒寒殿西風三日吹酒醒瘦損清光猶可戀回頭却望金蝦蟇剝蝕欲半留一線仙人後甲呑靈藥顧兔先庚同一片流光納戶牖盡拓窓四扇清宵三十一夕圓弦滿須臾看朒脁乃知好景不常有今

古天心珠在穿人生閲世如乘傳烟水霜山時一瞬前日罇罍今日詩三分明月二分見（如字）即此嬋娟意欲闌猶將火速追飛電安得盡起八萬二千戸七寶修成夜夜照清宴不朕典守強期觧道危造膝曲室問許掾

秋夜雜感效梅村體

湘簾盡上帝車横雲物初調夜氣清桂露驚風珠錯落竹泉瀉月玉琮琤微茫葭菼思秋水憀慄江山冷故城聞道漢廷　明詔美江湖廊廟不勝情

玉軸丹書出鳳宸關東父老淚洟頻彌綸工事風雲會僕累河山日月新闌外有人爭運甓都亭無復見埋輪

八溟從此看波定不用煩憂到小臣

曲江風度望難希機鑒當時四海歸坐上藥籠洩勃具囊中蟠木朽枯稀深源北去名猶盛安道西來事已非幕府岩莞遼海濶高秋鷹隼莫空飛曾滌生相國開府南北辟薦闓廣今直省疆吏大半曾為公所推舉

綬帶輕裘列閫升餓鱗饑虎各攀登五侯鯖餌傳樓護四海龍門望李膺落落郊原披褐盡茫茫江漢濯纓曾獨憐高士南州去秋舍追隨語未能故人徐異甫孝廉合肥相國邑人也獨浩然歸隱

吳山楚澤寄身偏老去誰當訟異賢二頃陂田何允宅

五湖秋水米家船滄洲且喜干戈定客路安知藥石捐

最痛秣陵風雪裏扁舟書巻對江天莫部亭夫子被徵不出求得曾相檄徧訪江南遺書戊辰春予過金陵同阻雪于燕子磯三日别去遂不相見

刺桐城畔浴棲雅隅座飛觴笑語譁褁葉梹榔春並蒂

傍斂茉莉晚交花早時魚藻留鳧舄中夜人琴感鹿車

至竟板輿空有約秋風葛帔念西華己未庚申間客泉州與孫子春别駕觴讌甚歡孫有板輿歸養之約余來江右孫丁内艱旋亦殂逝今有一子在里中

早歲携囊過梵宫碧梧疏雨寺樓空黄梅上座推神秀

絳帳經師重馬融文室有階巢野鴿佛堂無辟叫秋蟲

相逢健在還〔應〕怡悵經苑茶寮說字功弱冠就表兄馬命之于大甯寺常泰

和尚方丈學書寺燬後命之殉難于舒城而常公亦入涅槃

芙蓉牆外近銀塘小客飃南未十霜齊贅天涯逢敬緒難兄人世見元方潮生牡蠣添盤味雨暗桄榔長夜涼鼠臂蟲肝兩蕭瑟可宜回首少年場己未避亂福州依張伯海姊夫時伯兄慎齋亦先在閩深得急難之助

一自妖星照上游無邊戍火逼天愁三年木榻棲遼海五夜彫戈枕歙州馬鬣蒼皇悲道路貂蟬寥落負兜鍪祇今衰白風塵際敢向人間問菟裘

鳴鞘吹角散榛蕪鄉夢關心菜子湖陌上賣花金谷地壚頭沽酒梵宮祖宿名江左思龍躍看舊襄陽失鳳雛

最是金盆仙井畔不堪秋雨憶王芻

敝廬舊倚夕陰街捲幔秋來爽氣佳栗里已虛眠五柳瀧岡空憶植三槐分深指宅雙珠耀故宅借與子襄筱嶋兩昆季鬼訝營方一笑偕宅燬於賊者半大每欲營之無貲而止元亮未歸勾漏遠年〻明月滿高齋

破車殺馬成虛誓聊欲弦歌作徑資換縣賞恭慚並治余始以湖口與安福對調審能薤稻竟何宜耰鉏箕帚秦風惡神鬼丹青越俗疲木葉亂飛人意倦宵深匡坐憶蓴絲

八月賓鴻未渡河無端秋色動悲歌湖山西道遊踪少故舊南州藻思多野馬影中人蒦落荒雞聲裏歲蹉跎

八月十五夜與同人西郭泛舟至一覽亭遲方任
菴庸菴不至歸東同人並二方

依長秋魄渾無事恠底人閒競遊戲老子清興亦不淺
絶江一櫂琉璃碎朦朧樹色隱微峯雲波片片青芙蓉
夜深不作小海唱恐便驚起龍宫龍
橋欄東人如半暈千頭萬手相摩進長年亦解愛蕭瑟
投篙疾過秋鷹迅石寒寒水魚（落）阻梁輕舸忽瀉溪流觴息
肩息足兩何利娓此湍船明月光
大樹交柯如鬥虬小樹列岸人對愁清空無縄繫孤鏡

湛〻欲墮鯿魚舟蒼山數轉坐超忽谿光沙色望不歇但添葭葦與菰蒲便抵吾鄉練潭月微風織波纖鱗輕吹船著岸沙頭橫良朋隔船望不到燈火徐散蒼烟生廻船陳迹已如夢酒香未絕茶香送十二萬年同剎那請君行樂莫教空

鵲噪

我生若風萍吉凶聽時遘涉世馬脫銜寸心龜在灸如何雕陵鵲連翼撼宗廟起逝方兩三絮語徘徊又化鵬信有得感鵬詎成呪得失兩同幾禽雉亦虛雊安得塵巢耳妄坿羣兒詬

秋懷東湛士

萬籟日有聲馳陽欲無色歲與古人遠坐為來者惻掩卷出前堂雜樹招疲翼老蕉閒芙蓉風韻天肰得日習象化中即事欣在默推懷樂難同測世情易匿方將謝輕裘安問顏與稷

同人分韻得孫夫人

柏舟憫共姜戴馳恫許穆世亂健夫眩丁會況嬡游夫人閨中秀帝室允鳳卜大計失歸吳窮悔痛殉蜀眷西杜鵑血沉東精衛木至今江上浪聲聲與淚續節重遼海甯才憐當塗或管四詎之策湘沉同可哭撫事憶風

人萬古淚一掬

秋燈

兒歲琴書意味違漏聲初永雨聲稀闕河難結思鄉夢鍼線頻添寄遠衣露冷一天侵戶牖悲蟲四壁下簾幃空堂獨坐頻挑草只恐明朝燕欲歸

重陽柬湛士兄

節序逢重九清游憶再三霜楓下長壑晴瀑瀉秋潭載酒寒知閣烹茶漱石巷至今行樂事付與老農談

四海滄桑後吾鄉祇再經菊籬留井砌苔徑失門庭草沒蕪城白山。童借雨青。天涯各回首未覺夢魂醒

好是秉秋水辭官放釣舟有田堪養母無骨可封侯朝事思鳴鳳生涯待狎鷗誰能同此意何點與何求

惜抱軒何在言猶拳理齋纖霜谷口樹斜日杖頭柴以我魋前業送君返自厓何當元亮井佳日一開懷

村東

穲稏齊收野色空晚山如畫小村東林烟淺帶寒流白霜葉深含返照紅抜蓮人歸過犬巷賣魚船泊傍牛宫臨風獨立看生瞑清景依稀故里同

除夕

滔〻官舍晚不覺歲時深風裏迎春雪燈前餞臘心兒

童看長大親舊幾升沈埽却鄉園思柵盤且盍簪

安成侯代示署中諸子

當年嶺海走江皐南省軍儲正驛騷雪積關山開萬幕水生湘漢下千艘摛文五夜攀龍尾奉檄三吳見鳳毛壯志銷沈元髮換孤城空憶角聲高

海嶠江關各晏清乘時端合事歸耕春寒縛日冰遲解雲意經風雨不成鄰寺踈鐘秋閣晚當門喬木暑陰輕故園景物真堪老况是高堂白髮生

鳩笑鵬飛兩未忘乾坤放眼又蒼茫曾聞天上愁能寄不信人間醉有鄉海色夜通江月白河流秋接塞雲黃

不堪歲首春難徧恐向滄波問釣航

巖谷春來氣總寒行藏心思幾凭欄卜居詎肯同雞鶩化俗深慙比鳳鸞已分邱園安束帛誰從渤海問安瀾襄陽耆舊吾家法細雨歸舟次第看

與振甫曉吾夜話

玉露生寒〻月挂檐劇談鄉事覺愁添高風記見劉真長薄俗還思李士謙萬里梯航方北拱千秋史冊起遐瞻名山大有關心事凶吉何勞問尹占

湖海蒼茫極望頻漫〻長夜憶天民雞聲到耳原非惡龍性為人豈易馴梁地故交思劇孟桐鄉山色屬公麟

第三卷

節題似尚可商吾昔即用鄉樹二字

破車殺馬君休惜試向瓜田一問津

聞詔

圓明園倚大行東蠖濩蜵蠕累聖功神嶽晴開周洛室黃河春繞漢離宮木蘭不見金輿返禁籞猶驚玉沼空近道　至尊天下養九州楩梓一時通

彗星

廟戰神威軼漢廷八荒貢楛見盈庭侍臣禁苑爭裁詔飛將天山盡勒銘歷歷玉繩依北極迢迢銀漢[接]向南溟腐儒別有悲時感暑夜憑欄看彗星

廬陵行

廬陵城西山陂陁村舍落〻人不多老翁揚肘語鄰媼
今年官吏追呼早豚子在圈雞在塒詰朝坐看跡如埽
我聞駐足問老翁老翁欲語雙睫紅前年縣尹逢李公
催科雖急民情通豈知命薄事難料昔日狐狸今虎豹東
鄰翁媼哭呼天豪家昨日奪民田欲將一紙公門去先
費寔擬數日錢數日錢誠辛苦天意亦有厚薄時南村
苗枯北村雨公家有程敢怨嗟但令無觸班頭怒我聞
未畢不忍聽穿林避日還入城〻中衙鼓聲彭〻堂前
敲朴後吹笙匡廬仙人黃白侶夜來不寐當闕豎大者
千金小銖黍要津有路通尔汝日暮傳呼新樂舞明日

令君壽小女

送方介三

人言丈夫不得志歸卧南山側君獨饑驅走四方縱欲歸卧何由得六月炎荒飛火雲日氣蒸溼如垢氛正疑帝決銀河水浸倒洪鑪世界焚昨來一夜疎雨過竹簟生涼添睡課謂當踐約入青原酒鐺茶具圍僧坐當闕報客清晨來興乘輿跛履容顏開船旗謖謖布帆飽懽情別意相兼催人生不如鴈有信春去秋來雖自定高門豈易論親戚畀枝始鷦鷯稱君今揮手去莫攀我亦乘時返碧山男兒有志去住同一轍豈必歸卧十畝閒

以後作第二卷

嗚呼豈必歸臥十畝間

聞日本寇臺灣　詒起沈中丞往辦

赤嵌當時大帳開卅年絕島靖塵埃如何重譯通朝日翻起南關上將才部曲弓刀環海立蕃人筐篚出巢來遥知　宵旰頻東顧待見懸車到馬臺（馬臺倭夷所部）

雜詩

秋來驅暑退一雨覺涼深復此悠〻夜滅燭倚孤衾殘燈耿旁舍流光照素琴欲起彈哀曲絃絕不成音之子去何鄙鉛華未消沈徘徊偏房櫳曉風開我襟愁深多好夢〻斷愁愈亟壁爐黯猶明殘照空牀得宵

鷗發遠響檐溜續餘滴霽風送流雲憩月時一白固知達莊理未易遣宗戚我躬亦委化將爲逝者晰

次韻孝先兄同遊青原之作是行思禪師道場

皋壤清緣每恨慳身閒暫得入名山拓開塵網尋思去恐墮真金瓦礫閒一徑風烟分上界萬峯迴合閟禪關倒荆卓錫尋常事狡獪何須動四衆（僧人盛傳倒栽荆樹爲思公勝迹）藥樹堂前古柏垂壁閒斜日照題詩鐘魚彈指無傳響文字諸方有護持舊國蒼茫餘短塔僧寮寂寞自穹碑西來妙義興亡感禮罷空王欲問誰（順治閒吾鄉無可大師說法於此殁後葬爪髮於思公塔右）

北風

又是天涯叫早鴻月明無復挂秋風六年同制思鄉淚獨向江頭灑北風

野泊寄孝先

荒戍人烟斷維舟獨問津寒風一夜起愁煞欲歸人征鴈與天遠遥波共日淪江城好兄弟怡悵自經旬

將至吴城先寄程敬生

匡廬日在眼風水滯歸帆朝日湖光澹遥天樹色微别來憶樽酒此去掩荆扉明發高堂上應憐萊子衣

宫亭湖漫詠

積水生寒霧匡廬色有無南風起陽月挂席向江湖秋盡烟雲重天空島嶼孤推篷奉慈母時一問前途

金神墩訪蘇疆甫

故人掩扉卧殘雪滿荒林隔岸青山遠當門碧水深近聞為善好有子慰君心萬事方揺落誰知松下琴

聞說

聞說淮陽道哀鴻徧陌阡録名開內籍轉粟罷緡錢朝著思量粥都亭孰理饘江干又風雪對食淚潺湲

偶興

遥山一片澹晴光朱塔迴環護緑楊我上江亭望春水

不知何處弔周郎

乙亥開歲六日雨雪不得出用陶公游斜川詩韻

柬容甫

首春氣猶塞雨雪無時休岧岧大觀亭咫尺不得游霧宇飛畫甍風檐寫宵流瀉此室中侶曠彼江上鷗塵網罥將絕長歌懷故邱出處勝令戰人鬼半曩傳陳杯展書卷獨與古人酬但懷去者意遙契茲情不檢素問良朋同解平生憂江山曠如此慎作亡羊求

江樓獨坐用高常侍人日寄杜二拾遺詩韻寄湛士兄

貴端語工何為未極深切之致

十載屢上公家堂逢春但覺非故鄉無邊戍火亂節候有酒何處傾肝腸初歸未許豐暇豫登樓乍覺心無慮遂山天際展螺青去帆滅沒征鴻處老大翻然解愛春得閒猶恐玷風塵豈知又值乾坤拆念爾山中護屈人

牕前梅花盛開

春風江上來綻我牕前卉微和散清寒自得讀書味掩卷一俯仰暗香時到鼻孫芬不可尋還復悠然至有如澹蕩人幽意與古曁草木得本心不借山水寄奇興發晴朝淡忘松栢貴

喜晤馬蔭園鎮軍即送之天津

篇中雋思傑句使人魁。黄而音節氣勢似猶力自然之妙

修德不位稱天與人事殊平生聚散處亦復異斯須親
情憶丸田風義師友俱反馬附騏驥相期騁長途妖星
起西極流芒照里閭欲持活國手坐使家難紓豈謂詩
書力未當建旄旟天狼不能落奮身當威弧道申志已
屈壯士空嗟呼西風凋萬葉見子祁門初生麞赤手縛
杭慨一世無青冥失縱鞚我西子南趨擇木擧甌越暴
鬐碣石隅相知有李相亦曾我沫濡榆枋安蜩鷽北溟
返鯤魚揚烟散鰸族舉帆拾驪珠鼉磯與鹿島曉箭傳
飛艫春禽滿江樹花柳縱橫舒久別憶相親斗酒焉足
娛高談瀉河漢小語鳴璜琚釣游忽廊廟亂離無徑塗

右尉靖盡

卻憶青燈下竊間陳杯盂猛志在稷契相顧輕陳徐風雲失其會掉首同驚呼乾坤新日月舉室依皇都至孝在善繼何用較行居孫注得其會爲辨梟與盧悠悠天際雲澹澹海上息斂翼我鳥倦振翮子鵬圖枯楊各蕭瑟存者白髮疏十年一相見復能幾相於男兒棄蓬來自得非世模裲襠何必惡絶勝毛錐麤邂逅遠苟得貴賤皆天衢何況心神間炎朔同比廬出處念努力所望存素書

龍眠展墓歸途有作

午陽壯春暄笠影抱溪往山杏發村光天風亂澗響壁

斷舊紅垂峯攢新綠上十年廢展埽壙冢增曠曩訪主田舍易問鄉兒童長畢禮斂悲心對茲失慨忼乃知愉戚處天意殊濟瀆斜光入諸有風定片雲蒼徘徊松楸間曠懷一俯仰

次韻春雨

不覺皆痕溼時添屐齒雙微瞟鬆革帶輕潤上花幢墊角行將學隨車意早降麥畦知漸綠坐想鹿門龐

送春

華巔白雨兩如絲小住江城又一時鄉味風光榮草木宦情花事到荼蘼兒時遊賞吾廬在早日繁華老圃知

喜我先春解歸去不緣時卉悵将離

夜聞布穀

同是催畊意清聲一倍饒城頭微雨歇屋角夜雲消書味嘗新蔗詩情長暗潮終須歸下潠簑笠過門招

春去

春去庭雨歇月出宵燈微如何芳意滿俯仰生淒洏同知死生理萬化同一歸情來不可界觸處皆成悲嚶嚶鶯雀動呦呦壁鼠飢輾轉發朝光好夢無由期

贈孫琴西廉訪

座上聲名前輩如甘棠擁節一時尊庇寒士任吹竽濫

執法人依解網恩晴午圖書淹畫寢春風鼓角靜轅門
胡牀便許高嵩造餘事文章或共論
平生春教羣賢地十載歸來喜再過隱几江聲三楚盡
入樓山色六朝多露章早見貞臣槩風采今殊法吏科
願合江淮齊上頌八州仁氣徧巖阿
衣鉢人間有代興名山事業亦沈升交游孝綽思任昉
聲望慈明御李膺四海求師憐我晚一時拔士只公能
會將追趙西歸意長向醫王學折肱

春色將還無端興感風前花下率意口號彙而錄
之得十一律

雷驚露斷燕飛還意興無端似轉環三月春陰山閣暝
一庭花氣華門閒片雲孤出難成雨野鶴閒飛易返山
底事流鶯相喚急故園歸到又江關
長隄照水柳藏鴉憶訪名園繞郭斜雨後萬釘黃脚菌
火前千點白毫茶離離旁舍曾生穀寂寂平田尚種瓜
已是太平清晏日不妨樂事問桑麻
皖伯臺前壁壘新天門軼蕩轃蹄輪座中趙勝三千客
帳下田橫五百人已見封椿頒蟻鼻更開廈屋似魚鱗
江淮本是聲名地誰布東皇有脚春
金鞭寶馬出天衢甲第連雲耀路隅白刺獻瓜東土客

青絲沽酒霍家奴先炊鍊炭原非異有壁鳴銅未是愚
忽憶少游鄉里日獨騎欵叚逐春鋤

先帝英姿鼎盛年退朝開閣進羣賢中興伐叛過唐憲
家法崇王黜漢宣豈謂深宮留玉輦翻憐複道照金蓮
小臣舊事瞻閶闔獨抱春心望九天

祆祠高與白雲齊安攘諸賢盡種蠡海市已通遼水北
烟艘又過皖城西山開灊霍連三楚江挾巴渝出五谿
終是　聖朝無外日治兵端不廢羌氐

舊日梁園諸友散雞豚後會倍關情維摩道足偏多病
梁倚才高解外生脉脉花光春色薄濛濛雨脚暮江鳴

何當卜宅南村去烟舍雲塘事耦畊
自別龍眠長薜蘿天風吹緑下槃阿徐陵文字東遊少
般浩聲名北去多鳩欲依人難擇木燕知得食便營窠
曉來聞道村沽美且上江楼倒叵羅
長衢羅術闕清虚門席深垂斷客車尊酒落花兄弟健
晚風微雨故人疎牀頭回夢聞烹茗簾角留香起課書
為憶阿戎官裏去相思應寄武昌魚
諸芳擁緑上闌幃花意闌珊春意非無限愁心鶯獨語
有痕春夢燕雙飛蘼蕪香冷輸金鴨楊柳風生憶錦騑
誰信粧臺斷消息壁燈猶照彩雲衣

出郭行吟望渡頭宜人雲物麥將秋一春好雨依時節
三面晴江抱郡樓遠障斜連澄渚曲片飄遥帶夕陽收
漁人不識論醒醉自逐桃花放釣舟

道中雜詩

首夏日有感客行仰屋息山莽雜塵土絕勝閒中得憩
身似歸蹄發步齊驚翼斂揚盖落風登頂輪磽礫危日
墮湖水蒼肰烟墟色投旅擇餘房張燈撿所食解筐見
毋慈一一皆手飭咫尺若千里思與俱邇遯歸夢阻晨
光隔墻喧馬櫪
大鈞無私覆積歲乃乘除物生自甘苦雨露同一濡出

古樹清廬

門望四野春晴接夏初良村好渠滿溢流棄不瀦高田遠水力駢足翻連車歷壠上泉原竭塘成杯杅轔轔聲未斷軋軋復前夤却憶五年來汚邪湍溝渠賤值不獲易囷廩猶今儲低昂在天理人定足鋠梳水利尚畝澮即此參洪鑪農政古所敦旨哉牧民模

高霾障前山近堁沒牛馬苦吹三日風雨脚漩未下捫鼻氣不舒摩耳塵可把亂雲疾鳥過灌木驚濤瀉連橋疑折柱欹旅防墮瓦中年慣征役水陸無安者撫事楚水秋追景燕山夏冰雪待壓檣烏獸劇號野官忙薄俗艷居宴羣兒哆顛倒不知怪何異風中赭感歎對村農

媿彼泥沒罹振裋土鉎閒餘戚摇壁灺

送族弟曉吾之江甯

飢士習江海得失道常半聲交偶相市十游九受謾官籍日在朐幕檀時垂脘世路厭求頻親疎易氷炭吾弟有強志世網絓憂患平時栝酒閒悔語發深歎貧驅贅妻子活計重親串囁嚅燕學語偪強駒受絆在昔齊客卿傳食六國粲慎辨道直枉善會情真贗豈必咽井李蓬蒿沒門閈金陵游俠地得蒠可遙斷念世未平理放手觸乜難苟得即須已毋令勞久盼

連日苦雨偕湛士兄登江樓還賦一篇

積雨奪陽暄衣裳生夏冷檐庭劇蕭颯耳目不可靜蝸涎交扉迹苔色動壁影流漿湍房闥階黿栖蛙黽飲水腹漬疾開戶步吝騁讀書苦惚暗默廢三日景坐思江上樓縱眼接巴郢胸懷一蕩滌似吸波萬頃兩涇牛馬迷百怪蛟龍逞岸遠山若浮渚沒樹如荇危舟下中流定失千里永想見疏鑿前滔天方割猛詰兒有奇興曳踵出閭井眼明軒檻外果洽意中境相顧豁沉憂頓割膏肓告回首溼雲際微赬不成耍暮飯臨前除更祝宵星耿

容甫病中作小詞極意為幽冷之趣余不能詞戲

仿其意作詩示之

幽氣慓肌膚暗風響檽橑走葉動牆隅孤螢出庭草積疴蛻寒魂弱步夢中倒聞見乍有無意境倏喜惱不知空林外露濕誰家道千里結新懽咫尺無故好昏黃月未圓寂歷霜猶早鄰鐘警歸魂泣笑同如埽籥燭同晻捫鑪櫱素灰橋推衾就窗明默坐還枯抱

九日偕秦吉帆方俊民家寒人兄攜兒輩游大觀亭

紫桑歛陶襟龍山萃楚選幽想涉古遊千載臥若踐積雨秋同淚遥情慮空纏晨風開宿懷覞色奏擔扁霽暉

耀澄流餘陰沉疊巘磴阜抗高館墉址拓脩畝江漢壓
城來湖水側遨轉紳帛光南垂幞翅黛西展郲舍識漁
村風篁疏澗筧莽麴安同塵童冠緬異撰樂知吹帽讓
情睽九華恤興來與古賓境往倏今餞登臺抱甫病尊
足膺兀蹇即理足吾欣依辰俗媿遣方將解雉樊明旦
共游衍

題邢子膺南湖草堂圖

世外心情久未忘南湖烟雨變斜陽十年清夢秋江上
冷卻當時舊草堂

江南風景太依稀無限苔痕上釣磯向晚西風吹浪起

不知湖外幾人歸
憶過南郭日初斜獨樹維梢傍淺沙天外一聲清磬落
隨風和月到漁家
放衙餘事自橫經繞郭青山共醉醒他日午橋魚尾長
不須更羨少微星

題馬慎菴危坐獨立二圖

我生如山徑擁懷塞茅蘁冥默育説象流宕淮變枳偶
從宴坐中豁若喻拳理隻手拓天開洗臟照明水灑然
火宅離隨意丹霞燬乃知無我相在識真吾裏頗思結
茅居共證素心子得歸披君圖何殊車就軌至法本無

說饒舌非要旨因業偶相遭圖身何彼此行見斷文字
冥通一脈耳請看天邊月詎為秋張弛苦剖無隱心得
月巳忘指

奉送孫勤西擢藩湖北奉　命入朝

國病重鴻儒時危思忠靖去作天下公留為一方幸淮
南久凋敝鋒鏑免俄頃民氣疲南疆獷俗倔北境綱紀
念誰操實計賴久永古以人事君公如符契併剪除豪
奪吏直視不回頸仰窺飛鵬翮俯見哀鴻影情為斯人
溪語挾私交迸茫茫望大江不斷憂心怲
滔滔長江水高浪沸艘烟鳥語通卉服鬼面布金錢淫

巧干王度詭思毒中天如何活國手翻避衡律賢位卑
慮空高無由貢至言江漢會南紀二别開晴妍巨鎮折
其衡勢阢亦處咽懸知高殿上奮舌動龍顔入猷有辰
告出身春　國艱顧念旌旆發或遲繞朝鞭
先人障海波夙抱和戎痛藩撤長城隳豈知事愈閧貌
然末小子漫忝嚴疆倖文書驗獻納說教煽隣衆倫然
起鱸思敢竊折腰頌奇遇喜歸人屢進煩僕從異書勝
壺觴時許白衣送秋風發好懷移陽開楚霧借冠固知
私徽黃位待用所望迴節旄連圻榰廈棟
　金陵返棹走筆呈容甫湛士

或此二語似宜更加斟酌乃得

腐儒食籍虀貯黃百不得一繫千羊人生飲啄亦命耳
豈得藉口遺羹湯我生殉祿慙頭强日抱治譜空長望
得歸幸喜驚俗眼攘臂甯復登虎場黃金用盡酒肉薄
脫略清節翩然翔烟輪砰訇風琅琅旦辭皖水夜建康
雲山萬疊隨襟袂花柳千村入隱囊弓刀肅肅列兩行
階前賓客備四方貴人高踞虎帳坐一聲不中千里颺
淡世但如網在網魴鱮鯿鯉隨所當或歎君相或
于例際遇難量君不見津邊漁父風浪中魚賣盡
無宿糧

容甫出示和人詠雪詩漫贈一篇

萬山隔水沈江霧天風漸與雲俱凝高下一抹眩遠近
但見萬木皆生稜迴看碧水杳無際天地自洹江自瀲
獨坐人間景清絕欲賦才難攀寸鐵訪君發篋見元珠
不晴已覺生眼纈廓然堂前碧蘿居持盃不飲索雲腴
九霄勁氣穿重壁斗室微温起坐隅祇今紙上落咳唾
髣髴舊事來須臾顯湖故實君能說埜體千年誰與埒
官衙寒具亦多情何似聚星堂上雪

除夕示湛士

萬竹參差裂城墅一火入雲起無所皃時爆戲水留痕
又向燈前鬧兒女歲人兩暮心不知後堂繚竹前堂詩

十年肉食不闌夜每祝明年勝此時而今江郭驚春雪
封斷袁安門早閑對床笑語歲聲遥閒味初回夙腸熱
闔心民氣卅年中萬室蕭條南北同爆竹聲稀燈火少
可憐老丐不呼窮

送蕭敬孚

皖江秋浪洗血箭商芝秦桃滿下縣不緣鄭驛廣招賢
世有蕭郎何由見卣彝出土鼎傳周元珠湄川璞不鏤
胸辦淄澠口唯喏品藻時出日懸秋江城一别三千里
流星掣電十年矣忽然名字落吾手狂叫不及復倒屣
穎士風流未遂貧布帆春水度江津西州華屋仍花鳥

回首龍門更幾人

冷水鋪望殘雪

立春未旬雪初釋野色含意欲變碧小山天馬旋五花
大山腐儒頭半白身閒心逸發興奇耳目有得人不知
忽思蜀道三十載氷雪天外相撐持

桃符

貴家桃符紅柱楣白屋力貧亦續扉豈為羣兒作意鬪
欲避鬼難登皥熈憶昔仁皇全盛日童叟夜行不嫌獨
猛鷙遠藏蛟鼉徙妖王魔女亦臣僕百年塵埃忽四溟
有弧不張鬼滿軨神荼欝壘長繩絕刳越萬祀空具形

君不見九鼎沈淪求不得當晝魍魎爭人食

二月十一日夜大雨雷電

四十三年掣電過較雷豈若餘聲多薇花樹前一尊酒風篷疾雨珠翻荷赤螭銜尾繞屋角天鼓下逐如鳴鼉横空忽震天地破落日一綫生雲窠仰睇潾木盡照耀俯睇庭水如秋河眼中光景变臺榭旁風上雨空摩抄指數花石失欄楯意象髣髴交庭柯夜窗坐覺風動紙雨脚所到沙投莎初聽車輪輾山谷懸崖萬手碑爭磨近城漸繞摘山鼓忽挟雲漢追羲娥天姥應嬿世界暗連引雙鏡驅么麽流光逐聲破櫺入斜雨浸卷甌生波

明光宮中埋銅駝人民城郭非舊科先人五十有此屋顧我兩立理豈謫何時築室聲隱空楼起平地臺生俄電光斜掣不入户廊深壁挂笠與蓑窮鬼不敢旁笑呵雷起電滅非吾疴百壺春酒看滂沱

贈徐椒岑即送之揚州

起為蒼生居捫鼻揣摩之工歲月異北山誰使栓移文卿相由來在布被風聲一律天所驕卅年南朔生同條豈知城北徐公美家火亦借九鉛燒憶昔欣堂看過飯先公意氣傾人遠笑談與世殊臼科一念生覺神猶宛黄州鼓角催夢空壯懷怨斷天門風至今大策饜人意

天留驥子才追公，邗水東環烟月藪。黄金力厚輪蹄走，衣冠各趁瓜步風。聲鼓誰憐武昌栁，舉世無由俗君身。雄心驅使汨風塵，奇書十上劒三尺。始信蘭陵有替人。

庭中西府垂絲海棠盛開

客庭春色巧鬥妝，就中艷發惟海棠。十年南土飽風雨，一日入眼雙明鐺。憶昔尋春故山郭，名園相倚不可疆。花搖碧水波成綺，樹颭晚風山吐芳。出紅入紫如蛺蝶，枕英藉草疑鴛鴦。鼓鼙一聲般江表，飛花舞絮同飃揚。人生稱意難自量，邂逅往往非所望。荔支龍眼斷春露，亦有芙蓉拒秋霜。簿書戎馬雜夢寐，雖有清興誰能狂。

豈知王粲歸吾土江介還堪共舉觴飛仙天艷薄脂粉
貴姬出檻垂琳琅曉風朝日動光彩竟欲長臥名姝旁
四海禾麻猶半荒華清宮裏長山桑百壺倒盡翻惆悵
豈獨興亡感舊鄉

偕吳摯甫方俊民家子椿姪攜檢樸樞三兒子尋
披雪瀑即送吳方二君北行

堆案簿書麻縷縛偷閑不肯忘卯晝勸農催賦亦有情
走馬看山欣出郭而今身閒得婆娑青鞋踏徧蒼山阿
名山咫尺藏奇瀑有約不到理則那朝來好友發清興
賈勇同尋披雪徑丹青神鬼舉國狂幽溪獨向樵夫問

誰夢鈞天在帝鄉攜壺逃醉人間藏至今山鬼不敢取
側立破甃流天漿深州故守腰脚好方子奇情滿懷抱
相攜絕頂謝時人颯颯天風動襟縞源深境絕亦何窮
豈必前規勝軼蹤君看崖上題名字水穿石泐難為功
由来適意莫放手那得更計百年後藉莎据石茶烟中
走馬撑船亦何有須臾暮色起遥山雲木相望各渺然
歸鴻正北君方出官裏良時莫教失

子規

暝烟遥下鶴飛還送客歸来自掩關寂寂春城明月夜
子規啼過木魚山

送竹如之蒲州

君過梁苑逢賓客為問相如老不曾想得單車更西去榴花開盡度風陵

中條山北古河東汾水猶環萬歲宮自昔幽并豪俠窟莫因羌笛怨秋風

題故慈濟寺壁

嶺頭朝日動鳴禽溪水依稀記竹林欲訪山僧何處是亂峯迴合碧雲深

盋飯香消師座微竹鞾嘔啞欵禪扉無端樵唱青蕪際驚起一雙白鷺飛

和湛士兄食茶蘼餅絶句兼柬俊民

小庭過雨緑陰加晴午生香逗碧紗無限春光吹不去
分將花韻到山家

爲惜餘芳恨晩風殘香收拾付廚工不知它日龍山下
更有何人憶落紅

過大龍山

興時蠟屐別江津西走梁益東甌閩峨嵋武夷不入眼
何論龍舒幾點塵十年舟楫九廬阜八公大别同遨巡
盛年奇氣壓湖海要論形勝窮垓垠自經喪亂少意興
每到勝處思隱淪入林便憶隔溪廛擁醉夢作由東鄰

吾鄉秀色江淮瀆一拳一勺皆奇珍自從三李謝時華
山川寂寞無精神有如世胄忽中落頤指自貴中羞貧
孤帆落處近龍山爲愛澄江遠故關親舊已非元髮換
只有腰脚飛孱顏山前練白三巴水江外螺青五管嵐
江海無烽烟自晻中原北望何茫眛暮歸茆檐飛蝙蝠
風溪環佩出深竹老翁旁舍荷長鑱疑是龐公或匡俗
月明清夢五岳閒卧遊未改名山局彩鸞久去丈簫老
欲共漁人武陵宿

題方小泉詩集即送之建平時余亦將遊鄂

廿年坐上談詩侶死散無端不可論今日江山無恙地

揀花風裏遇斯人
誰從碧海挂緡絲，放眼馮徐未是奇。欲把龍吟問淮水，
滿天風雨讀君詩。
灊霍歌聲動勃鞮，又攜餘興過春溪。銀箏綠酒分題夜，
知在嚴山雲水西。
白日吹笳楚塞昏，西風無地報人恩。烟波萬里荆江水，
何處青山似鹿門。

將赴鄂州先寄孫琴西方伯三十四韻

翼軫分天統，江沱劃地維。八州風化轉，一路福星垂。
廟算隆羣牧，儒臣暫典司。上游資坐鎮，南紀奠華夷。憶

昔龍顏 近常隨雉尾移實書森武庫金冊爍文詞捧日
心恒切扶天力獨支真宜操斗柄坐待掌綸綍已見徵
三策翻令帳一麾江淮流浩蕩天地色淒其皖國逢超
臥淮陽借寇宜諸生瞻笅酒十部仰軍諮賊子依劉表
當時遇陸倕荀香三接幸樂顧一鳴悲東邁烏私斷南
圖雁影隨三年瞻馬首萬里會鴻儀潤麥江南景清槐
薊北時亭臺猶在眼文燕有深期 帝德旁求俊臣心
老不衰倚天長劍在拔地豫章奇日月輝簪笏星辰上
履綦懸旌迎竹馬彈節協元龜蜃氣浸閭闔妖星動昊
曦沈憂原杞 妄痛哭豈逢歧舉世懸希解惟公道不虧

才將看　國活事莫惜身危調鼎方儲用辭官轉自疑出原將勵節歸不待焚貲理縣慚龐統追塵法趙咨擬穿遼海掘難下廣平惟西望思公切東瞻戀母慈爽凜遵楚渚慷慨即江湄欲就褰裳潔翻鄰土木姿郭舟容太小袁竹問何須勳業羊公盛行藏季主知萬方且多難何處問商芝

至沙羨奉贈程尚齋方伯時督鹽沔口

十年仗策貢經綸轉為儲胥董要津白舫夜飛焚路雪碧幢朝擁海波春湘西此日猶歸蜀（荊門以西淮南引地為蜀中久假不歸近欲規復尚難定議）河內當時已借恂幕下久知多士美論才

誰是出羣才人

程尚齋觀察邀同劉小雲茂才游月湖遂登晴川閣

月湖千頃漢陽北倒攝山光作秋色朝來一雨洗長空鏡出塵函收不得程公發興攜我遊晴日照破玻璃秋蛟龍蟠屈波中樹鴛鳥交横水底樓伯牙臺畔舟容與流水高山復何許世人共嘆古風高誰抱枯桐向閒處粉牆修竹是歸元流水平橋又一村老僧出定茶烟起胡雛迎客開風軒迴船縱目晴川閣吳蜀風帆取次落湖江興廢兩何如二十年來事猶昨江山不夜金碧明

白日照耀天爲清撫今弔古一丘貉後人何似今人情
眼前真感無時盡物外風波到處平等閒莫易樽前樂
白骨如山換此行

漢皋泛舟登黃鶴樓作放歌示家廬甫孫常

我昔西登黃鶴樓高浪駕天天爲浮風馳濤聲走神鬼
倒入窟穴搜蛟虯扁舟渡江值風雨落花一片波中揉
偶從雲罅見塘角萬桅束筍不可抽我翁携客八九人
笑談舊事東溟漚登樓驚定欲豁眼霧重如著碧紗幬
須臾一綫放斜日樹色歷歷雲悠悠二水源長望不盡
疑從天上銀河流未秋河伯已自樂南北誰辨馬與牛

邇來三食武昌魚每況樂事覺愈憂樓臺遠近幾興廢舊客十難一二留但喜沿流壁壘靜清江漸見黿鼉游雲山霧窴紛在眼人世蒼茫誰掉頭磯頭鐵笛來何由胡爲笙鶴不再游飛仙下視隘九州巾履偶墮遂千秋平正玉簫鸚鵡洲委骨豈計誰當收乃知古人已與不傳去競借糟粕稱毫酋何不肆志青崖放白鹿廣成卧處訪清脩他年一笑更過此笛聲鶴唳知誰優回船試問鄭交甫漢女當時會此不

夏口小病葆常邀登江樓賦此言別

高樓近與落霞齊秋水長空夕望迷天拓星文猶拱北

第四卷

地迴山勢欲通西淋漓壺榼忘新病顛倒衣裳感舊題
強醉不須慰離别風波平處更相攜

喜晤方符穀即别

往時師門避聞戒一幅烟雲嶺頭挂池裏銀鱗帶雨烹
籬邊玉版沿村賣重來人地兩凄涼入眼山邱華屋壞
空餘雙桂認前廳相對難為出情話不覊如子慰吾師
索筆艱難養母時周南春樹三年滯瀧上寒雲千里遲
朝來罷食聞君返倒屣相看慰我思差欣有地埋憂骨
正復無田奉母慈西江病宰近差勝百戰不肥空自聖
有囊但貯函谷書拂衣羞顧孟敏甑諸生會葬竟何期

為憶門前桃李徑路旁揖我意惓惓後會三年更十年輪邊又碾淮泥月襟上猶留嵩少烟時危去住無長策試問當年河上仙

遲湛士不至詩以迓之

窓前梅意人不及老屋如延高士入據梧把卷不敢眠竟日無人雨聲急龍山百里雪何如未得袁安卧後書却思東閣同茗椀共對寒流夢五湖

鴈

十載江南送鴈北今年江北看鴻南不知人鴈誰無信那復東西可自諳關城九月霜信阻湖海蒼蒼半鼙鼓

隨陽自是關天性歸思終難忘故土共知清瘦總高飛
不用銜蘆避赤羽

馬貞女辭

瀟湘之水鳴何悲君無言兮妾心知妾知君心君不辭
欲挽湘水待何時 一解 婺女光寒動衡嶽下照黃泉
上碧落天厨顯淡酒漿空一夜罡風斷煜爚髮彼兩髦
出吾宗未謀君始遘君終石爛海枯心安窮 二解 玳
瑁之簪明月珠昔何窈窕今何耀塵委膏沐奩生蛛母
心斷兮兒意紆意深若恐深隨雲散九嶷山頹湘水斷
三解

爲通伯屬題册子

奪席談經事莫行五官技在足縱橫崔駰奕世文章貴孫盛當時記注平舛〻瓜田迷往陌蕭〻古木憶平生自慙疎放慙姚合未許旁人説淵清

題秦吉帆九思圖 圖作蓮花九鷺絲

漠〻蓮叢飛白鷺穿壁誰通菱湖路焚香坐久水風生清景由來起纖素鳶飛魚躍會者稀拈花説法聊相師眼明心折此深意爲憶香嚴上樹時

敬題莫先生影山草堂圖仲武世兄囑

先生昔同居皖城對我常稱草堂好四圍修竹礙山光

一角時來青不埽先生以此樂貧居經義朝摩夜在抱
子姪壺觴兄弟筆那知人世成茂草烟塵一別各天涯
十載遷流到襁褓花柳江湖紛入眼草堂不見吾今老
只餘好友贈丹青他時更念誰相保聽終詞說共淒肰
嶽廬亦有桑麻田自知世亂難歸隱不向卬遲更問天
憶昨扁舟共風雪波濤三日篙櫓折罷酒猶自約前期
題詩尚待先生說豈意朝回未三年徃還細札纔一徹
種瓜我已服先疇收骨公翻歸舊穴揭來拜母到昇州
淒凉圖畫空長留蚌胎自有昇霏氣鴈陣橫當鷹隼秋
盤江之水東去休獨山山色不可收竹梧風檻藏新月

蒲稗春池没野鷗楓林杳〻魂歸不筆端纏末相思處
留與兒孫作菟裘

烹茶

烹茶埽地小成章歲月從知物外長爲遣詩情常貯墨
恐侵花氣不焚香雲開嶺月穿窻桃雨過山嵐曉入房
獨恨春泥難補裂殘雅哀鴈滿江鄉

見邸報張子衡廉訪引疾知其落〻之況廉訪於
余有一日之知作此寄送其行

文山百尺照江空憶上歸舟謁謝公虎豹宵屯梅嶺北
魚龍春化劍江東十年人返陶潛宅一夕塵飛庾亮風

更為蒼生思再起莫因清嘯滯湘中

發篋行吟馬上詩長林深谷見公遲清談豈必三言中廣座曾蒙一字知地濶洞庭終浩〻天高樞斗自離〻含毫寄送翻增感悵望崆峒有所思（公別後以自撰鐵瓶詩鈔見贈）

追悼胡慎思

長途不復望麒麟誰與招魂過贛濱生有沉憂傷盛憲死無文字誌元賓天涯冷骨埋荒草故國秋墳斷澗蘋（慎思自其祖以下無次丁）若向蔡家問書卷春來王粲更傷神

徐毅甫輓詞

瞪眸伸足古賢蹤每向公卿座上逢迹滿關河真老馬

筆迴天地是神龍草堂有約嗟吾負泉路何人更汝容
先子墓門殊未遠霜前月裏定相從

兼旬雨雪兀坐無聊漫成一律

合影分光動積旬雨師汎灑又江濱誰從歲暮清寒地
换得人閒自在春牆下水添看活潑窓前梅瘦自精神
坐思閶闔飛花雪知有東風到紫宸

寄黎尊齋

皖上一夜雪擁樹如脫青衫披氅素北風吹日海上來
爲念故人寒斷渡憶昔同隨丞相軍旌旗捲凍凝生屨
教下西郊監蒙昧嗟來譸去那容訐君言作官要節鉞

車薪可決銀河注手摩管樂口諸葛坐儲萬古匡時具
河嶽春消磎鼠氷乾坤夏潤神龍澍自知才力崔孟儔
對局惟蘄邉角護十年携客上青雲一日思君煩百顧
謂當屛處聽風聲冬冬日春花滿郊路何期一紙渡江來
自説清寒如野鷺斷却平生湖海心稻粱爭食隨雞鶩
麒麟坂上自遷延龍鳳老死無攀附旄節紛紛走山海
皀盖朝回車夜度但將榆杏日邉栽那識人閒須雨露
同學由來裘帶多貂蟬何定儒冠誤一印之貉不論今
虎步且當從我故水底銀鱗且將毋花時村酒行堪酤
一行征鴈海山青萬須晴波花鳥暮况餘鐍笄一分寛

終應絲粟能濟鮒卧閣無嫌風雪深春還自解乾坤沍
皖江重到轉憐人東閣無因覘故步歲月從來物外多
勸君且傍江鷗住

聞黎蓴齋隨郭侍郎出使西國賦此遥贈

靈旗烟艦絕裨瀛列帳賓僚盡漢卿坐使毗騫皆北向
直窮王母更西行九州自沭人皇治兩字寧煩富彊爭
獨有封人憐老母待將機石問君平

雪中檢兒携新婦歸有感作此示之

鹿車乍聽雪中音悲喜無端一晌心三歲素衣憐汝少
重闈白髮望渠深綵燈錯落園金屋銀蕊參差起玉岑

從此高堂潔晨膳漫依慈竹歎蕭森
舊德宗風望汝儕饑寒溫飽任安排但令廡下能擎案
莫惜田間自曳柴綠徑依〻思五柳朱門㝛〻尚三槐
西京少府年華老風氣還應足散懷

丁丑元日試筆

千尋勁氣凝宵雪旭日烘雲萬里開一片懽聲江郭曉
最清寒處看春回

二月十二夜枕上口占

依〻舊事見嘗騰迴合雕欄晚共憑夢醒忽聽兒女話
夜深風雨灑寒燈

風雨

旗亭曾記看雲烟旅館重逢落絮天等是瀟〻江上雨
春來風色異當年

清明出遊遇雨柬許子良

爲惜春光發興頻街西桃李暗芳塵更看江雨停歸策
差勝山陰訪戴人

客有以乩仙詩索和者依韻應之

雨色連山潤遠空城頭常挂碧玲瓏鶯語圓流窓外樹
燕翎斜翦江上風芳林著露櫻未熟小市驚雷筍可籠
誰惜青春去強半獨騎白鹿尋仙翁

道中雜興

山光不共晚烟收湖水將嵐欲上樓雨月嚴城閉風雨
不知麥氣已成秋
野田春水沒牛蹄餉榼遥穿綠樹西驚起塍邊雙白鷺
和烟飛落小沙隄
百里經年數往還停車慣向綠楊閒當壚瀹茗茆簷女
為說清泉衹在山
隔湖野氣籠山起深樹晴鳩近水鳴明日津頭雲結處
定知風雨礙人行
草色波紋一望同野桃紅處畫橋通湖壖近水無喬木

萬頃平田柳色中
雨過溪頭漲未消老人家住碧峯腰看山興好忘前約
不覺携笻過板橋

梻岑書來以待園遺詩屬定感題

碧波如舊漲痕遲千里書來發篋時庭柳成圍東閣闃
一天晴日見遺詩

卜居

流形四大合妙筏道旁舍矧乃物外區歲易如晝夜何
異圖名山復此從人借緬昔先人居代與時相藉德榮
安處常道菀衰枯乍翳余丁季世接淅况未暇九州半

榛蕪千里尌桑柘幸獲汶上辭聊許江陵假攬轡媿陽
春我屋敢求夏撫事更觀空踟躕息吾駕
西山何繚遼谿水杳迴沿踈峯挂初日石氣流蒼烟先
公緬邱隴曾此眷流連館思層崖首戸面飛雲巔灌園
疏春澗鋤藥借秋田風晨兼雨夕農叟笑語便志深事
未集微尚遂茲年經始望磐阿述德聊自鐫

初至山中夜起見月

濁夢謝城喧野守發山響泉懸識谷幽室明知月上搴
扉螢亂流坐樹蟲獨紡篁徑散微陰林光宿餘朗竅籟
觸遥思山韵生秋想秉燭無止行竊藥有解往宇宙亦

何寬寂寥胡獨賞心遠榆枋高物輕襟抱廣即景各偷
肰欣樂忘皋壤

雨憶湛士

雨走千山白雲呑萬壑青遥知老居士閉戶少人經
屐齒引孤筇林端識梵宮隔溪不可到犬吠在雲中
羣澗響山泉横流當戶前只應晴日好荷笠入林烟
晩風忽入簾雲物漸蕭爽返照將餘陰雨在西峯上
新水滿稻陂無人見孤鷺何當幽人來山茶一甌注

入西山謁方植之先生墓

靈巖宮嵒崩連岡欝楸檟深稼媚廣隴縈澗委秋潙既

見慪猿鶴亦允藏輪馬水涉石犖确磴升泉飛灑洞岫既城羅林場亦桐杞誠薦闕芷蘩神期遥礫尾平生跂先疇思傳欲曾假郢堊質徒存火在薪何捨口珠世好同商歌表靈寡成佛我瞠後生天公乃偣且雲翼起遥岑遠色蒼肰下撫墳獨遲迴愁焉懷大雅先生晚年精修至行詮釋金剛經八種極精深猶記咸豐辛亥先子奉命贊廣西軍事先生往主祁門東山書院先生賦詩為別有云人天我歸佛事業爾封侯不朽憑三立都爭第一流于今人不信後世看傳頭今行何人所刊先生集凡一語近佛理悉去之殊非先生意先生素論以集須自定恐後世無知者妄為更改以為恨事屢見文字中故取卌此詩以存先生生平之真云尔

至舊宅

竹逕交新陰疏花發舊壤連雨過芳庭秋草似春長鄰
館感山醉童嬉類来往倏忽營方思彌禩但俯仰霞宇
絢晚空風竅斂觸宵響露深薄海同披肸跂屐廣拙疾事
安今華志遇乖曩慨念人已閒撫景息夜養

秋日偕湛士兄携檢樸樞三兒散步遂訪召生于

胡家阪

含秋散晨衿遵澗繚脩嶺林稀山氣疏水落石梁整遠
跡人易親寡用晝知永既聯渤涉興亦遂宣舒請懸梯
掇晚果瀹茗汲秋井翠巘當戸深雲竇觸村冷平生愜
幽期靜緣覬天幸浮游茍不迷彌祀同俄須曠覽日謝

暄發曠燭思秉疇偕采藥人長此畢形影

江岸晚眺

雲峯極天長霽霞與江既秋重易為陰川陸皆蒙氣落
日暫流光一線耀萬彙昭曠物外賞淡泊人外味

江樓書感

西風吹露下嚴城獨坐危樓百感并地險不須江作塹
星高時共月爭明天邊宮闕艱難造海市樓臺率請成
且喜滄洲頗無限扁舟尊酒恣縱橫

山行有懷

峯頂光斜日未沉亂雅歸處下秋陰村烟傍水參差起

楓色隨山究轉深永憶故人同夜燭當時勝事賸寒林天廚人海俱綿邈珠岫珂岑獨自尋

歸山

懸裝别江潭振策陟崖磡山翠近晚深日氣當秋淡朝瞰散朗忽憶阮君薪儒訪而不遇悵肰成詩

朝日發東崖景物倏開耀氣逐天宇疎心與諸有妙生謝廣代成蔽敞仍殊脁乃知託身高流景匪易召阮生雲表人遐寄協蓬翟和完草木欣修姱塵壒摽謂當乘日車雲龍逐光曜闢扉參道源窺牖展談笑陟巘忽聖迷升堂失孫嘯霞色散天風雞聲下雲嶠林翼山梁遊

霜穫秋場眺爲儒子薄僞學稼吾甘誚終懷太史竒寄
抱任公釣

雨中柬秦吉帆

久晴絶泉脉一雨響衆瀑流交奪厓徑遥轉漾隄木屏
居罕人事觸眼見乾軸物通受地平氣達得天霱潤色
入荄深生意當冬復鄰墻送竹青圃鏞上蔬緑雲巖色
化空風林聲遞續澤吟惜楚芳蘺采感陶菊瞻彼雙老
柏滄熱自如宿

三芝菴雨贈石峯和尚

山氣彌天萬壑沉禪關一夕變晴陰雲烟上界疑如此

雨雪入門覺漸深百世松楸成色相六時鐘磬自清音無端却憶支公榻元度頻來未許尋末謂一心禪師

翌日仍雨　老母遣力送衣感賦

天地恩何狹難將比母心衣裳千線密風雨萬山深小依禪榻雅寒戀舊林門閭三十里愁煞梵天音

再訪蘇殭甫因贈

橐筆歸來又一春菱鄉風味勝鱸蒓平湖萬頃門前水看載蒲帆送遠人

吾鄉前輩凋零盡儀逖堂前有所思千古江山一輪月沉漻天地我來時

山居雜興

秋夢徐回午閣眠山茶活火手親煎從容挂起東窗坐
萬頃清霜稻熟天

買得青山入未深薄收柿栗有園林扶笻更欲穿雲去
無數寒蟬起暮吟

碧山飛磬上寒空野寺雲遮石澗東門掩僧房誰布算
欲將流水問圓公

霜後風林雨後山老農扶醉過溪灣蒲鞋藤杖歸何處
知在青松流水閒

西峯獨上暮雲收莽蕩中原萬里秋欲指京華何處是

北條山盡海東頭
故人相約到幽棲紅藥黃花共醉題窗燭未殘忘夜半
雞聲和月到峯西
晴日朝朝挂短檐霞光隨燕入疎簾五更枕畔聽山雨
料得窗嵐翠可拈
山外微雲晻夕陽柴門風過晚生涼不知何處秋成雨
一夜溪痕没石梁
乘輿隨僧下碧城野亭無客露初生白雲黃葉歸山路
又見松梢挂月明
遣興

沉陰深不散霽午日如曛遠屋封餘雪危峯宿嗽雲林
疎懸閣見石出細泉分君問榮枯理無生未可聞

戊寅元日試筆

經亂歸來百事殘版輿差喜得磐安從今放眼乾坤外
無數青山任意看
山意漸含雲意活天容微趁水容和遥知薄海春齊動
一夕東風解凍多

頹牆壓髁幾折阮心如馬通白來視詩以謝之

和刖駘尊各有因嵇琴单虎未宜論方將鑑井憐多事
却為停車感故人大勢嚴牆難久立吾行卻曲更誰親

把杯且喜磐阿穩腰脚能過莫厭頻

午日贈寒人

深谷榴花少溪塘蒲葉肥爲驅夔魖盡不用掩柴扉

記得西遊日楓林屈子祠山村似今日寂寞祇君知

嶺雲飛不盡林雨釀難成高卧空山裏翛然又此生

我喜終南士能驅鬼物還爲防成捷徑擔負入西山

寄懷筱隝江甯

物外逢痾得小閒谷深清晝閉柴關無端忽起懷人思

萬樹流鶯日滿山

午夢依稀共酒瓶天風江雨是新亭田歌驚起凭窗坐

畫

秋色平分柳意青

近傳

江東戰骨未收全給繹儲胥又廿年天上近傳哀痛詔
人間自急榷征錢金繒西去魚頭艦兒女南來燕子田
終是周京同苦瘦苞稂無事怨寒泉

丞相

丞相聲成動四夷經綸焉上足安危但能遠略求魚鐵
名 聲身閩閩繫 已聞
不數續條名貴藕絲茶海人閩衣盡浣錦機天上石龍支
已矢由人來周寶重楮楮曾錯楚材奇
唐封夏甸艱難業恭重三苗贊禹時
腐儒自笑謏修攘强把麟經作篆師

望雨不至

黑雲垂屋角轉雹忽東還風勢如飄瓦雷聲尚隔山遠燈懸水際野榷響松關物外一何樂豐年好破顏

翌日雨至

亂峯雲際暗飛雨破空懸山氣沉喬木谿聲受野泉水光塍界没苔色屐痕穿坐憶河南北含情欲問天時晉豫皆旱

飲酒

養拙山居好陶情飲酒難麥嬿村釀燥梅似市酤酸菊徑穿雲白楓林挂日丹及秋還種秫九醖與衡寒

答人

欲識幽居事憑書寫寄君泉鳴村後雨日澹嶺頭雲白

鶴新巢徧蒼山舊路分麏麚不相避向我若爲羣

轉輪

聞道流亡（中原）地深關魏（北）闕憂轉輪寗蕭尾拜爵異羊頭廟算三旬格羣生廿載休東南空杼軸終是主恩留

閒眺

流水潺湲外柴門眺望頻跡傍雲際屋孤笠雨中人寂寞漁樵事蒼茫戰伐塵陸畊知有偶未忍問前津

晚晴

山中三日雨向晚動晴霞萬壑來泉響孤光入舍斜微風歸乳燕深水亂鳴蛙借問經行客何如五柳家

夜思

松月照餘滴四山清氣多我心與流水遥夜共澄波好
道餐雲石參禪證薜蘿迢迢不可得掩戶一長歌

病起同沉士携兒輩登檀香巖

石徑盤空刈僧房擁翠微當門欹怗石鑿壁仰懸扉聞
有高人蹟刀圭寓道機何當開文室安坐問瀍肥

土地嶺

朝行此山頂古木冒霜濃削壁石支麥歌崖泉挂松僧
歸黃葉路烏入白雲峯借向樵人問仙家何處逢

至郡

懸磴上林杪斜橋
截溪和石侵僧龕
雲擁伴門歸

村樹秋
霜樹關門卜寒江邊那長平蕪孤落白驛路晚山蒼樓閣
深燈火旌
晚渡
曉氣兼秋
曙色蒼茫……湖波寒澹
日禽鳴少……歌
山中
曉眺
峰頭……嶂千層起
雨近朱門……春意狙猜
人閒雲狗俱逢適我貴何須定把杯
枕上偶成

霜樹關門外寒江遶郭長平蕪孤塔白驛曉山蒼樓閣深燈火旌旂捲夕陽如何逢候吏未許戒心忘

曉渡

曙色蒼茫際征聲聽渡河朝光開野霧斜月下湖波寒日禽鳴少清霜鴈背多誰將遠遊意遙續五噫歌

山中賞雨不得酒戲題

曉晴峯頭霽色開餘陰漸合又風雷雲如碧嶂千層起雨近朱陽一線來坐任年華忽驅過豈妨朝暮惹狙猜人間雲狗俱逢適我貴何須定把杯

枕上偶成

燕寢清無夢虛窗夜色開雞聲和月起樵唱入雲來以我陸沉意甘同世棄才豁頭風景好申旦與徘徊

十一月初雪用陶公癸卯十二月中作與從弟敬遠詩韵寄吉帆通伯寒人

立身無長途貴與俗殊絕時隨冥會論道共荆扉閑愚生丁三季如立風雪中詎不思兼善聊得一身潔天地布彤雲壺觴獨屢設語默茍適情風雪亦可悅春和豈不羨未勝勁氣烈古人非固窮何以安素節披冊仰芳踪忻然堅我拙託意竟誰知相思惜小别

光緒八年三月宗誠寓皖城敬誦數過謹識

[illegible]

第五卷

獨建齋詩稿

己卯元日試筆

諸天一夜走風聲曙色繞通靄雪行薄海寒孥春思遠一時擁篲望重明閑薰丹嶂連雲合把酒春冰隔座生稍喜河淮通五版不須持節問貧氓（近年三輔旱潦民就食江淮甚衆）

題方小樓雪夜課經圖（受經於阿翁也）

君家族望半清標五百年來亦寂寥喬木風烟培後起萌芽經史繼前朝巾箱舊業披圖在山海英靈入夢遙怊悵江邨風雪夜定知掩卷泣冰綃

方鞠裳比部見訪山中留之不得却寄一篇

鐵馬銅龍迹已陳烟霞餘意自相親坐思白水盟新侶誰向青山訪故人珠勒不停銀燭夜金貂空買玉壺春知君魏闕關情重湖海元龍未足倫

為亡内卜葬地感賦

去住何嘗定是非人間天上兩依稀向來壯志如鵬息未死閒身似鶴歸秋井蒼苔殊自分深松茂栢女誰依青山滿眼奚緣好絕頂携筇淚轉揮內臨終屬必合葬

○贈張芝生即送之甘肅扶櫬

歷徧關河老欲歸莊嚴深處養清機晝溫罏鼎乾坤小夜枕須彌海嶽微萬里羊車行客少一尊馬酒故人稀

可憐四卷楞迦意義叨利天中說是非

寄贈方存之大令

臞痒鳴琴已十秋心和爲政自優游向來霖雨關天下
莫使雲陰滯一州
憶過趙北近春三穠李花開着意酣不是東皇能作雨
燕南風景勝江南
解組歸來近六年烟霞深處亦翛然尋山殆好增雙屐
九帶堂前作地仙

山行口號

近午衣添暖尋山日漸長節纔過穀雨處處炒茶香

壞斷渠流合林開路轉斜隔谿聞伐木知有野人家

○讀吳公可讀遺疏感賦

延埴鎔金萬品舒　先皇大澤徧扶輿無端一疏傳江介始信當時衛史魚

官詔分明出　禁庭慟天哀痛感羣靈異時中外齊翹首扶杖搴衣掩淚聽

芙蓉仙闕紫金魚都是　先朝壞地儲宮史若傳調護事吳公前有廣尚書

三峽栖遲百拜蕭雲陽山木未渠憐秖今明月青山夜獨抱深情聽杜鵑

玉陛金鋪散曉光鈞天一醉夢難長誰知十部龜茲外
別有人間萬寶常

題張子剛詩冊

潛皖西來一片青乘春同上大觀亭江南此日重開卷
無限秋聲不可聽

○海城雜感

征鴈迢迢夕照長津樓獨望海山蒼角聲忽動孤城閉
驚起愁心四十霜
吹盡淮南落木風角聲千里滿長空更教明月來天際
無限寒光碧中海

海門東望鴈初飛柴轂螺舟貿短衣新漲鹹沙三萬尺。
等閑看種木棉歸。
不閑江山萬里遥曉辭燕市晚吴船傳來諫草縁何事。
爲却單于不受朝。
漢朝宿将舊如雲河北江東百戰勲雅坐投壺又分閫
不知誰是祭将軍
鐵甕城東接浦江樓船舊部本無雙沿邉不是無胡馬
未築三城已受降
江南花鳥久凋残誰向桑田拾玉丹聞道重樓起天末
海風吹盡不知寒

身出淮陰舊將家腰弓臂箭聽胡笳無端獨上狼山頂。射得孤鴻落遠沙。

封山鞭石兩無倫千載雄風歌海濱但使之罘能刻石。不須斬木怨秦人

津吏傳呼放曉關一程十泊海頭灣漁翁慣（貫）往知潮信直挂蒲帆過福山

將歸過金陵筱隝弟招同張鑑亭吳子襄夜飲醉中賦別鑑亭亦有滬瀆之行子襄曉隝皆依官無定居也

滿目看秋盡。深盃不可辭。相逢皆客路何日是前期江

介嚴風夜霜城警雪時明朝挂帆席雲樹各離〻

○登天門山有懷滌生舊帥

四度天門杖一笻無端秋盡又飛鴻片雲忽送瀟湘雨落日徐生滄海風牛渚租船空故實龍驤戰艦憶前功高懷徧歷知難再剩有江山興未窮

通伯及檢樸兩兒應鄉試不薦歸途作此示之

國是無真賞家風有別源世才求豈乏宿好且同敲客意三秋盡襟期四海存向來清白徑應未亂開門（截用杜公柴門莫亂開意）

天下滔〻日安居幸有山九霄寒月近千嶂碧雲閒鴛

鷺鷥殊疏濶麏麚自往還飛騰付年少助我慰衰顏

即事柬徵公

愛日冬晴好山家午韵佳翦蔬將進酒炊黍惜分釵梅綻慈親喜茶香小女偕何人知此意開徑溯予懷

三秋倦遊覽行李及冬歸老樹紅仍脫寒流淺更微天涯知己少年暮弟兄稀每欲披衣約層巒又幾圍

阮心如別揚州約先予到家經月予歸而心如未見還詩以訊之

自作邗江別沿流惜路分往來一千里竟月不逢君秋水漲谿雨寒山燒凍雲江天風雪近何處更相聞

伐木

伐木驚山夢虛憁落日紅門開霜勝雪地迥樹生風萬象歸玄化寒聲滿碧空昭蘇殊未遠雙屐待人同

冬曉入城于馬愼甫齋中得梅花臘梅數枝

微霞動峯東曉月挂樹杪遠際色籠寒孤往人荷篠雪消自若增夜來霜被草懸知微茫外碧湖紅日好官橋閒水竹落梅應未埽鉄衣出寒門明璫下瑤島扶妹磬口黃淩波帛帶縞園翁昨附書林坐被花惱懽心瞪喜睼箯輿首塗早度石起雪漲穿樊讓氷涼懷新野豔遥思往林香槁櫟高嚶翥禽谷開豁晴昊瞰落散榛蕪過

市喧秫稻向來把酒處逐歲成叢蓀城西忽眼明冷艷恣傾倒有如張與范久別逢遠道心遠境易輕情深物自寶俛仰橐籥閒聊冀畢吾抱

庚辰元日試筆

雨雪連山動積旬歲朝風物萬方新太平原野宫聲起五色雲中日一輪

○○山居漫興

卜得山居似一枝幕巢葺挂各相宜炎光漸逼思栽柳野色能寬不築籬花至盛時珍蓄水當漲後見淪漪南陔久樹忘憂草更不頻煩鄭尹著

列嶂遠岫吐朝曦起視林花露尚滋早挂蘆簾將燕去
自藏斗酒聽鶯遲春歸不竢詩人餞老至難教烈士知
鳴劍在牀杯在手更誰揮麈話商芝

植援當墉小趣成年來生事近躬畊東籬采菊心能遠
西澗鳴篁境過清不速午風如惡客先封甲坼欲爭盟
可師更有跳珠水流到門前自在平

偶買山田學老農借人耒耜又添傭有兒何必辭擔糞
失婦誰當解賃舂秧點平疇星倒影渠分春澗水朝宗
即堪此境終裘褐已過蘇門竹實供

小園朝爽絶淄塵天放疎慵不自珍心澹易忘新句好

骨彊諱説典衣頻喜晴芥菔争盟夏迎雨茶蘼欲殿春
乘興拂衣想禪悦清波釣處有金鱗
市門路遠難徒步村巷棲幽少客過經亂親朋能健步
近衰年歲覺情多定知菌溷隨天巧豈必杯盤落舊窠
花雨自肰成眷屬清風明月滿山阿
節欣立夏逢時雨一宿生晴起斷霞樵徑晚風歸乳燕
水田斜日亂鳴蛙叢花過好疎方惜近樹無多遠亦嘉
寄語弟兄各相待宵分明月滿山家
行散因風趁菜香漫携筇竹過隣莊山深穀雨茶猶少
春盡松花菌未嘗囊藥愛題防已字養花兼得樹人方

脩肰腹果渾無想水石清泠每坐忘
解印偷閒轉得忙山林城市費平章因風簡素招南阮
帶雨籊輿慰北堂近夏百花空爛熳不秋孤月亦蒼凉
關心事〻思巢洗不為高談爝火光
乾坤憔悴曜重聯自撿平生枉幸全 先帝龍飛垂綬
日小臣蘉屈墮弓年蒼梧何處詞陳墓湘竹曾聞淚灑
天虎豹守閽雞犬墜讓他衛史報恩偏末謂吳公可讀
太白曾看曜日中長衢萬口呪晴空春秋未辯陳灾異
主客誰知驗吉凶梅福市門憂太早莊遵卜肆意何窮
近來噫氣乗春發坐想京焦問八風丙子六月晦太白經天今年二月八

日夜大風拔木毀屋有死者

上將西征久不還壯圖萬里過陰山連城七十朝齊下
宛馬三千夜未班豈謂旃廬歸使節幾令玉塞失雄關
聖明終是如天日赫怒風雷匕鬯閒

一別黄姑掩畫屏維摩室在一燈青直須桑土防陰雨
底用衾裯待小星萬事早知春有夢百年誰肯酒邊醒
相思雲海天風際或再吹簫到幔亭

○寄懷李芋仙

孟門舊事不堪尋消息惟君感獨深一紙記曾煩鴈足
六年空復憶龍吟江通灔澦勞歸夢月傍微垣動客心

聞道起居忍相信鄰書賣盡到嵇琴

。秦吉帆宅大風震地

二月八夜大風起拔木掀廬二百里始從西北一綫來萬馬騰空山谷裏須臾吸破土囊口鳥獸伏號人意死雲雨扶天〻若傾金鼓撼地〻欲圮有聲不辨雷與風動几搖牕人相倚但覺虛舟駕海濤那復鄰人問何似或云叔季之世揉滅否天維不張地維弛雷震不懼富媪驚怒拔鰲足理或是憶昔東到無諸城惡風怪雨蛟龍爭海氣黑蒸白日墮天鬼下瞰青燐驚壁磚檐尾委街衖溝泥潦水盈坳阬晚踏殘霞問媊友曝衣拭几書

縱橫東西南北曰歸好訪戴隹處開酒鎗豈知樂極憂思集擁衾到曙猶伏聽趁駕催歸慰母意入眼破碎皆茅衡停車坐店問父老巖墻昨歷東鄰生嗚呼少陵屋破思廣厦八百孤寒何足訝太平經國古有書當使五風十雨成康衢人人安坐廬吾廬

晨光

天際一星留晨光動曙樓暗潮蕪月落朝露共霞收地溼秋蒸雨天低雲入裘白鷗方浩蕩吾欲下滄洲

落花

一雨寒收柳岸風等閑坐對晚山空柴門客去春無恙

精語

落盡天花一寸紅

雨霽

松徑歇宵雨四山倩有餘豁光明水木石氣湛村廬總
果迎風落山花待日舒更看秧色起新漲響溝渠

夏日喜雨簡阮仲勉沉士兄兼示通伯及三兒子

西勢西來忽北走雷公鞭龍〻回首黑白太陰沐日車
白倒銀漢洗山垢瓶滴無私馬振鬣龍行有路螺旋紐
雲驗風止意本閒澤徧人寰亦何有疏林讓日一綫明
山自還青石自黝人生稱意自可偶第十誰能常發九
君不見老農十日望青天舉眼朝〻寅至酉

戲爲長句責蛙

雨歇渠田流漷〻萬籟蕭槮聽窈窕雲月深涵水意華谿壑清音自耿作何來老蛙敗人意落霞未盡已閣〻初惟一二蚓在渚什佰漸起雅投柞我昨城中三十日市井鞺腥囂動郭敢云阜櫪同驤牛無乃室家爭鼠雀拂衣掩耳歸山來謂當聊絶跫耿脚豈知車止又途窮人世蟲魚同一壑西鄰村童縱橫坐與爾晝夜互前卻兔園驢券尚有以爾獨爲[胡]不自度水深苗長夜無人排窗臨風舒吻朦清興斷絶不成詩夢魂攪亂何曾著昔人胸未淨荆棘鼓吹猶當兩部樂我歸豈復問官私持

較嗚蟬猶倍虐直將譏罰擬青蠅那得清聲比猿鶴或云天地生物〻用博螟蠖能除亦不惡吾儕耳目圖清空何如萬吹自己一聽芸生樂東方欲白斗横斜手罷爰書一大噱

神功

前山雲欲盡殘雨復東來霧氣微通日谿聲殷似雷神功殊寐〻地寶自恢〻為語芸〻者吾將戲九垓

○書憤

瀝血何曾到杳冥我朝 九廟自神靈桃林放馬方周甸木葉書蟲忽漢廷湘水蒼莨前日碧平林松柏異時

青怪來地坼天崩日持較平君未易瞑

通伯以荷花一枝見示口占一絶

湖船清興欲携誰忽翦明霞動遠思三十年前浣花路
曉風初日武侯祠

寫意

涼朝疎雨歇處處覺秋生竹響揺空上。林光切水清力（旁注：烱得）
增雛燕羽寒入晩雅聲良夜悲蟲急誰聞在野鳴

宵夢

憭慄溪山裏柴門夕照深晩鐘山有韵高樹閣儲陰託
世懷知足前賢或會心昨來有宵夢推枕不堪尋

寄懷張肅卿孝廉

舊歲龍江別思君去復還秋心三楚澤生事六朝山軒冕忘青瑣文章動赤霄後堂多弟子應覺鬢毛頒

天下兵連動誰紓北顧憂旌旄羅薄海杼柚盡諸州坐憶山林宴長懷天地秋幽叢託高韵何處足淹留

歸山偶感

雲沙莽宕壓城空凉燠無端十日中秋色不緣人事改夕陽爲相兩𣪍紅

。開歲二日山行有述

恒暘燒大塊山氣蒸成垢斜日射游氛流光赤諸有空

色雲上元野夕陰生黝喜心企滂沱準擬屈指數尨聲
雜鳴雞萬里潤枯朽憶從秋雨斷五見杓移斗觀化人
事顯逢辰我生負虎狼交抗夏狐鼠蹐座右海舸敘遠
養人食肥彘狗冠裳滅等威黃鐘讓鳴缶頤野訟上錫
瞻位解三醜滓穢欝太清陰陽雜亂走狐濟陽失三龍
戰爻遇九僭感近百年庶徵遂卜咎　王言溯雍熙人
感決天受乾坤品彙定秋月春花柳正物天地寬表位
羣生阜曠望邈黃農栖遲惜豐鄗

○夜聞虎聲有作

積威生廣勢動物貴天鬻虎嘯安其常一嘯風淵谷崖

起句佳

收似未安

撼太陰墮葉飛鬼毋伏物性有固肰人理何反復平生壯思多入耳風雲逐嵇性感顏詠操焰堅孔鸓蒼茫萬古心蕭瑟跫肰足晨光溢雲皟餘抱挂山木

正月廿六日雨雪交作口號

疾雷破山〻氣宣長風生谷溪湍烟雨行交空泉挂屋[illegible]封不溢風峯在天憂農八月至正月傷世十年更百年[illegible]露醴[illegible]泉未殊遠蒼茫湍眼吾誰鎸〻

○曼成

林烟山[illegible]氣望成疑空谷春寒睡起遲出岫閒雲思釀雨過人野鳥欲移枝近来病侍金鎞解懷古居将土窟宜

撼太陰墮葉飛鬼毋伏物性有固肰人理何反復平生壯思多入耳風雲逐嵇性感顏詠操熖堅孔躅蒼茫萬古心蕭瑟跫肰足晨光溢雲墉餘抱桂山木

正月廿六日雨雪交作口號

疾雷破山〻氣宣長風生谷溪湍烟雨行交空泉挂屋雲封不盡峯風在天憂農八月至正月傷世十年更百年甘露醴泉未殊遠蒼茫湍眼吾誰鑴

○漫成

林烟山氣望成疑○空谷春寒睡起遲出岫閒雲思釀雨避人野鳥欲移枝近來病待金鎞解懷古居將土窟宜

滄海茫茫吾道在天高日暮又何之

○出山自嘲

林雨花風展日長篴輿大好載春光嶺雲欲盡見山閣
谿水初生沉石梁漸喜稟田浮麥氣正宜烏几受梅香
如何猿鶴頻相負枉著生涯在醉鄉

○即事

幽事經年未許尋桃岑柳曲晝陰陰雲移花隝紅相射
雨歇山堂翠欲沈天半明霞無際遠嶺頭春雪有時深
怪來溪閣添清思萬壑晴嵐展霽林

墻隅梅根棄置三年矣今年忽發三花精神具足

遂邀湛士及兒輩詠之

畫閣久無意，空山只自芳。豈緣人賞絕，不放歲寒香。玉檻新情發，村籬故態張。植根知好在，晴雪兩相忘。

○余將有江右之行與沈士閒話因贈

與君四載鎮相依，勝事茅堂未覺稀。露泫晴花生異彩，霞烘雨嶂變餘霏。僧巖茶迸雲根出，山觀鐘搖澗練飛。正好盤阿終老地，肯因拭涕悔東歸。

五十年來百慮收，白雲蒼狗各悠悠。心如化鶴思還日，身似歸鴻近早秋。四海誰當文舉座，平生曾薄仲宣樓。即今邂逅逢親健，或避時人買沃洲。

雪中戲東沈士

雪深山氣勁晝室冷侵眠木桂枝頭介氷垂屋角鞭書堂傅午飯鄰竈上遲烟為憶袁安事方知解脫便

夜話

頭顱已秃氣縱横把卷誰知誤此生四海登樓王粲賦十年懷刺禰衡名時非遇主空垂綬老不能侯負請纓今日雪深談往事夜闌寶劒匣中鳴

憶昔

憶昔扁舟海上歸江東戎幕鎮相依朝乘赤水風生箭夜度黟山雪滿衣萬里壯圖輕鴈塞十年好句付魚磯

文饒前死孤寒在擇木知難鳥不飛

○題大寧寺壁

妬雨疑晴古寺偏柳花争放杏花天無端妙旨思宏忍
五葉金襴不更傳

暮雨霏微燕鴈遥寺鐘初動掩僧寮一聲驚起林間鶴
飛向寒空不可招

衝雪

芳院生垂柳茅亭放杏花為防春色老衝雪到山家
碧雲起春澗半沒谿邊樹微雨上西峯山梅落無數

雪晴

又見青山送雪晴仙姑井畔斷鴻聲蘼蕪何事催春老覃葛無情對客生具理花光經凍合偏提酒力著寒輕湘靈恠底能調瑟不向緱山問玉笙

目疾初愈雪晴散步

雲光湛霽朝野色深春秀衆籟各懷新吾廬亦清奏素志四海營證病一葉覆晨總閑景風夕戶眯遥岫但聞雪折枝空愁屋喧霤懸瞰入雲扉走月窺風竇困懟化天和重閒抱清晝陽景焙村徑陰潮推澗溜日耀萬木華雪消千峯瘦山氣易生寒花發常過候亮志乏東平妙懷緬句漏夙心既云申寫憂聊自右長抱巖電光散

懷嶽雲觀

雜詩

春風何泠泠桃李芳亦絕物序悵平分端爲山閒雪樹

煙束雨帶峯日挂雲纈幽人不可逢長憶江湖別

我本泥塗人因風胃雲表向日偶垂光握霞盪昏曉視

下海山蒼矚高星日杳觸景起倦懷一墮若飛鳥閔澤

無故玩薄霄有新瞰知涯閒中遠生事物外小

襜帷涉荒澗顧我入蒿萊雖非車馬喧眉宇何借來平

生同門親一握顏爲開剖符尹赤邑修具返江隈逶迤

成都田峻耀午橋臺趣金樂心廣製展救齡頹豈信黔

婁竈龜曾貯萊蕪埃

昔予入京華載瞻諫草堂古墻衕連牘人重物為芳牛
斗耀劍氣山川含寶光誠深達物頠理感生精芒揮資
贈墨本僧意亦何長宏血永民稱邕經安足方門前足車
馬瞻拜徒相將
整駕出皇都休輪湯陰郭側聞精忠人神宇于此託蒼
蒼喬木陰蓊〻燕雲薄至今風雨時戈甲聲閙作精魄
盪乾坤流氣振河嶽展禮瞻前輝撫時慙六鑿
勞塵邯鄲道息踵望神仙精光久蟬化榱桷胡巍肰岳
陽醉樓客昆陵賣墨丸閱也至抱冐深心寡識阻帝先夢枕

直金針璃宇亦空荃橫目千萬人歸墟在其間吾道契（空峒）
希夷窈冥軼長年
樂餌閉心宮雲山消神舍自為孫賓詘屢輟張扶假湖
西崖一厂秀政緩屬多暇招邀曦露初暢遂風篁下巖軒
納月深洞邃懸光乍觸石紛奇繪裂泉走幽罅疎峯瞰
廣原修籐蔭晴架當年薜蘿中想像塵埃謝性効山水
深事阻冠裳卸清懽破世網銜協不可罷安福石屋洞邑人彭簪讀書處
如何安居時悲心入夢寐況當春氣深芳雨灑晴媚孤
獸感麟迹窮鳥思鵬翅聳身頋八荒日月亦胡易東皇
理輜軿為我駕天駟東臨若木枝西騁虞淵轡十洲入

我懷氷海如匕栖俯首天網張塵霧昏如醉驅車旋馬首欲下不可次徘徊展禽心行吟三閭淚

梨花

漢〻輕霏罨華門微波初綠繞孤村縹笙似抱仙人怨相瑟難招帝子魂蕪徑春迷雲冪歷蘆簾畫下夢温存婷輿一過翻長憶畫檻銀塘細雨繁

過亦園題農舍

少日行吟麥秀歌黍離空識故宮過今朝燕語鶯風際得信詩人感慨多

○題清芬老人村舍

麥潤桃飛細雨過湖雲初散晚風和到來柳徑天肰畫坐久菱歌靜裏歌極浦遠天微樹見春晴近水澹煙多山居寂歷渾忘世更欲移家著綠簑

牆隅去年種杏甫得一花遇雪逗留既晴復以事牽去及歸已綠葉成陰矣追詠一詩

野梅落盡雪初殘消殺年光杳未看忽向空山慰人意正憐花事阻春寒董林仙種難醫命安吉秋芳易轉官撫物感時豔陽日故應閒處得偷歡

○大孤塘酬贈周蓮叔大令

我昔扁舟上巴蜀峨嵋六月埽空綠迴船歷刼經武夷

畫角聲中山過目靜緣待我岀匡廬尚得身閒入蠡湖
湖濱忽來五色珠清光墮懷明月如得毋匡俗排空相
招呼不然太白雲中獨欷歔君詩清如冰使我胸中霜
雪凝更有筆如鐵使我撫事游興絶周贈六合紀事俠氣猶香
紙上雲逸情獨攬天邉月五老連肩瞰湖光七賢遺迹
廬山陽高人遭世亦如此百展君書淚數行君不見供
奉清謡天寶時陶公甲子義熙後不具登山觀海心空
孤製屐支筇手人生清境況須㬰峨嵋武夷亦何有彭
澤魚樂平酒相期龍井乞瀑水洗眼與君論然否

○龍雲寺

千峯側轉朝〻異一逕盤迴面〻通松竹自深諸有外
莊嚴忽見了無中化城彈指能增刼舍利長留不礙空
夜坐老僧談行法泉聲月色兩非同相傳佛殿爲巖頭禪師募化自吳中飛來

○宿大悲閣

老僧導我登佛閣松根礙磴石磊珞四望不知巖谷深
萬竹高低相倚薄罷茶臨席臨前除入耳風泉如有約
初宵竹杪搖清光月午清光纔入幕我生塵勞牛繫鐸
偶逢勝地羨僧樂炊飯作脫竈上蠅羨蔭喜踏林閒雀
了知清境總須臾。邂逅便應百年託。莫訝久坐戀桑下
正恐朝眠待鈴索佳處紛來賞不窮穿雲準擬騎飛鶴

○海會寺贈至善上人

廬山老衲能殊俗挈法重開海會堂正喜我来梅子熟
恰聞叅事木樨香九江波起光遥合五老雲生寺盡藏
手種白蓮今待放莫嗔偷賊隘仁王

過歸宗寺

曉鐘一聲驚月墮竹輿軋亞行人過匡廬峯盡道塲開
湖上青山相左右老木障天夏日寒巖風飛雨客衣單
钁頭谷底不易得蹤磬泠〻雙瀑閒

○秀峯寺觀瀑布龍潭作歌

山忽飛行水忽止誰為大塊主張弛神斤鬼斧削不成

走石流砂皆可喜破舟側卧藏大壑古盂偃仰沉潭底
銀漢年年仰面看衹今知在深山裏白龍噴沫怒幽阻
觸斷崩崖拔地起若教變酒澆磊塊想注腹中亦如此
妙境從來不可求扁舟十過今游始忽思瞿唐三百里
五月懸濤瀑相似坐疑天公厭世濁倒翻海水洗塵滓
飛雪奔雷又入眼一瞥驚魂卅年矣頭顱與水爭潔白
世路崔嵬生咫尺何似仙人緑雲中俯視五嶽丘垤爾
大巧無心奚足怪奇處紛拏如黍絫歸來尋磴望瀑源
佛閣僧堂半荆杞增減誰知千劫過古今聚貉一丘比
請看石上鐫題名十九詢之骨同死相期信手擲神泉

共向人間伐毛髓

白鹿洞

白鹿何年去山橋引勝緣排崖樓拔地深谷樹藏天往哲有遺植斯文誰與傳我來未千載寤寞撫流泉（庭有朱子手植桂）

三峽橋

峽能怒激湍能平夷險不礙西流水至人知涯不自用功智無心亦如是截潭炎雪裂石飛排鼇晴雷平地起莫援三峽吽驚奇還思百瀆歸東紀

南昌奉贈張子衡廉訪

鳳紀元調舊龍飛日再新乾坤方正位清概見斯人憶

昨妖星動當時義旅伸張旗彌禹甸擐甲盡堯民勢捲
湘江外鋒連漢水濱艱危垂活國忼慨哭廷臣怒眉追
霆電舒毫動鬼神果安唐社稷同埽漢烟塵日月澄黃
道山河朗碧宸登天看鸑鷟行地失麒麟龍性明公仰
雛才小子親寄詩慚屣履造榻想車茵度憶文山遠書
曾澧水陳傳聞一字獎契濶十年湮西顧登車日南圖
舉扇辰輭恩殊浩蕩握節忽逡巡江表逢劉晏朝端憶
李紳霜花飛暑路海水積山嶙竹馬公真郭芃苗我聽
郇蒼茫冠劍地磊落石林身已分鵷鸞隔相安猿狖鄰
空囊裹甯阮溢素業自原貧有毋能偕隱無家且問津揚

舲三篋在入舍五漿頻作賦殊荆土携琴望楚闉夏雲
函度嶺曉鏡展湖滑台斗須終践萍蓬任自淪曽聞千
里足一頃九方歎

将過吳城鎮寄王柳橋程敬生兩司馬

揖君江海去風雨七年心不見湖光合長懷廬翠深寂
寥孤艇在浩蕩客星臨濟世看公等微生詎可尋

别王柳橋

海昏司馬江州華喜我能逢風雨來自許情深過潭水
為期介迹在蘇臺天池六月鯤難化華表千年鶴未回
訪戴雪船又何日細尋東閣認莓苔

移別士卿樓前

發吳城口號

竹轎蒲帆五十天，脚踪不到戟門前。名山良友多情外，又載匡廬翠一船。

○六月二日見彗

當年茂氣八方宣，四見流精近斗懸。似授指星消緼象，欲憑脉望問蒼天。藩條列郡三桓貴，雀籙中朝四相賢。底事不眠又卯上，夜看妖彗紫宮前。（一彗正北穿帝座入紫微垣，一稍東尾距斗不遠）

○舟中感興

七載雲泉事漸諳，扁舟春晚又江涯。時平戍鼓聲都緩，客久村醪味亦佳。無楫億從滄海擊，有輪定擬驛亭埋。

第六卷

蒼茫萬里空乘興倚舵高吟悶強排

筱隝自淮南歸訪余山中罷酒即別次其見贈詩韻送之

湖人海歸來百慮收天風吹近故山秋何堪兄弟相逢日又向尊前賦遠游

遣興

遇窮道在固賢節以守通况有桑麻田服先可安農季長惜不貲伯喈阻奔東豈不宏六藝止險良未工結廬西山趾苗豆依時豊灌園除隴蔓散步得長松夏雨不歸山竹氣侵房櫳鑑彼失路子還得葆吾宗

始秋雲開月流光耀玉堂華筵麗明燭清謳開松篁不知誰家子良夜樂何長東鄰蓬廬士幽響發清商徘徊望孤曜遠思在羲皇持杯忽復醉舉世濬相忘浮沉有定命相需徒未央

阮公貴保生陶令固窮節任真不肯醒同爲至慎傑出門望四野顯顯元雲結王程漸欲蕪歧路紛車轍幽人精白懷介然與世絕大分不可干。深心有時熱。何用酒爲徒。自與醨糟別。

辭家游四海忽復萬里餘俯仰耀金碧遂役迷所居晨鐘來雲表慓然懷舊廬長山兼遠水故道反崎嶇至和

處大同老氏游物初豈謂迷途復即遠見歸墟迫迫天外霞灼灼難可逾栖心苟得所終老不相疎孤松散嶺芬芙蓉發皐芳稱心樂得所榮謝永相忘至讓稅荊蠻求仁餓首陽歌薇適履坦採藥亦周行德義且不知矧計千載長亮彼蕩蕩懷何用令名彰聖訓貴躬行蒙莊賤糟粕大道日星懸識小徒爲博況等先民懷蘇冀仍咿嚘鼎彝豈不陳揖讓意何濶摛文龍躍津申筆虎卧閣同憐火用先詎憶畊能穫抗懷宇宙閒洙泗猶可作

元雲日夜蔽一綫天無青氣澄雲漸薄微罅見圓靈客

颸欻眴眼萬里忽復冥我生戚醮地野馬紛無停推懷
坐光景觀象感心形重陽不敝照孤耀永天經遐哉天
游徒揵彼内外局
茅容樹下恭孟敏不顧𩐁古人貴爲學甯非以行勝文
藻能行遠從嫡如送賸矧乃製美錦無物恥缾罄水木
有根源桃李暫成徑封禪與美新末路悲心孚
忠臣不避難烈士不逃刑榮辱及身止毋乃非臣經惟
漢有楷模望古思前型夷險安可億懷抱存正靈造次
苟不違生死皆仁亨嗟〻當塗士委蛇以爲明
范滂遹宕人塞裍異元節攬轡志澄清對簿何烈〻至

今誠子言讀之五情熱懦世想高風吾道經三折
時隆多窮途會汚徑易捷科目能困人造材亦踵接煒
煒枝上花纖臭亂蠭蝶眷懷未放時含意耐深衷天道
自乗除君子重所愜

灌園有作

伏雨東熇威秋炎噴暑勢廣望山流焦積晨川斷逝雲
峯喜漸高雨路倏遥替委瀉仰鄰壑稍欣稻陂濟貧農
望歲心祝雨入夢寐唱唄雜鼓鉦永夜驪龍睡廬西有
元圃菘蓮料秋蓺日夕百抱甕未覺生意遂譬如沉冥
士千喚不一睨惡歲憶龍蛇荒疇殖人骴饑腸胃鋒刃

千里田悲睇不凝室家存豈辨田園計蒼茫二十年聊得風雨蔽懽親摘秋果侑讀采春蔬時風午榻夢倩月山楹醉對茲性蔚繅懷彼心兵臾營已師苟完感世冀嘉穗大有可書年一任南山翳

贈方存之

昔親儀衛翁生晚未從游文章滿遺笥稍足供冥搜君家五世交淵源異凡儔兩家沐餘韵跬步遵其郵鸑鷟栖高梧鸞鳳出丹邱至今數翁門見子出一頭通經致世用敷政徵學優獲上元宰信強項君羣司蓋風聲所漸被流頌盈道周我生如朽木日夜滄溟浮風濤張性呂

鮫鱷羅心鈎時窺島嶼近維止豈自由嘗抱萬里心高步百尺樓銅章爲親屈一去十年留地僻天水違鬼俗山風偷達長惜短羽爪鈍衛下講者舊久波逝文采還風流翻然厭形役遇子亦歸休握手一大笑坦道停雙輈鄉里羣兒愚如農失先疇燕越脊南北炎冷傎春秋君當拔元圓嶠西注峙吾州吾居近翁隴神期肸蠁酬刋落華文縟冥契精微幽瞪眎不可追趨蹶難爲收階梯取君導要玅助吾修

寄莫仲武

磵戶納流雲山雨沒潭石一葉動清空正憶揚州客

余將有行兒輩以書勸止題簡端以答之

東海西山暗自盟明高堂頻筮貴得先庚還鄉果是遺安
計應付負當時傳別成

番椒

少年曾寫味椒圖茅潔薑辛欲共敷世事已非吾漸老
斜陽臺笠碧山隅

歸樵

一徑挂危峯迴旋入雲去但聞樵唱高不識家何處

予閒居六載人事多違奉養疎缺接世寡儔將申
吳越之游以寫久居之鬱之親懷既欣諸兒悵然

迺為短章歌以儆之
歲盛富遠志老至畏時艱饑溺事不展霰雪空盈巔牛
刀屈雖用抗心感聖言矧世多才傑審分懃貞堅遂卷
吾素抱安就彼寒泉聳楹納衆秀敞扉駐餘姸洞空挂
秋晴傾響瀉神淵雲讓一峯出日散萬木寒即此意良
已悵望亦胡然
古人貴時義出處詎一轍道違接淅行際此（可）無磨涅舊
聞憶過庭微義陋身潔舟楫力不任稼穡豈自絶鴻歌
吳會游稺畊逆旅說行止雖除分精意同世則蠶眠天（萬）
下僾龍行天下悅淄磷謝先民建善懷古烈

風急霜波寒。浩然江上秋。羣動思潛蟄。征鴈胡所求。陟山有藏穴，逝水想安流。尋仙事多阻，養志理無優。雲月無際，寒江湖有深愁。坐思彌矰繳，嘅慕冥冥游。郭田成都澤，谷館下溪留。憶親毋我勞，修業安爾疇。布帆詎經歲，終逐歸鴻休。

將之吳會于重陽日送通伯往京

挂帆離皖國，落葉滿江城。更向寒波外，送君復遠行。風塵侵客路，雲日麗神京。隔歲登高處，應憐此際情。

將之吳中留別阮仲勉

憶落淮南葉，同拏建業舟。碧空雲與暮，斜日布帆秋。念

我天涯去遥生江上愁舊時風景在逐路爲君留

蕪湖寄楷樸兒書後題此

水宿逾三夜維舟復此關清懽人外足生事客中删雁
陣空如定漁帆遠似閑縱陽兒女處書到一開顔

雨泊當塗縣

東下天門路大荒蟂磯采石[illegible]蒼蒼水容遠繪帆千葉
烟雨橫涵雁一行已分田疇甘種菜那堪湖海憶
停橈不用思樓上風浪平時是此[illegible]

登太白樓

楚殿荒涼蜀道危高樓百尺起遥思憑欄欲共詩魂語

日淡波寒不可追

○江寧晤張廉卿贈之

憔悴乾坤幾憯舒秣陵重見渺愁予空聞神鬼勞前席不信熊羆有傳車江水波寒霜重後海山人到雪飛初季鷹久抱秋風興幾度松湖自煮魚

湘水枯微絕問津老漁空憶武陵春權輿遠近猶乘屋薪木摧傷幾萬人盛代自饒天下寶即今爭獻海西珍扁舟風雪秦淮道獨有張堪可共論

○送黎蓴齋奉使日本

昔聞班超走西域隻手定國三十六又聞得主諸葛公

治內首獲攻心功君曾有志今未遂走三萬里亦何貴
樓船朝開滄海東鬖蛟駕鱷吞曦紅島酋遙破波濤拜
燀赫亦足驚凡庸水輪縮海火飛陸開闢以來無此局
天心為欲夷變華仰首長呼如睡熟國家閑暇有常經
芻狗不謂空具形但能放手絕私意豈必異地借新硎
君昨陳辭向虞舜知有英謀排眾進孤注心寒白玉樓
盈廷人艷黃金印野鶴橫江建業城故人猶記蘇雲卿
殷勤十四年中事欲語無語空復情張公席上一杯酒
蕭條何處開醉口如君發硎猶善藏似我真疑早縮手
君不見妖星六月照四垠紫微黃閣光芒新五行紛糾

不可詰天上諸老何迻巡行矣中外同致身勿逐羣兒
獻（羨）奇珍海中風雪不在遠好為皇家加餐飯

○雪後獨遊平山堂示僧兼柬仲武

霾行四天（平山堂前）風有色道上氷花堅似石老僧深居謝車馬
怪我衝冷來荒澤拂床開户出菱飯十語九贊剩果碩
人生緣遇安可宅落手稱心端在適乾坤何處不清寒
去住虛空同逼窄況開堂宇明遠雪別有跡韻生遙磧
竹梧零亂來殘青梟雁参差下寒碧銜日平蕪橋壑枰
藏鵶衰柳瘦挂腋吾鄉浮渡公所經說法當時驚黑白
八百年來好事絕把似茲堂有疆畫江山表靈待人物

送張滄浪酒條岸
古文常侍節催
寺去獨寢寢六紀
上神山好又別有傷
橋回

翹星曾瞻[illegible]是蕭祠奇不肖風烟鐵衣
南北[illegible]勞勤三渡玉燭兩陵[illegible]十年此日辭香
親老家鄉眼前他時襟鬢憶鄉闕揚州不見察
華影[illegible]日斜落一悃世
[illegible]殘暉

不爾蘊真甘遠斥標實須名太古然賢流勝地鎮相借

至竟無情祇印水筆誅蘋荐総沾衣祠有畫像甚精采

舊事龍舒七受兵血書四借虎羆行丹心拔筆馳騰[illegible]疏

送張海沅潘佳屏
古文當佳節催送君
去獨寒[illegible]去[illegible]海
上神山好[illegible]別有傷心撥
棹回

不爾蘊真甘遠斥標實須名太古然賢流勝地鎮相借歐公已死不再生池亭何異管榛積僧爭僧爭爾但試數門前客莫向炎涼分寸尺道高遜近成故事譽寡當場已掃迹遠鐘稍稍動歸輿瞑色蒼然深可摘寒麗談笑對良朋燈火揚州又一夕

梅花嶺謁史忠正衣冠墓

史公祠墓蕪城北喬木凋傷嶺路微鄰寺疎鐘催短景甃垣殘雪冷斜暉圍棋原異淮師出圖像難同蜀相歸至竟無情祇印水筆誅蘋荐總沾衣祠有畫像甚精采

舊事龍舒七受兵血書四借虎羆行丹心拔筆馳[illegible]疏

赤手提師障十城故里已殊公在日客途同蘊此時情
劇憐滄海開生面八月觀濤水力横

○洪琴西都轉拉觀署中園亭感賦因贈之

先虫昔在維揚日東閣觀梅月幾巡花下圖書深網鐵
酒邊裙屐盛扶輪當時談藝無殘客此日搴帷有故人
撫事流連又開府草茵苔印迹空陳
漢水陵陽毓俊才殊聲雲合動風雷嘉謨闓海曾欣薦
大業湘江望遠陪明月漸移寒雁鶩青山無恙照樓臺
異時棉上安文隱莫向烟波問晉推

雪中柬莫仲武

潮落江空雁斷聲天風海氣冷蕪城我來造榻逢初雪
占得園林一晌清
主人清尊為客開竹梧不減東閣梅便當歲歲揚州道
獨刺扁舟載雪來

贈汪梅村先生

吳中舊毓經師地聞道人師喜欲狂芳物那成廣陵散
葆真今見魯靈光鑪泉香絜無由俗廚饌腥羶任世嘗
祇恐後來少撫楷祝公食氣過張蒼

○秣陵歲暮雜興

東吳玉樹久凋殘小住金陵送歲闌千里征旅笳人外靜

一城燈火客中寒到來盛地空文藻別後音書憶路難
日暮高樓起愁思旌旗風雪滿江干
不信横流定止車野人舟在且浮家江間春色迴天地
海上潮聲變歲華衰草寒隄殷仲柳筠籃曉日郘平瓜
劇憐馬糞烏衣術步屧婆娑數暮鴉
鍾山望氣久蕭條林壑風嚴變古今好景不辭花鳥暮
青春常為管弦深江山麗蹟騈羣宇文藻盧堂慨釜鬵
舊手已遥驚後死清涼雲物漫追尋
朱雀橋南積雪晴曠遊漫討六朝名荒祠舊榜題康樂
斷碣殘僧識步兵山水未應殊昔勝琴樽何處問平生

蒼鵞墮地惟前代皇路駈車敢淚傾
京華一別十三載屠狗英雄近若何廊陛文章爭補袞
江湖歲月老漁蓑平時下品高門少草昧成名豎子多
北望居庸極天末五雲終繞漢山河
紫瓊閶闔矗層霄雲漢高寒閣道遥玉殿獨通王母馭
琳宮只受廣成朝金銀衆闕羅羣帝紀宿星官拱斗杓
熒惑天狼莫相犯我皇神武是過唐堯
羣壑西環鐵甕雄蜀岡幕府椅江東濤迴玉粒千艘白
火鑄滄波萬竈紅夾轂閶門金作屋長衢留輦翠為宮
風潮三宿魚龍夜短櫂烏皮悵望同

拄劍綱維半壁藩夷吾端在古風存閣書事抵規年格
浇柱誰當咒至言淮水波濤流海國蔣山雲氣接中原
遲行緩步紛持節匡坐南溟看徙鯤

鴻飛鴳逝各何之獨坐蕭齋有所思文字待道需謗好
故人别久斷書宜清香畫戟輕荆璞濁酒山樓廢尹著
一望江頭風雨晦幾懐谷口柳枝垂

市酒駈愁欲策勲獨醒翻倒惜離羣晴尋古蹟交新友
雨借奇書按舊聞永夜客星懸碧落大江孤月照閑雲
皖江清絶湘波遠太息揚靈一弔君

登北顧山

訪源設色金山僧舍

世亂尊天險，時清縱勝游。江聲揺建業，海色赴邗溝。翠輦人間驛，瑶宮日下舟。百年虛盛典，北望不勝愁。

○金山

金山今古勝，三度繫游艭。樹色忽連岸，鐘聲常渡江。天風催客鬢，佛閣換僧幢。為問蘇公帶，禪心復幾降。山下洲渚連岸，不復水中央矣

鎮江贈家訪源時權城守參將

把杯逢歲暮，情話感家風。料事氷同履，為官鄙豈豐。旌旗思舊部，壁壘見新功。更喜書鞭筆，滔滔江水東。

○立春日晚歸望鐘山金紫璀璨殊動人念

木末少衔和勁飈天際改寶獻引流光歸陽發山彩騰
紫搖澄空浮金爍遠海旅館神久幽廣巒目啟愷晨游
驚乍睇旋步協暮采穹石跨天雲芳風動林藹既聆高
蹈往復此靈扃在化延感誌靈隱蹤懽謝悔高風辟蘿
人惝怳雲中待璚氣階天梯天宇曠罕神瞻前豈一覽
感後計千載

明故宮觀方正學血書篆字石

蒼茫寒隴際一水帶籬通破闕樓梁畫頹橋券石空連
嵯開夕照獨樹冷雄風不為貞臣血何人到故宮

酬贈汪梅村先生即以留別

槃磵不可指江山空復遥著書宜海嶽圖畫總漁樵此
道昔推重斯人何寂寥向來占處士未易測雲霄
一櫂下江東津樓遠望同春山采薇雨秋水釣絲風地
濶客星遠人歸芳州空無言且西去相憶有梅翁

除夕口占示諸子

燈火樓臺江山城郭潯我來瑶瑟暮客思玉杯深匹練
叢花繞千門壁月沉碧烟扉列柏絳氣肉如林蓬葉爭
迎富椒盤喜盍簪虹舒珂繖錦鱗比畫符金烘燀山臊
遠氤氲佛火歆檐風眠酒事枕石漱流心正憶寒岩宿
相將煖釀斟玉魚先擇鱖銀鴨祝多禽壽母梅魋昨怡

人竹爆令攜雛觀蠟鳳硯句檢書蟫小薄逐貧賦聊歌

梁父吟軟風香霧裡明旦與開襟

元旦散步赤石磯壬午

玉樓昨夜醉銀笙棋局詩瓢閣五更萬里春風吹不醒

江南鬧煞老書生

曉日曈曨霧未消南岡東畔第三橋籬門前夜披衣雨

已上秦淮二尺潮

臺城有觸

宮禁金輿斷葳蕤鐵鎖垂似聞新有恨不許世人知

雞鳴寺大風

湖色前朝水山雲亂後城春風二十日猶帶歲寒聲

○臙脂井

年年事朝汲

歌

山小倉不可得

版忽起朱樓並

石玲瓏十丈高

水架板紅欄橋

無森木可藏鶯

花百株冷未丹

後來事亦能千古究到詩惟說六朝

放眼溪山足暢歡暑風清綺任清遊

烟樹破闌嘉樹草長壞有餘芳

今月只淡風景好秋來曉嶺夕陽多

天邊又吐青江月照我蓮花橋下過

同人遊桐城北諸山至張仙洞小飲

古林菴一在下

湖色前朝水山雲亂後城春風二十日猶帶歲寒聲

○臙脂井

人言道旁井麗華曾此入三五小女兒年年事朝汲

一山茂才邀至胡氏園觀梅花作歌

金陵亂定近廿年樓臺花鳥猶凋殘博山小倉不可得
爭傳乃到胡氏園烏衣巷外山長干近白版忽起朱樓並
玻璃四面池中央喬木無根只花盛山石玲瓏十丈高
障我聊免塵汚遭曲廊風榭暗邀轉截水架板紅欄橋
竹籬小軒傍春睡地偏抱稚差可醉恨無森木可蔵鶯
斗酒雙柑慚位置吾宗邀我當歲寒梅花百株冷未丹

主人鮮趣閉門去游子忘情坐自安屈指梅開及春早
相期此處銀瓶倒凡種何須君復栽美人只合市佳幽

詩歲十居九端策馬風全槪變和文開顯章
清算縣集陳元原無定變龍起雲處嵛崩蕭失
承鳳除阿閣隱排冀知凡考通家社館懷藏劉
懶慢拙 答客

萬壑松雲老鶴巢泉聲注盡研穿坳近来一管中書筆
付與何人廣絕交

主人鮮趣閉門去游子忘情坐自安屈指梅開及春早
相期此處銀瓶倒凡種何須君復栽美人只合師雄惱
披衣晨起客来初招呼步屧漫隨渠綺霞入眼一大快
雲錦亂張金粉隅名花品味酸醎外入塵自不受塵疥
奇姿素貌故尋常春意由來氷雪內深心欲畫壞垣墻
販員都教入畫堂萬枝折去掃蓬屋要令比戶增春光
南覔苑門循曲徑巖之殊有未盡興廻看倒影入池塘
疑是隣家別有勝聞湖濱木瀆梅故人有約未能陪他
時載雪扁舟裏百斛香醪盡意回

酬寒人見寄之作

承鳳孫阿閣隱排纂未知我者通家社弟蘇來

錄知請中惜漫拙

答客

萬壑松雲老鶴巢，泉聲注畫研穿坳。近来一管中書筆，付與何人廣絶交。

送兒概歸應試還經湖樓作此寄之

送爾西登江上舟，天南翻悵客星留。含情獨倚高樓望，一片湖光是莫愁。

鳳游寺志云即古瓦棺址

鳳凰臺外瓦棺寺，寥落僧房古堞陰。賸有鐘聲常不斷，竹籬茅徑得相尋。

阮公墓

瓦棺蹟寺外，斷石碧苔封。多少驅車客，無人説嗣宗。

萬壑松雲老鶴巢泉聲注畫研穿坳近來一管中書筆
付與何人廣絶交

送兒概歸應試還經湖樓作此寄之

送爾西登江上舟天南翻悵客星留含情獨倚高樓望
一片湖光是莫愁

鳳游寺志云即古瓦棺址

鳳凰臺外瓦棺寺寥落僧房古堞陰賸有鐘聲常不斷
竹籬茅徑得相尋

阮公墓

瓦棺隤寺外斷石碧苔封多少驅車客無人説嗣宗

即事

風光何與客愁思不關春晴郭輝芳樹寒江爽霽晨橫
空山並海不斷水迷津景物看如此未知誰主賓

題淵明傳後

百丈匡廬秀接天江陵歸去幾經年壁間賸有孤桐在
偶對薰風欲上絃

題莫愁湖樓壁

天有遥山湖有雲杏花風起水生紋九原若許中山作
為問春光深幾分

出郭

行背秦淮一里餘莫愁湖畔釣人居數株楊柳江南路
紅杏小橋春賣魚

正月二十七日侍　慈大人游後湖馬上漫詠

看盡三冬江上晴後湖又趁早春行馬群散牧草初緑
魚艇閣沙水未生山樹散寒生遠韵僧厨無供有餘情
籃輿穩載清光去萬斛鷗波鑄鏡平

翌日再游妙香庵

午日當天萬象閒巍然灰刼剩禪關樓前雨後青谿水
樹裏春來白壘山花鳥動興游客感風光喜放老人顔
斜陽未盡雞鳴寺乘興還憑竹杖攀

曉起

綴露滿花朶斷雲猶在天不知夜來雨潤得幾家田

燕江濤却寄汪梅邨先生

一棹去江東孤帆天地中山形連海碧霞色泌波紅高豁空懷古長吟誰與同獨憐汪處士三徑滿蒿蓬

乃及艾春

月葵菜雞豚

无忘姻族一

二杖為樂當不親絲作字時有田有杖平生白日照圖畫二十椿蔭深萌芽漸闢戒三十戎馬閒拜母小稱快辛勤四十時返進心蓄退山林吾素敵塵網罥時會謂當亟舍去庶以養吾大蕭條八年居牧馬未去害諸見

[illegible]樹精廬

晚起

綴露滿花朶斷雲猶在天不知夜來雨潤得幾家田

舟中五十生日

頭顱不駐春身心易爲泰征居兩未卜矍肰乃及艾春風吹歸舟江波淼涵靄茹檣窈窕花芳渚青熒菜雞豚勞舊僕（僕入高貞具食物相饟）風水惘令僊童嬉十九忘姻族一二在爲樂當及親繕性窮時背面首檢平生白日照圖晝三十椿蔭深萌芽漸聞戒三十戎馬閒拜母小稱快辛勤四十時迤進心蓄退山林吾素敲塵網罥時會謂當亟舍去庶以養吾大蕭條八年居牧馬未去害諸兒

看長成讀書絆計會田園日朘削敝廬輟苫蓋哀親強儉口恤兒酒肉債常日散金錢縮手時自耐安貧固士常儉養亦何賴蹉跎五十年私省慙門內古人重守節有恨祿不逮愬哉介隱心獨出毛公外幡然覺昨非倒起淵明喟抱茲行庭理棹入扁舟再二月水未深山川供清邁天門搖前青采石却後黛波日鋪廣錦岸峯引修帶白水揉天光一綫綠芳界晴鷗遠沒雲寒禽鳴依瀨疎柳閒杏花孤帆漁網挂目盡意有餘心曠神無礙坐貪清輝長不知歲月廢詩篇異寫憂聊得吾親愛

至蕪湖

隔歲尚浮家維舟又日斜綠圍農舍柳紅露水祠花古塔斷鈴語戈船仍鼓檛津頭滿艫舳燈火動江沙

○曉發三山夾乘風泊銅陵

春暄釀夜雨長風来海門曉挂三華颿夕宿銅陵烟篙呼喧枕夢篷搴雲水脊注晴山却走○凝聽濤徽○奔低昂岸村樹前却鄰篷船水市俄數過山樓渺已連不知道近遠但覺天蒼肰人身如虛舟通絓不可言主翁淡空明行庭何險艱冥坐默相忘忻戚滅其閒錯落燈火来徐入華胥眠

○江行

淡淡波中峰依依天上飆薄日明積水虛光無際涵樅
陽望欲至九華猶蔚藍誰歟山居毋乃仙人庵

落帆　家乾

帆底樓陽酒正醒曉粧明鏡鬥娉婷雨後看山興
入眼今朝分外青

。春日漫興

客裏春光何處賒勞勞亭畔日初斜三叉別徑聞茶鼓
一角頹墻見杏花驛罝似開君子館江干虛上老人槎
谷鶯海燕無消息漫對疎林數噪雅

缺題

淡〻波中峰依〻天上飄薄日明積水虛光無際涵縱陽望欲至九華猶蔚藍誰歟山居毋乃仙人庵

谿帆　原闕

縱陽瀰邐落帆輕曉霽川原萬里清群山雨後青争出借得湖光分外明

○春日漫興

客裏春光何處賒勞〻亭畔日初斜三义別徑聞茶鼓一角頽墻見杏花驛置似開君子館江干虛上老人槎谷鶯海燕無消息漫對疎林數噪雅

缺題

吳侶鑑亭茂才

回首瑤池三萬杯酒深仙樂動如雷雜花裝樹當春發
絳蠟生香竝夜開風隨玉繩雲不散桐飛金井月還來
祇今鐵遂關愁思空負清都聽落梅

貧女 三月童試榜發戲作

貧女花鈿集鳳城次絃誤曲競新聲敢誇素質宜裝淡
轉為朱顏怨鏡明通籙人閒無阿母吹笙天上祇雙成
斥仙從此工黃白珠館瑤池汗漫行

和寒人飲龍井茶見贈之作次原韻

同是寒泉在熱盂夢醒何事感東隅分明舊日看雲路
山色春來雨後殊

第七卷

集賢闕阻雨

宵梦依稀入槿籬小庭春雨亂紅欹鄰雞驚起凭欄望正是山雲吐白時

為方倫叔題文衡山山水

江上春光次第闌谷風蘼雨綠簑寒向來萬斛溪山興却向衡山畫裏看

方靈皐書文賦冊子為方柏堂題

靈皐初任京華日曾舉蘇書勵素侯高識早年超舊手大文故應看傳頭當時餘事珠璣在此際流風粉澤收把卷知君惜橅楷摩娑不獨為銀鈎

漂母祠

淮陰駟馬日誼闐，深向橋頭問漂母祠前芳草碧

夕陽照水如天一綠，曾長淮陰漂母憐，今日蕭孤檣

昔聞韓信釣年

登鎮淮楼

淮安贈別篠非及廷上諸友

破車殺馬成虛誓，溯水離山請檄來。兄弟二年重別酒，賓朋四座出羣才。麥晴攬轡淮河會，槐夏登山海岳開。閭闔苕荛定相憶，楚雲燕樹接三台。

蒲笋

南方草木窟，觸手皆奇葩。淮上非吾土，入眼來筍茭。沄文渠水叢叢蒲生拗斷水刈其根乃非意所遣宓妃

漂母祠

五十星霜學劍遲不堪游釣少年時無端畫角黄雲暮挂席重過漂母祠

登鎮淮楼

淮安贈別篠塢及筵上諸君

破車殺馬成虛誓溯水離山請檄來兄弟二年重別酒賓朋四座出羣才麥晴攬轡淮河會槐夏登山海岳開閶闔苕蕘定相憶楚雲燕樹接三台

蒲筍

南方草木窟觸手皆奇葩淮上非吾土入眼來筍茭沄沄文渠水叢叢蒲生坳斷水刈其根乃非意所遭宓妃

出洛浦馮夷解鮫綃氷柱臨夏折玉樹當筵交至味抗太古用藉宜白茅吾生薄芻豢口腹窮山椒謂有雞口廉足免肉食嘲微風吹湖雲萬籟何調刁飲河不知節毋乃猶老饕充潔誚類蚓窮味貪隣貓念彼行葦詩太息此蕭條

題驛壁

一雨朝晴穩客心無端清思坐徐往深舊時驛舍看栽樹十五年來滿院陰

○新泰

我行新泰道不知行旅艱新泰多磥砢時忽坦且寬峻

坂削犖确直髮駢閬平坻開太古石橋駕千里川巡工來邑宰冠蓋雜笞鞭百夫無完衣鵠立赤日間後吏揚揚至喜謂吾官嚴捉人無羸老幼婦餉盤飧雇錢日十五不足供一餐低頭鑿堅石袒臂當曦炎良苗穢未治路側朝及昏今旦多捶楚病骨不能敢言所以民子來王道得平平疲馬輕百里勞客車上眠古來興百利難免一病存停車畢此說瞪目難為安征者樂行歌居者坐長歎

齊河道中

山光鄒泰岱河勢魯齊臨地與天爭曠沙牽日共沉黍

渠連畛短槐柳遂郵陰回首雲興岳斯人慰望深時望雨甚殷

午日過獻縣

征途遇佳節鄉思轉難支地濶疑無盡天高問有知日
黃瀛海國塵白仲舒祠冉冉榴花發庭闈分糉時

○旅舍口號

昔年燕趙壯孤征亂後笙歌過五更今日酒醒茶未冷○
檀槽依約兩三聲○

○雄縣曉發

薄霧散宵雨清氣與風奏雲光縱野妍樹色生山秀懷
欣秫舒苗風化蟲驚候郵童摘夏果老圃芸秋豆豈無

國安閱鶴
經甫蒓進示定門

客途感精魄爽茲覩山味晴熟梅盆香風入袖緬彼千里家永此他鄉畫終當脫青衫拌盌高堂侑

至都中喜晤代畊姪兼感憶尊甫吉甫三兄

湘波初動碧荷池卅載悲懽并此時家有竹林慙大阮室無琴榻感徽之九江風雨人相憶三晉音書雁到遲至竟銅盤能濟美銀河浪定日邊垂代畊需次永定河工同知

示通伯

去年爾北我南行門戶蕭條不可負老華文章傳白下舊家世業在清名相逢帝里人無恙別後星槎事幾更傳說少微同照地空階坐對不勝情

○贈光稷輔時初補御史

憶別京華十五年相逢雙鬢各蒼然文章天上三臺貴

巾褐人間五嶽跧出處自知慙謝朓諫諍差喜得韋賢

都亭大有埋輪地○溫室休嫌疏草傳○

贈馬月樵時以大理寺丞兼應科目

玉室金堂待曉珂通經餘事法曹過漢家斷獄于公最

唐世平反狄相多四海風趨尊蠹簡一時衣鉢重鑾坡

獨憐燕酒相攜處促膝停觴憶志和未謂張芝生

贈張二谷時以知縣謁選

塵世相逢多望外故人久別得真懽相憐筋力疲為客

翻笑韶華老入官天地萬年輪底窄海山五月筆端寒
從今好買鷺溪絹細寫民風座上看君工山水時鷺汀自給

睡功

蕭然一雨郤炎風漫閣羈愁試睡功芻狗早通三夢外
鷦鷯隨穩一枝中澌氷若谷歸玄牝吹火燎原熄絳宮
都向枕中生妙法不須大覺望雷同

哭張鑑亭茂才

世間直亮如君少天上今應食有魚倚樹漸疑成苦李
買山纔可種甘藷官中夜燭曾相約病起秋風尚寄書
知汝吟懷憐弱息春寒雪冷閉門居卒前一月以詩二篇見寄

寄贈吳摯甫刺史

刺史初從幕府徵聲名意氣各飛騰文章永叔推蘇軾賓客侯嬴報信陵一自大星傳夜隕空聞舊雨議同升（刺史與李相國同出文正門下）可憐滄海桑田際無限天池看化鵬松鶴籐猿歲月更天風吹斷步虛聲雲將作雨知舒卷泉偶辭山任濁清三輔春風活國手九河秋水故人情建康會座堪同憶準擬重親小異生

○登鎮淮樓（在淮安府城內中街）

滄海中原一氣冥憑高醉眼豁餘醒南來水盡懸空白北去山無不了青小刼人天留塽塏大河風雨會神靈

淮陰舊說多年少誰向橋邊帶劍停

發黄郵經南苑進永定門

登車朝爽又西山南苑牆西任往還雉兔厰長門尉靜

驌驦罷獵馬官閑雲霞宮闕思龍起塵土衣冠怨路艱

晾鷹臺北對西山諫獵無書禁尉閑朝日一軿鳥輦道

嘶風萬馬出天閑雲霞望闕思龍起遲暮登車怨鶴還

甘旨漸稀諸子少霜華滿鬢入燕關

客路相安五十年

黄金臺

渤碣風雲氣未殊歸然一阜見雄圖不知當日來騏驥

淮陰舊説多年少誰向橋邊帶劍停

發黃邨經南苑進永定門

登車朝爽又西山南苑墻西任往還雉兔厥長門尉靜驌驦罷獵馬官閑雲霞宮闕思龍起塵土衣冠怨路艱酒事漸難諸子少霜華滿鬢入燕關

固安聞鵑

槐葉垂絲榆落錢渾河沙澗水無煙平生不識啼鵑恨客路相安五十年

黄金臺

渤碣風雲氣未殊巋然一阜見雄圖不知當日來騏驥

猶記千金駿骨無

○洗象詞

軟塵寶馬綠槐天羅扇蕉衫簇玉鈿金斛捲波香象起始知今是太平年

返照

雲外孤光斜上樹半空色相失端倪閒庭欲暮雅歸盡細雨初收返照時

曉起

月午忽歛光孤雲淡如染高樹動風枝淺深看冉冉

晚寒

風訊先秋送晚寒月弦三下客中看故鄉此日二千里歸路知應萬木丹

○夏日陶然亭同月樵柏園通伯彥恂

嘉樹在檐端高齋納衆綠庭陰暑不侵夏雨夜來足微雲淡午暄好風出鄰竹招邀情銜協曠覽興往復情來萬化移童丱亦天籟寺鐘曳殘陽野韻明疎木蕭蕭蘆葦深含意先秋肅妙境奪諸有餘妍引遥矚遠客易爲懽邂逅自成福江亭感傳頭歸景綴遊目落日下西山餘清散林屋亭搆自戶部郎江藻或榜之曰江亭

○訪源設齋於金山僧舍

未到山椒已半空九霄雲氣檻前通坐疑鐘磬懸天上時見帆檣出地中壺酒斷知遵佛戒盤餐小有話宗風主人意倦僧歸院枉對樵山興不窮

樸兒書來報女孫蓮殤哭之以詩

苦恨臨歧不覩睹微淚珠千里向南揮予以四月六日辭家蓮已有微疾臨行樸入予懷戀々不去書來遲蓄天師艾三易醫病愈劇夢裏虛牽客子衣殤前三日夢小兒伏予胸前以一手捉予肘甚堅佛果再花遐想結妙蓮刲雨證因非蓮生時人贈蓮花殤時亦然豈再來之讖耶蕭蕭碧樹秋颸夜錦帽金環著眼歸

雨坐追悼女孫蓮

正遣客哀斷蕭〻又雨鳴窗燈涼夜色初葉早秋聲小
塚應無草餘衣不挂桁預憐參老母情話怨晨嬰雲笈七籤
左目童名右目童名晨嬰蓮以目疾殤

早秋書懷

曦光爍塵土片雲落懸陰微風澀其際因之清我心
長安遊俠窟雜遝忘山林久處困人意如何發高吟
偶共溽懷抱散惟聽僧態鶴時復一杯酒遙〻無
賞音方來亦方去墮地即如今歲月剝不與膏香徒為
侵獨念汲世者聖訓抑何深
飄茵溷靡定香風變所任

書懷

秋雨

荼蘼煮酒餞孤征丹桂花開尚帝京欲把升沉問司馬

侵獨念汲世者聖訓抑何深
飄茵性惆靡之香風變所任

書懷

秋日

荼蘼煮酒餞孤征丹桂花開尚帝京欲把升沉問司馬
長安秋雨少人行

夜坐

山椒有聲走林樾餘警入牕動毛髮罷書出聽千巖秋
一笑客館忘修越星河寂歷良抱深庭桂蹤踡妙香發
樓臺何處不高寒空碧無人挂孤月

方篠泉出示潼關見憶之作次韻酬之

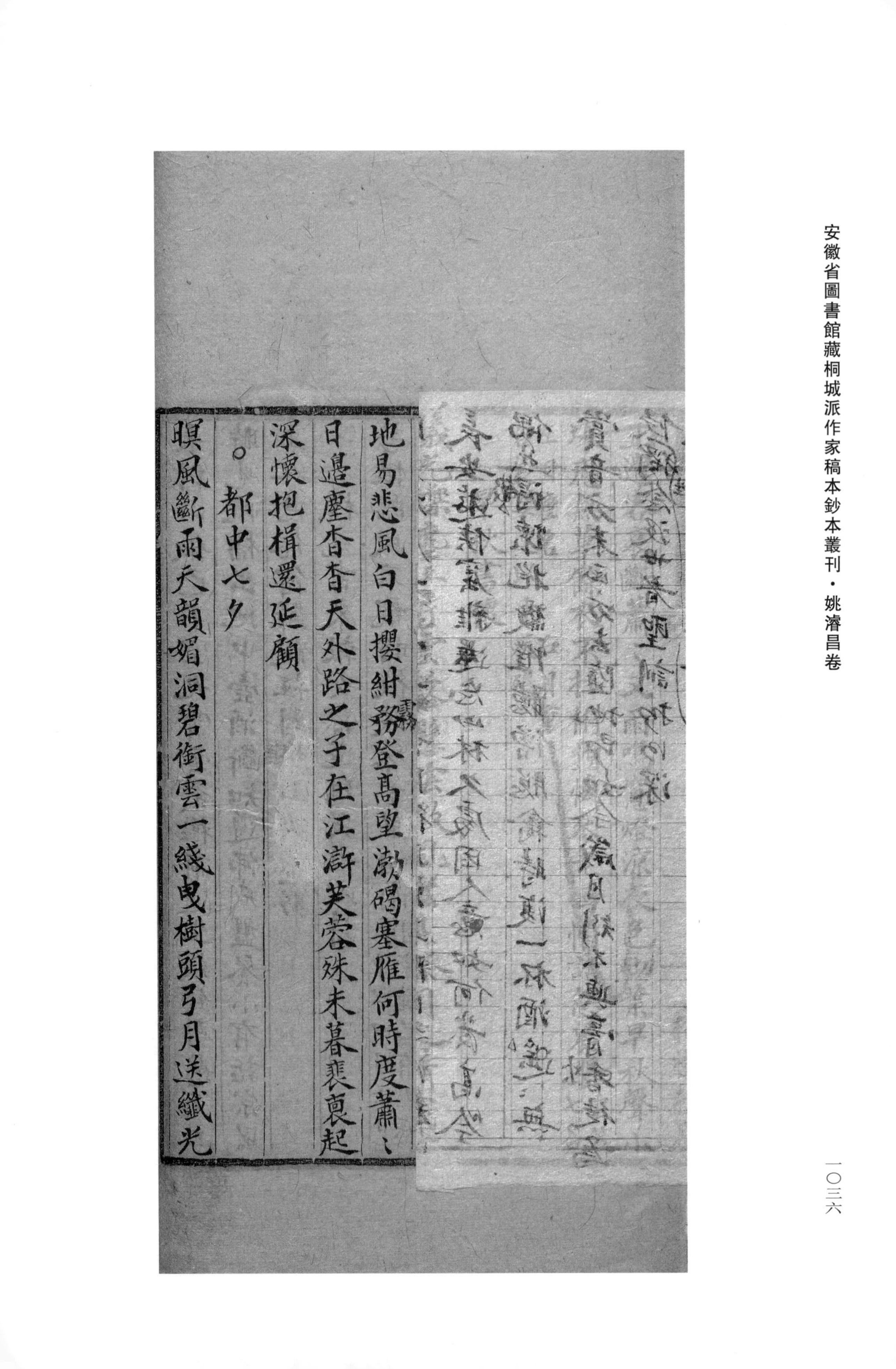

地易悲風白日㩳紺務（霧）登高望㵐碣塞雁何時度蕭〻
日邉塵杳杳天外路之子在江潯芙蓉殊未暮裴裊起
深懷抱楫還延顧

○都中七夕

暝風斷雨天韻媚洞碧銜雲一綫曳樹頭弓月送纖光

清氣一庭動人意幻視功名詎道著我行非客亦非家
試看祈巧紛兒女天半黃姑自在斜

秋雨

荼蘼煮酒餞孤征丹桂花開尚帝京欲把升沉問司馬
長安秋雨少人行

夜坐

山椒有聲走林樾餘聲入牕動毛髮罷書出聽千巖秋
一笑客館忘修越星河寂歷良抱深庭桂蹥踡妙香發
樓臺何處不高寒空碧無人挂孤月

方篠泉出示潼關見憶之作次韻酬之

昨歲知君出玉關計時萬里傳車還天山風土歸新咏
人海霜華識舊顏楊柳尚思驄錦別櫻桃待醉鹿苹間
絃歌蕊榜都常事莫漫相憐兩鬢班

疊韻再贈篠泉

杞憂湘怨久相關酒底情深往不還祇有英豪能好事
絕無傲骨肯低顏心懸珠斗杓璇上夢入金微鼓角間
請劍繫纓終盛世未須窮鳥託班班
通道行將廢玉關勞勞何去更何還如君自具封侯骨
顧我能開痛飲顏東海波光搖日下西山黛色冷人間
年來萬感攖身世便擬攜荊遂地班

篠泉屬題推枰返轡二圖圖爲感悼西林將軍英翰而作

國勢思飛將奇才倚孟嘗蟄龍棋賜局買駿地殊方漠氣乾坤黯河聲日月黃如何柯爛後賭墅悵斜陽

萬里天山道將軍故壘存玉關來日樹珠匣去時幡攬轡茹新痛披圖鑾舊恩平生亦有淚捲軸憶湘源

龍爪槐登覺羅炳成小樓

竟歲閑門掩尋秋得暫過荻深浮碧遠樓敞受青多調古琴懸壁人稀砌長莎登臨動鄉思江上有眷阿

夜坐有懷

衆籟未搖落此心方寂寥閒庭涼意滿遙思起漁樵夜色海生月秋情風過簫素衣無恙在淄澠幾能消

古林庵

風磴泉闞黯夕曛贊香無復妙香焚今時高士判難遇古刹名僧憶幼聞對竹約嘗春後筍曬經勸種圃中芸故山亦有招提好不獨南朝悵夕曛

留别馬檝喬通伯

朔酒不成醉黄花動客懷高秋生磡碣幽夢墮江淮鸞鳳聲新起麏麚侶舊諧不須重贈别吾道已安排

漫興

坐聽殘雅語暮林閒齋客思為誰深遠游茶姅懷甜水
経亂詩篇足苦音海上碑成空把筆山中調絕久鉎琴
如何十載狂奴態也遜星文動斗參

九衢四馬集神京人海崢嶸半俊英濟世才華寬小節
救衰言論絀虛名燕山六月秋先至絕塞三年草不生
為憶富民曾製爵我　皇應賜李西平

宦意歸心兩未降脩肰一榻對花缸涼風夜墜夜深葉
晚日斜明雨後總久客黃花生古塞入秋紫蟹憶吳江
都盧曹掾皆能玥慙愧街前十丈檣

代畊以詩送行次韻酬之

秋氣日在戶倏肰生别離交情經客回天意入秋知桂樹山前路楓江畫裏詩莫驚輕振策已與杏花期

萬化半寥泬逢秋發興同早秋〔霜〕征鴈月濬日晚雅風清世遇多難滄洲道未窮何由商去住深自愧龐公

千古文章事吾家五百年求珠傾巨海觀辨〔陳〕成篇以我椎輪質望君薪火傳黃梅宗法在南北好依賢

早年曾解印小著野人家春寺鐘搖月秋山樹醉霞鶴傳華表語蟾放廣寒花此意未牢落何須怨鬢華

出都

久客怨無事一鞭辭國門遠駝鳴曠野驚隼下晴原宮興轅駒倦歸心社燕翻家人憶前約早鴈到山樊

夜發黃村

城頭戍鼓近殘更月黑天高玉斗橫暗徑野駝鳴鐸過遠村深樹見燈明中原何日東方旦世路難期蜀道平見說燕南秋潦盛正傷菽蔌没官程

月夜道中書事

刈黍東田隈汙邪載滿車四牛曳不前推挽以婦孺既獲忘苦辛邪許亦懽娛日落柴門昏淡月照鐮鋤停槤偶長望轔〻車滿途伸指笑吾曹入夜猶馳驅

曉過趙北口

朝暾遥挂捕魚帆白露横空柳外含十二橋欄凭欲徧蒹葭秋水是江南

八月十三日早發即事書懷

深心殷國事夜起望秋天斗杓正西指孛宿依其躔初日出東海雲霞麗其先妖星吐光芒遥指西南偏天子明聖姿國柄夔龍專如何患貧寡萬方同一歎金錢曜外強債張益中乾泄沓亂生忽饑渴戎伏原訏謨自公者毋乃衣裳顛露晞隴頭草日照疎林根天道自古遠攬轡揺吾鞭

望泰山作歌

泰安感事

平原中秋

黨錮胡塵兩難問一杯邀月且縱橫青天未必如人醉白髮從渠向客生歧路風光驚火戲三條官燭憶文成覔覺南北應同調去住歷關法曲聲（時兩兒應南闈試一子婿應京兆試）

李家莊

園場秋色深梨柿霜前綺行人稍〻稀遠鐘悠〻起落日照青山疎林見行李人馬散沙墟遥〻三五里

齊河待渡

待渡齊河郭連天濁浪翻峻聲吞海岱積氣走乾坤水濶帆檣隱風高馬色昏八支真禹跡莫漫問淇園

沂州聞鴈

春時送爾皖江頭海畔相逢又早秋同是江湖南去路一天涼月過沂州

飲馬

發軔燕趙疆飲馬淮沂路道井枯泉不生甕底渾亦好甕渾纔可汲泉枯甕空抱江介喪亂來百種迭旱潦王稅盡脂膏天意迫路夭田廬日以蕪誓欲他鄉老他鄉詎可老薄海同浩浩投錢驅馬去吾行亦草草

同方存之登北顧山甘露寺家訪園攜酒留飲

故人離別久勝地忽相逢罷棹尋頽寺銜杯聽暮鐘雲

帆出瓜步海日見吳淞共憶蕭公顧斯人不可從

盛世英雄少江山霸氣多北遷基白鴈南渡兆蒼鵞往

事驚灰劫清歡付櫂歌高高看鐵甕長劍一摩挲

大观亭怪方小泉

老鸛嘴阻雨

客程二千里青日送高火[illegible]

沂州

沂河北遠碧山斜白日孤城冷暮鴉[illegible]

老人更說古琅琊

山氣冷催霜朝侵客子裳遥知風入户花幔下高堂秋

色重陽雨寒衣九月裝清歡應未遠眉宇看先黃

古樹清

大觀亭怪方小泉

帆出瓜步海日見吳淞共憶蕭公顧斯人不可從
盛世英雄少江山霸氣多北遷基白鴈南渡兆蒼鵞往
事驚灰刼清歡付櫂歌高〻看鐵甕長劍一摩挲

老鸛嘴阻雨

客程二千里晴日送高秋忽喜鄉園近翻生風雨愁山
雲藏寺閣澗水受泉流莫恠村醪薄斯人正可憂比年彗孛屢見
今年皖南北及浙江江西四川同日蛟浲並發淹斃民人數千衝坍潛山城垣十餘丈壞公私廬舍不可勝計

雨後桂車河大風甚寒

山氣冷催霜朝侵客子裳遙知風入戶花幔下高堂秋
色重陽雨寒〻衣九月裝清歡應未遠眉宇看先黃

溪漲

坐覺風雷滿萬山泉入溪開門橋券失高樹浪花齊雞犬雲中寂乾坤雨外低誰憑一簣力獨障海瀾西

鳥語

竹標生微明夢枕得鳥語山氣未逢春啁哳來何許潛風亂天經流化奪秋緒荷鋤東岡下霹靂滿平楚

不在朝何人肯問汝雨鳴潭上林鐘動前山杵物象時警人獨對雲峯伫

見葦買菊供　大母之懽兼待予歸戲爲詠之

慙愧東籬笑傲身冷香微洗　帝京塵林園夕露餐英

徑零落西風送酒人漫許賞心專九日豈將花事讓三春庭闌莫恐繁霜重已結寒梅歲晚因庭梅時含包

立冬日遣興

秋色看徐盡山寒斂夕曛陰崖宵覩雪高嶂早多雲文史開詩業雞豚筞歲勳呼兒理梅徑花發好相聞

雪後飯山家

高嶂初晴雪尚明塵衣又入翠微行青山背日移寒影緑竹驚風坼凍聲蔞粟能諳臣朔飽酒狂豈獨次公醒漫將潭影論懷抱深淺何人似此情

贈陸孚甫巡檢

七年蓮幕舊知名邂逅華筵聽政聲鶺岸浦邊争談笑散
龍舒公事咏哦成銅盤北宅酬良會（趣園主人招飲器皿極佳）銀盞西風
送落英王儉已歸庾杲老為君長憶皖江城（舊聞君名于孫琴西廉訪今廉訪已引疾歸瑞安）

贈劉子清

七十歸來却杖行看花争喜小車聲坐思少日雞豚會
欲結忘年鷗鷺盟紫蟹黃花能健飲青山紅樹得同情
相逢正悔從君晚慙愧春塵走帝京

暮歸行東郊

日黃猶未落衆山生夕霏不知城郭遠漸覺烟樹微老

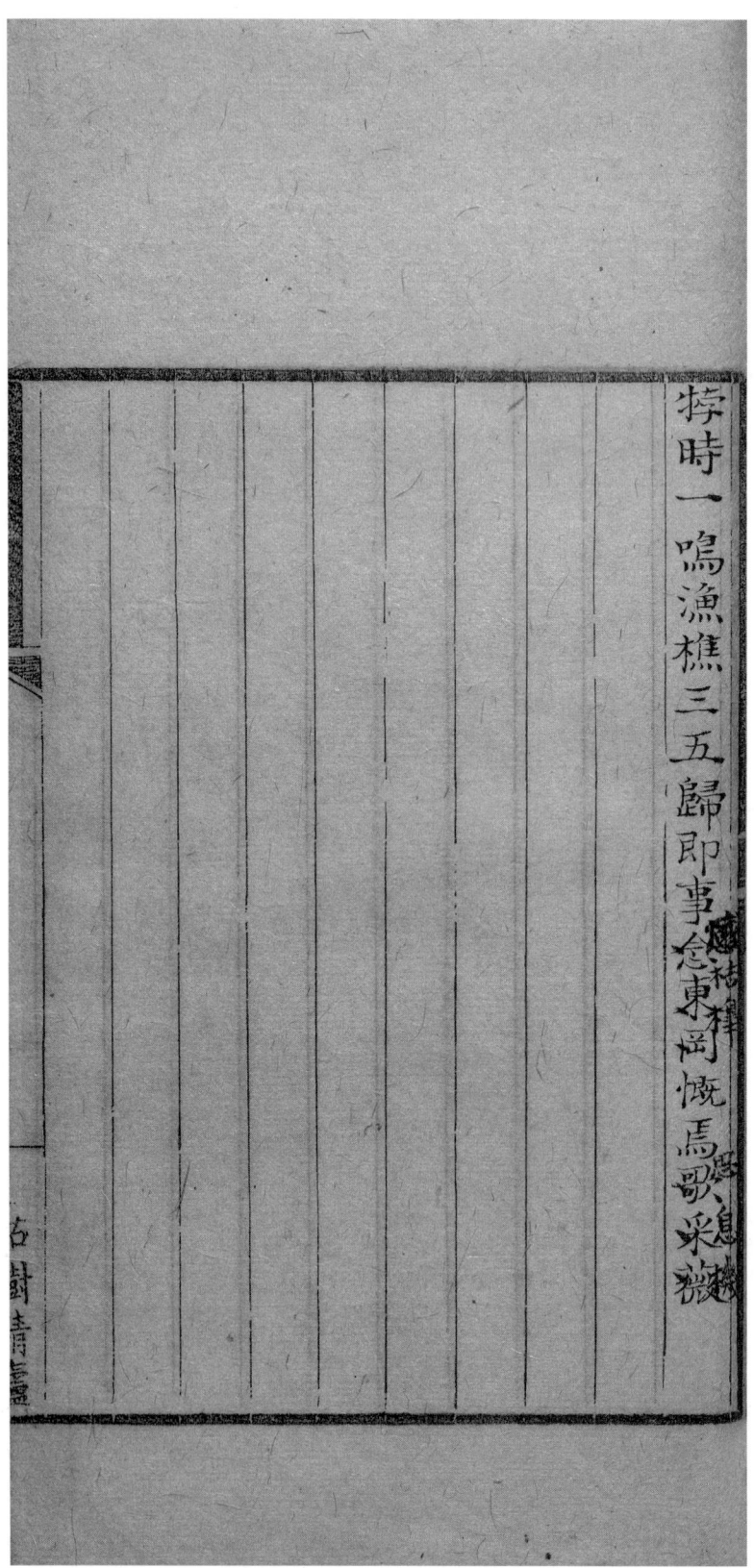

捋時一鳴漁樵三五歸即事念東岡慨焉歌采薇

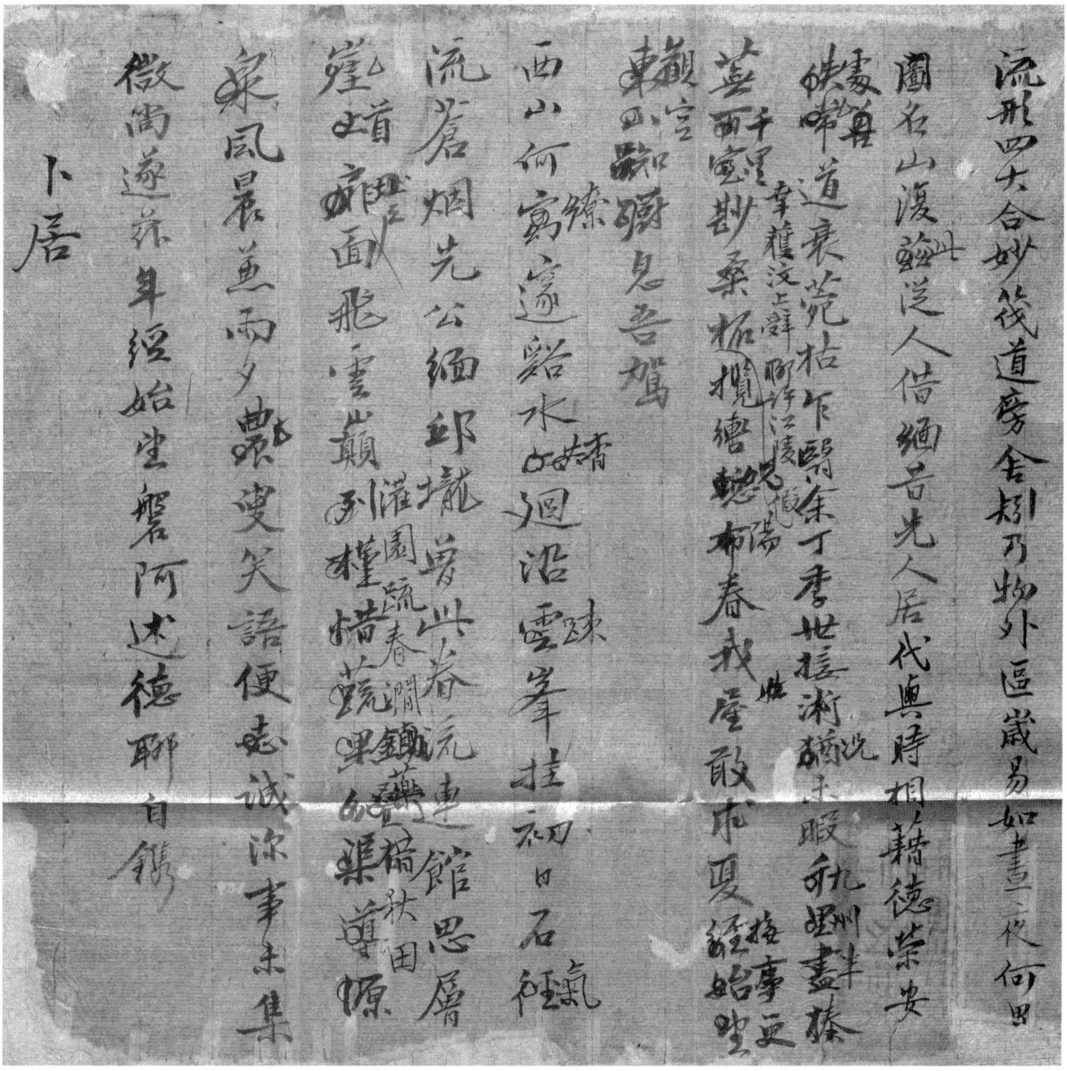
流形四大合妙筏道旁舍刱乃物外區歲易如晝一夜何田
圍名山溪蔭從人借緬吾先人居代興時相藉德榮安
婁尊道衰荒枯作野余丁季世樣術猶未暇飭九州畫半篠
英而寶杪桑梔攬繪總布春栽屋敢求夏經始望
觀宇東西知聯驕鬼音嬉
西山何窮遠路水回沿雲峯挂初日石徑氣
流眉烟先公緬邸墟曾此眷元建館思層
崖嶂雍面飛雲巔列權構蔬果鏡然渠導源
象風晨無雨夕農叟笑語便志識深事未集
微尚遂非年經始望磐阿述德聊自鍇
卜居

流形四大合妙筏道旁舍利乃物外區歲易如晝二伋何思

圖名山復茲此從人借緬吾先人居代與時相藉德榮安

處真帶道衰荒枯作驕余丁季世榛術瀕況未暇九州盡榛

蓋西千里室妙桑梔攬繪總布春我屋敢求夏經始望

幸獲汝上聲聊許江陵民假陽 雅 接亭更

觀東宮山知嶼息吾嬉

西山何窮繚遙蹊水古姑靖香迴沿雲跡峯挂初日石徑氣

流蒼烟先公緬邸壠曾與眷流連館思層

莊園流春閒鄉藥滿秋田

觀東山空鄉嶺息吾嶋

西山何繚寫遶谿水蜻迴沿雲跌峯掛初日石徑氣

流蒼烟先公緬邸巄崗幽春流連館思層

嶐首巔面飛雲山巔灌列園樵疏春楂澗藍果鐵藥蒜葉樵秋渠田尊源

泉風晨蓋雨夕豐叟笑語便忘識你事未集

微尚遂非年經始坐磐阿述德聊自銘

卜居